❚荣获全国优秀畅销书奖❚

中国地图册

星球地图出版社 编制

星球地图出版社 | 国家一级出版社
STAR MAP PRESS | 全国百佳图书出版单位

图书在版编目（CIP）数据

中国地图册 / 星球地图出版社编． -- 北京 ：星球
地图出版社，2019.1

（军民两用综合地图系列）
ISBN 978-7-5471-2573-1

Ⅰ．①中… Ⅱ．①星… Ⅲ．①地图集－中国 Ⅳ．
①K992

中国版本图书馆CIP数据核字(2018)第267571号

中国地图册

作　　者	星球地图出版社
责任编辑	申　怡
封面设计	弓　洁
出版发行	星球地图出版社
地址邮编	北京北三环中路69号　100088
网　　址	http：//www.starmap.com.cn
印　　刷	廊坊一二〇六印刷厂
经　　销	新华书店
开　　本	890毫米×1240毫米　1/32
印　　张	7.75
版次印次	2024年修订 第1版　　2024年1月第6次印刷
定　　价	48.00元
审 图 号	JS(2018)01-396

书中部分图片作者不详，有关事宜，请与本社联系。

如有残损 随时调换（发行部电话：010-82028269）

目录

图　　　例

省 区 图 、 地 区 图

居 民 地

◎ 北京	首都	◎ 宝鸡	地级市政府驻地 外国重要城市	◎ 周至县	县级政府驻地 外国一般城市
◉ 西安	省级政府驻地	◎ 大理市	自治州政府、 地区(盟)行政公署驻地	○ 林西	乡镇、村庄

境 　 界

	国界		特别行政区界线	— — — — — —	地区界
	未定国界	— · — · — · —	地级政区界线	· · · · · · · · · ·	军事分界线
	省级政区界线	— · · — · · —	县级政区界线		

交 　 通

在建	高铁	—301—	国道及编号		运河
在建	铁路		省级以下公路	至大庄254(470) 海里(千米)	航海线及里程
G2京沪	高速公路及编号和名称	— — — —	大车路　小路	—○—	油、气管道
	在建高速公路	)= = =(	隧道	⚓　⊕	港口　机场

水 文 及 地 形

	海岸线		时令河　时令湖		雪山　沙漠
	礁石		沟渠	▲ 8611　✳　✕	山峰及高程(米)　火山　隘口
	咸水湖　淡水湖		干河　井泉		长城
	水库与闸坝		沼泽　盐碱地	◎	世界遗产
	河流与瀑布		盐田　蓄洪区		国家级风景名胜区　国家级旅游度假区

城 　 市 　 图

	街区与街道	在建	高速公路	◉	省级政府
	公园、绿地	—301—	国道及编号	◎	地级政府及行政公署
⋈　⊗	桥梁　立交桥		城墙	⊙	县级政府
□　⊤	火车站　码头		主要环线		寺庙　亭、台、楼阁　古塔
	长途汽车站　运动场		高铁		纪念地　纪念碑　旅游景点
✚　⊞	医院　邮电局		索道		宾馆、饭店　电视塔(台)

2

图　例

- ⊛北京　首都、首府
- ⊙洛杉矶　主要城市
- ·········　洲界
- ·········　国界
- ·····　未定国界
- ────　地区界
- ─ ─ ─　军事分界线
- ‖‖‖‖　陆缘冰

比例尺 1:119 000 000

0   1190   2380   3570   4760千米

3

4

中华人民共和国国旗　　1949年9月27日中国人民政治协商会议第一届全体会议通过中华人民共和国国旗为五星红旗，以后历次宪法均作同样规定。其样式：旗面为红色，长方形，长和高为三与二之比，左上方缀黄色五角星五颗，一星较大，其外接圆直径为旗高十分之三，居左，四星较小，其外接圆直径为旗高十分之一，环拱于大星之右，并各有一个角尖正对大星的中心点。旗杆套为白色。国旗旗面的红色象征革命。星用黄色是为了在红地上显出光明。旗上的五颗五角星及其相互关系，象征中国共产党领导下的革命人民大团结。

中华人民共和国国徽　　中间是五星照耀下的天安门，周围是谷穗和齿轮。象征中国人民自五四运动以来的新民主主义革命斗争和工人阶级领导的以工农联盟为基础的人民民主专政的新中国的诞生。1950年6月23日中国人民政治协商会议第一届全国委员会第二次会议提出，同月28日中央人民政府委员会第八次会议通过，同年9月20日公布。

中华人民共和国国歌

进行曲速度

田 汉词
聂 耳曲

1=G 2/4

起来！不愿做奴隶的人们！把我们的血肉，筑成我们新的长城！中华民族到了最危险的时候，每个人被迫着发出最后的吼声。起来！起来！起来！我们万众一心，冒着敌人的炮火，前进！冒着敌人的炮火，前进！前进！前进！进！

中华人民共和国国歌 1949年9月27日中国人民政治协商会议第一届全体会议通过；在中华人民共和国国歌未正式制定前，以《义勇军进行曲》为国歌。1982年12月4日第五届全国人大第五次会议决议，以《义勇军进行曲》为中华人民共和国国歌。

中华人民共和国香港特别行政区区旗 是一面中间配有五颗星的动态紫荆花图案的红旗。红旗代表祖国，紫荆花代表香港，紫荆花红旗象征香港是祖国不可分割的一部分，也象征香港在祖国怀抱中兴旺发达，花蕊上的五颗星象征香港同胞心中热爱祖国。花呈白色表示有别于代表祖国其它部分的红色，即象征一国两制。

中华人民共和国香港特别行政区区徽 呈圆形，其外圈写有"中华人民共和国香港特别行政区"和英文"香港"字样，其中间的五颗星动态紫荆花图案的构思和寓意与区旗相同，也是以红、白两色象征一国两制。

中华人民共和国澳门特别行政区区旗 是一面绘有五星、莲花、大桥、海水图案的绿色旗帜。图案中的五星象征着国家的统一，表明澳门是中华人民共和国不可分割的组成部分，莲花是澳门居民喜爱的花种，与素有澳门旧称的"莲花地"、"莲花茎"相关，其三个花瓣代表澳门半岛、氹仔岛和路环岛，整朵莲花寓意澳门将来的繁荣与兴旺，莲花下面的大桥、海水，反映了澳门的自然环境特点，绿色旗帜则象征着包括澳门在内的中国大地一派生机，欣欣向荣。

中华人民共和国澳门特别行政区区徽 呈圆形，中间是五星、莲花、大桥、海水图案，底色也是绿色，图案的寓意与区旗相同。在图案周围，写有中文"中华人民共和国澳门特别行政区"和葡文"澳门"，表明中文和葡文都是正式语文。

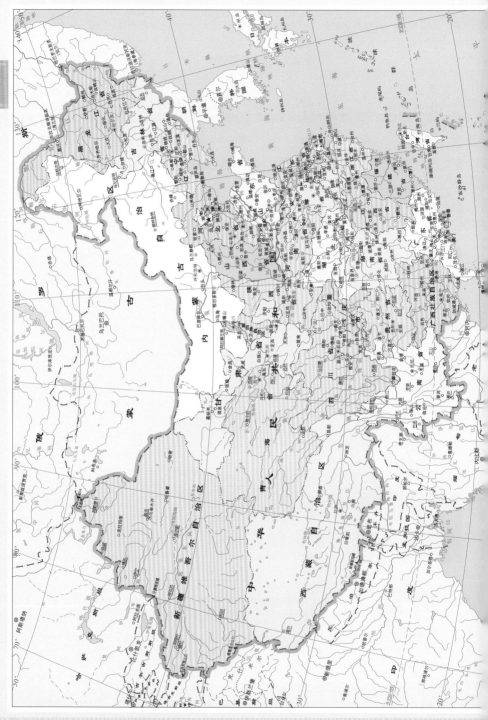

图例
★ 首都
◎ 省级行政中心
● 特别行政区政府所在地
○ 特别行政区政府驻地

注：台湾省行政区划资料暂缺

7

全国行政区划统计表 （截至2023年9月）

名称（简称）	地级·市	地级·地区	地级·自治州	地级·盟	县级·市辖区	县级·市	县级·县	县级·自治县	县级·旗	县级·自治旗	县级·其他
北京市 京					16						
天津市 津					16						
河北省 冀	11				49	21	91	6			
山西省 晋	11				26	11	80				
内蒙古自治区 内蒙古	9			3	23	11	17		49	3	
辽宁省 辽	14				59	16	17	8			
吉林省 吉	8		1		21	20	16	3			
黑龙江省 黑	12	1			54	21	45	1			
上海市 沪					16						
江苏省 苏	13				55	21	19				
浙江省 浙	11				37	20	32	1			
安徽省 皖	16				45	9	50				
福建省 闽	9				31	11	42				
江西省 赣	11				27	12	61				
山东省 鲁	16				58	26	52				
河南省 豫	17				54	21	82				
湖北省 鄂	12		1		39	26	35	2			林区1
湖南省 湘	13		1		36	19	60	7			
广东省 粤	21				65	20	34	3			
广西壮族自治区 桂	14				41	10	48	12			
海南省 琼	4				10	5	4	6			
重庆市 渝					26		8	4			
四川省 川	18		3		55	19	105	4			
贵州省 黔	8		3		16	10	50	11			特区1
云南省 云	8		8		17	18	65	29			
西藏自治区 藏	6	1			8	2	64				
陕西省 陕	10				31	7	69				
甘肃省 陇	12		2		17	5	57	7			
青海省 青	2		6		7	5	25	7			
宁夏回族自治区 宁	5				9	2	11				
新疆维吾尔自治区 新	4	5	5		13	29	60	7			
香港特别行政区 港											
澳门特别行政区 澳											
台湾省 台											
合计	293	7	30	3	977	396	1299	118	49	3	2

地级合计 333　　县级合计 2844

4直辖市　23省　5自治区　2特别行政区

概况

简称中国，地处亚洲东部，太平洋西岸。陆地面积约960万平方千米，居世界第三位。陆地疆界长2万余千米，接壤邻国东为朝鲜，北为俄罗斯、蒙古，西北为哈萨克斯坦、吉尔吉斯斯坦，西为塔吉克斯坦、阿富汗、巴基斯坦，西南为印度、尼泊尔、不丹，南为缅甸、老挝、越南。东、东南部的大陆海岸线长1.8万余千米，渤海（内海）、黄海、东海、南海自北向南环绕大陆边缘，内海和边海的水域面积约470多万平方千米，与韩国、日本、菲律宾、印度尼西亚、马来西亚、文莱等邻国隔海相望，海域分布着大小岛屿7600多个，其中台湾岛最大，面积35798平方千米，首都北京市。

自然环境

全国地形复杂多样，山地、高原、丘陵占2/3以上，平原、盆地等不足1/3。地势西高东低，呈三级阶梯状：第一级阶梯为号称"世界屋脊"的青藏高原，平均海拔4000米以上，有昆仑山、唐古拉山、冈底斯山－念青唐古拉山、喀喇昆仑山等，南缘的喜马拉雅山是世界最高的山脉，海拔8848.86米的珠穆朗玛峰为世界最高峰。第二级阶梯在青藏高原北、东缘与大兴安岭－太行山－巫山－雪峰山一线之间，包括海拔1000～2000米的云贵、黄土、内蒙古三大高原和塔里木、准噶尔两大盆地，及海拔低于500米的四川盆地。有天山、阿尔泰山、秦岭、阴山、贺兰山等，新疆吐鲁番盆地有我国陆地最低处（－154.31米）。大兴安岭－太行山－巫山－雪峰山一线以东为第三级阶梯，包括海拔200米以下的东北、华北、长江中下游三大平原和1000米上下的丘陵地带，有南岭、大兴安岭、长白山、台湾山等，沿海约6000个岛屿多分布在东南部海域，台湾岛最大，海南岛次之。

境内河流众多，流域面积超过1000平方千米的有1500余条，著名大河多源于青藏高原。外流区域占全国面积的2/3，分属三大水系：我国第一大河长江、第二大河黄河顺地势东流，与澜沧江、珠江、淮河、海河、辽河、黑龙江等同属太平洋水系；怒江、雅鲁藏布江向南出境，属印度洋水系；新疆的额尔齐斯河向北出境，属北冰洋水系。秦岭－淮河以南，河流水量丰富，水位季节变化和含沙量小，冬季可通航；以北的河流水位季节变化和含沙量大，冬季水量小且结冰。京杭运河沟通海河、黄河、淮河、长江、钱塘江五大水系，是世界最长的运河。内流区域散布于西部和北部，新疆的塔里木河是国内最长的内流河。2800多个水面大于1平方千米的湖泊，分布广泛而不均匀。长江中下游平原淡水湖最为集中，鄱阳湖、洞庭湖、太湖、洪泽湖、高邮湖闻名；青藏高原咸水湖众多，青海湖最大，纳木错是世界海拔最高的大湖。

我国疆域辽阔，纵跨温、热两气候带，自然环境复杂，气候类型多样。东部为季风气候，冬季寒冷干燥，夏季湿热多雨，气温随纬度变化明显，南、北端年平均气温相差30℃以上；西北部为大陆干旱、半干旱气候，降水稀少；青藏高原为独特的高寒气候。

我国矿藏种类齐全，矿产自给程度较高。已探明7类151种矿藏储量，煤、钨、钼、锑、菱镁矿、重晶石、稀土矿等居世界第一位，铜居第三位：大庆、胜利、大港、任丘、辽河、克拉玛依、冷湖、玉门、吉林、南阳、江汉、江苏及近海大陆架为主要石油、天然气产地，铁、铅、锌、锡、铝、汞、金、磷等为重要矿产；金沙江流域水力资源最为丰富，次为长江中游、黄河上游和西南、中南、华东、东北地区的江河。

经济状况

除青藏、内蒙古两大高原外，各地均以种植业为主。耕地绝大部分处于大兴安岭－长城－青藏高原东缘一线以东，农业的地域差异明显：秦岭－淮河以南、青藏高原以东地区，平原主产双季稻，旱地和丘陵山地以玉米、甘薯为主；秦岭－淮河以北、六盘山以东、长城以南地区，主产冬小麦、玉米，次为高粱、甘薯、大豆、谷子；东北地区产玉米、大豆、春小麦、高粱、谷子；内蒙古和长城沿线以杂粮为主；西北灌溉农业区产春小麦及谷子、糜子；青藏高原主产青稞、春小麦。主要经济作物有华北平原、长江中下游平原及西部的棉花，南方的甘蔗、油菜，北方的甜菜、花生、芝麻，东北的向日葵，西部的胡麻，东部的油菜。畜牧业是西部重要生产部门，诸多天然草场为国家牧业基地，主产羊、牛、马、骆驼。淡水和海洋水产业潜力巨大。林区产木材和丰富的副产品。

新中国成立以来，逐步改变工业偏集沿海、脱离原料、燃料产地和消费区的状况，大力建设内地工业基地，例如包头、太原、攀枝花的钢铁，大同的煤炭，吉林、太原、兰州的化工，石家庄、郑州、西安的纺织，葛洲坝的电力。2022年，我国有四成以上主要工业产品的产量已居世界第一。水下机器人、无人机技术处于国际领先水平。随着汽车、飞机制造业和电子、航天、石油化工、化纤、核工业等的兴起，形成具有相当规模的独立的较完整的工业体系。

2022年我国国内生产总值1210207亿元，其中第一产业增加值88345亿元；第二产业增加值483165亿元；第三产业增加值638698亿元。人均国内生产总值85698元美元。

交通以铁路、公路、内河与近海航运为主，其次为航空、管道运输。铁路网由哈大－京沈、京沪、京九、京广、北同蒲－太焦－焦柳－枝柳、宝成－成昆－昆河、成渝－川黔－黔桂等南北干线，京包－包兰－兰青、陇海－兰新、沪杭－浙赣－湘黔－贵昆、蓝烟－胶济－石德－石太－同蒲－侯西等东西干线组成。可构成"四纵四横"高速铁路网。2021年铁路营业里程15.1万千米，其中，高速铁路营业里程达4万千米。公路遍及各地，公路里程528.1万千米，高速公路里程约16.9万千米。内河航运以长江中下游和珠江最为发达，京杭运河的山东、江苏、浙江段通航。内河通航里程12.8万千米。大连、秦皇岛、天津、青岛、连云港、上海、宁波、厦门、湛江、海口、香港等为主要海港。民用航空国际航空线约279条，北京、上海、广州、昆明、厦门、大连、哈尔滨、乌鲁木齐、哈尔滨、海口、香港、澳门等地设国际机场。建成国内卫星通讯网络，数字通讯技术日益普及，众多城镇的程控电话进入国际直拨网。

我国是世界文明古国，名胜古迹繁多。北京、西安、洛阳、开封、安阳、南京、杭州并称七大古都；至2023年，有世界文化、自然遗产57处；至2023年，有国家历史文化名城142座；国家级自然保护区474处；国家重点风景名胜区244处。

政区沿革

我国行政区划产生于两千多年前形成国家的先秦时期，从分封诸侯到中央一统天下，从历代建制一到确立省、市、县三级为主体，经过四次重大变革而日趋完善。

春秋时，周朝分封的诸侯国相继始设"县"与"郡"，多以县辖郡（一说二者无隶属关系）。战国时演变为以郡辖县。公元前221

年，秦统一六国，全面推行郡县制——除京畿另设内史外，划为36郡，复增至46郡，分辖约千县。一改分封制为中央统辖全部政区，施行划一的郡、县两级制，是我国行政区划史上第一次重大变革。

西汉在中央与郡之间分设13刺史部，与京畿的司隶校尉部统称14州；东汉析此监察区改为行政区，为管理幅员广大的国土首创州、郡、县三级制，成为我国行政区划史上第二次重大变革。这一适合国情之举，沿用于以后绝大多数统一时期。如唐代的道、州（府）、县三级制，宋代的路、州（府、军、监）、县三级制。

元代以中书省兼管京畿，内地划分若干"行中书省"，简称行省，行政层次以行省、路（府、州）、州（府）、县四级制为主。作为沿袭至今的地方最高一级政区，行省的创立是我国行政区划史上第三次重大变革。明代继承元制，仅改行省为承宣布政使司，仍习称为省。清代继承明制，并改直隶和江苏、安徽、山西、河南、陕西、甘肃、四川、湖北、湖南、浙江、江西、福建、广东、广西、云南、贵州18布政使司为省；光绪十年（1884年）改伊犁将军辖区为新疆省；十一年（1885年）析福建省置台湾省，二十一年（1895年）被日本割占；三十三年（1907年）改盛京、吉林、黑龙江3将军辖区为奉天、吉林、黑龙江3省。民国继承清22省制，1928年改称直隶省为河北省，1929年改称奉天省为辽宁省；1945年抗日战争胜利，光复的辽宁、吉林、黑龙江3省改划为辽宁、安东、辽北、吉林、松江、合江、黑龙江、嫩江、兴安9省，恢复台湾省。与省平行的别类政区，大部分归并于省；1919年撤销阿尔泰办事长官区域，并入新疆省；1928年将京兆地方撤销并入河北省，绥远、察哈尔、热河、川边（后改称西康）4特别区域改为绥远、察哈尔、热河、西康4省，甘边宁海镇守使辖区改为青海省，原宁夏护军使辖区改为宁夏省；1945年撤销东省特别行政区、威海卫行政区，分别并入东北有关省区和山东省；1947年设海南特别行政区，筹备建省。35省之外，设有蒙古地方（1946年独立）和西藏地方。

自1920年初创后，建制"市"迅速兴起，由少数都会推行到大部分省会和重要商埠、港口，随即广泛分布以致占据省、地、县三级政区的重要地位，成为我国行政区划史上第四次重大变革。设市初期，与省平行的中央直辖市通称"特别市"，1930年均改称"市"，1947年计有南京、上海、北平、天津、青岛、广州、汉口、重庆、西安、沈阳、大连、哈尔滨12直辖市。

1949年10月1日中华人民共和国成立后，行政区划由大行政区、省、专区、县、乡五级很快过渡到省、地区、县、乡四级。大行政区和现行23省、5自治区、4直辖市、2特别行政区的建制沿革如下：

大行政区

位于中央与省之间，其领导机关代表中央政府管辖境内各省军民政务，源于清代的总督、民国后期的军政长官公署。1948年，解放区已设华北、东北2人民政府，为地方最高政权机关；1950年增设西北、华东、中南、西南军政委员会，代行大行政区人民政府职权。除华北行政区于建国时撤销、5省2市及内蒙古自治区由中央直辖外，东北、华东、中南、西南、西北5行政区分辖24省、12市、9行署区、1地方1地区。1952年，设政务院华北行政委员会，各大行政区人民政府或军政委员会也改为行政委员会，作为中央人民政府的派出机关。1954年撤销建制。

省

新中国成立前夕，东北行政区于1947年将兴安省并入内蒙古自治区后，1949年将辽宁、安东2省合并为辽东省，辽北、辽西2省合并为辽西省，合江省撤销并入松江省，嫩江省并入黑龙江省；华北行政区析冀、鲁、豫3省设平原省。1952年，撤销苏北、苏南、皖北、皖南、川东、川西、川南、川北8行署区并分别恢复江苏、安徽、四川3省，平原省撤销并入冀、鲁、豫3省，察哈尔省撤销并入冀、晋2省。1954年，绥远省撤销并入内蒙古自治区，辽东、辽西2省合并为辽宁省，松江省撤销并入黑龙江省，宁夏省撤销并入甘肃省。1955年，热河省撤销并入冀、辽2省和内蒙古自治区，西康省撤销并入四川省。1988年，广东省海南行政区改为海南省。

行署区

与省平行的有1949年由原江苏省境分设的苏北、苏南2行署区，由原安徽省境分设的皖北、皖南2行署区，1950年由原四川省境分设的川东、川西、川南、川北4行署区，均于1952年撤销；1949~1950年曾设旅大行署区；1950年析西康省西部置昌都地区，1955年并入西藏自治区（筹委会）。省、专区之间还存在于1950~1988年的广东省海南行政区，存在于1954~1956年的新疆维吾尔自治区南疆行署区等。

自治区

新中国成立以前，解放区于1947年设立内蒙古自治区。1955年，新疆省改为新疆维吾尔自治区（全国地、县级自治区分别改称自治州、自治县），西藏地方及昌都地区合并设立西藏自治区筹委会（1965年正式成立西藏自治区）。1958年，广西省改为广西僮族自治区（1965年更名为广西壮族自治区），析甘肃省设宁夏回族自治区。内蒙古自治区一部于1969年划归黑、吉、辽、甘4省和宁夏回族自治区，1979年复原。

直辖市

1949年新中国成立时，北平市改称北京市，与天津市由中央直辖，沈阳、鞍山、抚顺、本溪、上海、南京、武汉、广州、重庆、西安10市由所在大行政区领导。1950年，旅大行署区改为东北行政区领导的旅大市。1952年，南京市划属江苏省。1953年，吉林省长春市、松江省哈尔滨市改为东北行政区代管的中央直辖市。1954年，保留北京、天津、上海3市由中央直辖，沈阳、旅大、鞍山、抚顺、本溪、长春、哈尔滨、武汉、广州、重庆、西安11市分别划属辽、吉、黑、鄂、粤、川、陕7省。天津市于1958年划属河北省，1967年恢复为中央直辖市。1997年，析四川省设中央直辖的重庆市。

特别行政区

1997年与1999年，我国政府分别对香港（英占）、澳门（葡占）恢复行使主权，设立中央直辖的香港、澳门2特别行政区。

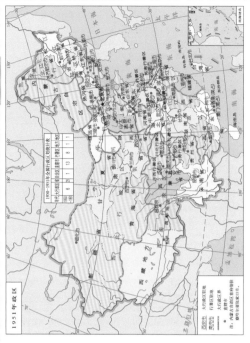

1951年政区

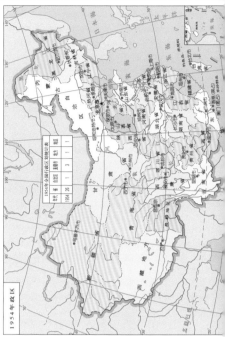

1954年政区

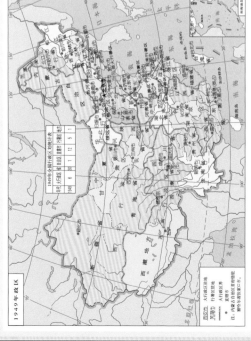

1949年政区

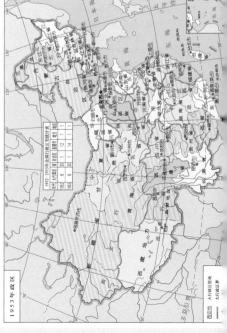

1953年政区

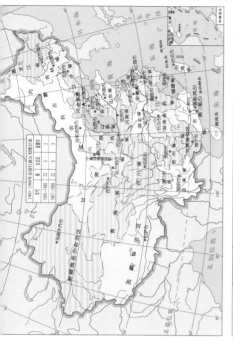

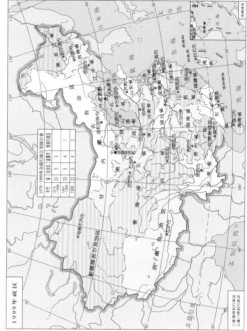

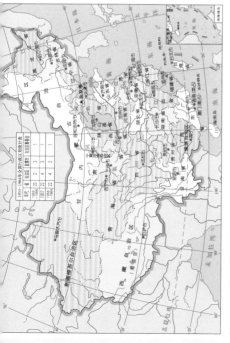

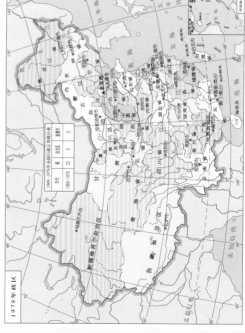

12

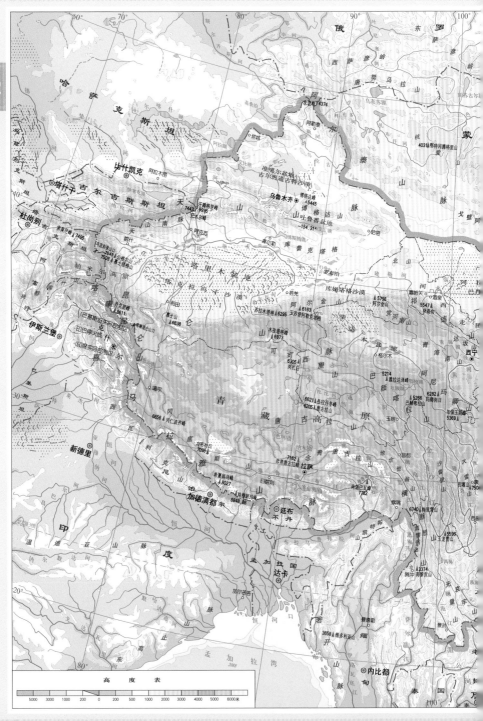

高　度　表

5000　3000　1000　200　0　200　500　1000　2000　3000　4000　5000　6000米

比例尺 1:22 300 000

0   223   446   669   892千米

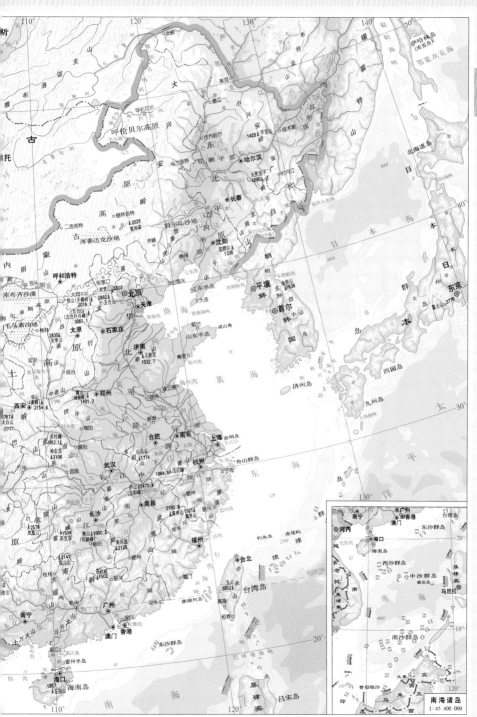

13

南海诸岛

1:45 400 000

14

中国幅员辽阔，海岸线长达1.8万余千米，生态环境复杂，地理景观多样。境内不仅有常见的构造地貌、流水侵蚀地貌和海岸地貌、现代冰川以及沙漠戈壁等，还有在特定气候条件下，反映特殊岩性的喀斯特地貌、丹霞地貌和黄土地貌等。中国地貌种类的典型性和多样性，是世界其他国家难以比肩的。

中国地势西高东低，自西向东形成三个逐层降低的阶梯，是中国地貌总体态势的基本特征。青藏高原雄峙中国西南部，平均海拔4000米以上，喻为"世界屋脊"，是第一级阶梯，由极高山、高山及高原组成，青藏高原的外缘，到大兴安岭、太行山、巫山到雪峰山一线，构成第二级阶梯，主要由广阔的高原和大盆地组成，第三级阶梯是东部的平原和沿海低山丘陵。

中国地貌的基本特征和地貌类型分布格局是在内、外力的共同作用下，长期演化发展的结果。影响地貌发育的内外力因素，主要有地质构造、气候、地表组成物质和人类活动等因素。中国地处欧亚板块东南部，在印度洋板块和太平洋板块的夹峙下，板块之间相互挤压碰撞，对中国地貌格局的演变产生极为重要的影响，形成我国西部山地多以东西向为主，东部山地以北东向居多的格局。在地貌形成发育过程中，气候的作用也很突出，不仅表现出现代气候对地貌的深刻影响，而且也遗留着古代气候条件下的地貌痕迹。

黄土地貌

黄土地貌在中国北方地区广泛分布，在昆仑山、祁连山和秦岭以北地区随处可见，总面积约40万平方千米，是中国水土流失最严重的地区。黄土地貌最集中的地区是位于黄河中游的黄土高原。

黄土地貌的特征是沟壑纵横、峁墚逶迤，连绵不绝。在长期的流水侵蚀和其他外力的剥蚀作用下，山体被蚕食成千沟万壑，雨裂冲沟比比皆是。黄土高原经流水切割后的残余部分，形成形态各异的黄土丘陵，西北人对其不同形态赋予了不同的名称。"黄土墚"是指面积较大、顶部坡度平缓的黄土丘陵，长条状的丘陵叫做"墚"，孤立而浑圆、顶部呈穹形的丘陵叫做"峁"。

雅丹地貌

"雅丹"在维吾尔语中的意思是"具有陡壁的土丘"。20世纪初，中外学者在中国新疆罗布泊地区联合考察时，在罗布泊西北的古楼兰附近发现这种奇特的地貌，并根据维族人对此的称呼而命名，音译为"雅丹"。

雅丹地貌是在干旱的荒漠地区，在长期风蚀作用下，由平行的垄脊和沟槽构成的风蚀地貌。干旱地区的水系，在形成和

丹霞地貌

丹霞地貌

丹霞地貌是20世纪30年代以中国广东省丹霞山命名的一种貌类型。这种地貌虽然在欧洲、北美洲和大洋州也有分布，但中国分布面积最广，发育最为典型。

丹霞地貌的岩层是在内陆盆地沉积的赭红色砂砾岩，在地构造水平运动和间歇垂直抬升的综合作用下，经过流水侵蚀及化剥蚀等外力的长期作用，形成山体顶部平齐、四壁陡峭的赤丹崖，或被切割成千姿百态的奇峰异石，粗细相间的赭红色沉层理在绝壁上清晰可见，是重要的地质地貌旅游资源。

黄土地貌

消亡的过程中，经过反复的水位进退，发育了层层叠加的泥和沙土层，在强烈定向风的剥蚀下，形成姿态奇异的城堡形形土丘，雅丹地貌的形态逐渐凸现出来。

雅丹地貌

冰川地貌

山岳冰川地貌

冰川地貌按其所处的位置、形态和规模，可分为大陆冰川和山岳冰川两种。大陆冰川主要分布在气候寒冷干燥的南极大陆，以冰原、冰盖为主，高海拔山地雪线以上形成的冰川称为山岳冰川，以山谷冰川和冰斗冰川为主。

中国是世界上中低纬度山岳冰川最发育的国家。冰川地貌多分布于喜马拉雅山、喀喇昆仑山、昆仑山、天山和阿尔泰山，冰川总面积约4.4万平方千米。山岳冰川地貌是在冰川刨蚀、寒冻风化、融雪流水及重力作用下形成的以角峰刃脊、悬谷冰斗为特征的地理景观，还有终碛、侧碛、冰碛阶地、冰蚀、冰碛等地貌形态。

喀斯特地貌

喀斯特地貌

喀斯特是克罗地亚西北部伊斯特拉半岛碳酸盐岩高原的地名，当地称之为Kras，意为岩石裸露的地方。国外学术界均以该地区地名将石灰岩地貌命名为"喀斯特地貌"。过去中国曾使用"岩溶地貌"一词。

喀斯特地貌在中国分布广泛，但在中国西南地区最集中，发育最完美，总面积约130万平方千米。石灰岩的主要成分是碳酸钙，在有水和二氧化碳时发生化学反应生成碳酸氢钙，后者可溶于水。喀斯特地貌主要是降水及地下水对碳酸盐岩长期溶蚀作用的结果。喀斯特地貌的基本特征是石林峰丛拔地而起，地下溶洞景观极为独特。

喀斯特地貌

花岗岩地貌

花岗岩地貌

中国的花岗岩地貌大多集中在中国的第二、三级地形阶梯上，分布地域十分广阔，以海拔2500米以下的中低山和丘陵为主。

花岗岩地貌是由花岗岩体构成的峰林状岩丘与球状岩丘的通称。花岗岩地貌的发育受岩体形状影响，岩株状花岗岩质地坚硬，垂直节理发育，在流水切割和重力作用下，岩体崩塌极为显著，常形成陡峭削峻的雄奇景观，中国的名山大川多为这类花岗岩地貌，穹窿状花岗岩体，沿节理方向进行的流水侵蚀和风化作用，形成很厚的风化壳，呈现出浑圆的球状岩体特征，经过表层岩石长期球状风化，可以形成各种形态逼真的奇石。

图　例

～～～ 一级河流
～～～ 二级河流
～～～ 三级河流
～～～ 小于三级河流
　　　及国外河流
———— 内、外流区界
　　　河流内流区域
　　　河流外流区域

比例尺 1：21 700 000

0　　217　　434　　651　　868千米

鄂霍次克海

日 本 海

太

平

洋

贝

呼和浩特

北京
天津

太原　石家庄

郑州

西安

济南

合肥　南京

上海

武汉　杭州

南昌　舟山群岛

长沙

福州

广州

澳门

香港

海口

海南岛

渤海

黄 海

东 海

东沙群岛

南 海

彭佳屿　钓鱼岛　赤尾屿

台北

澎湖列岛

台湾岛

哈尔滨

长春

沈阳

北回归线

南 海 诸 岛
1：46 760 000

北部湾

南宁　广州
澳门　香港

海口　台湾岛

海南岛　东沙群岛

西沙群岛　中沙群岛

黄岩岛

南

海

南 沙 群 岛

万安滩

曾母暗沙

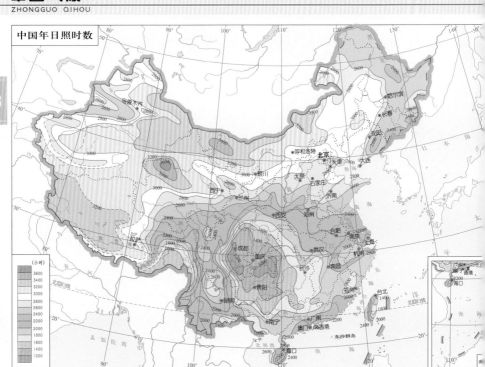

中国年日照时数

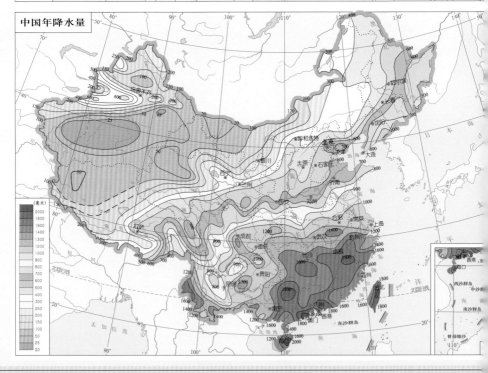

中国年降水量

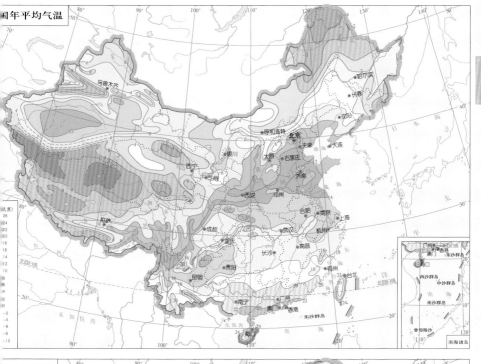

国年平均气温

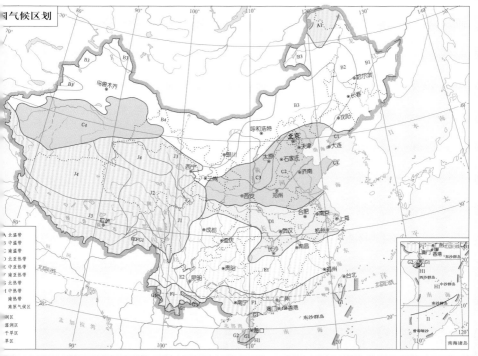

国气候区划

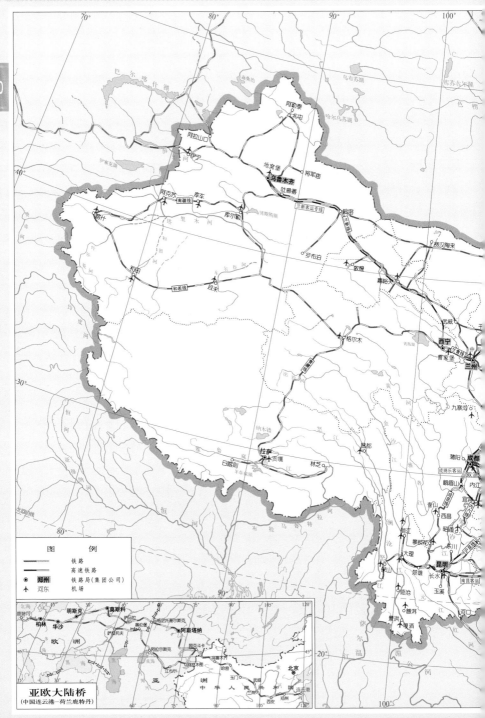

图 例
铁路
高速铁路
郑州　铁路局(集团公司)
河东　机场

亚欧大陆桥
(中国连云港－荷兰鹿特丹)

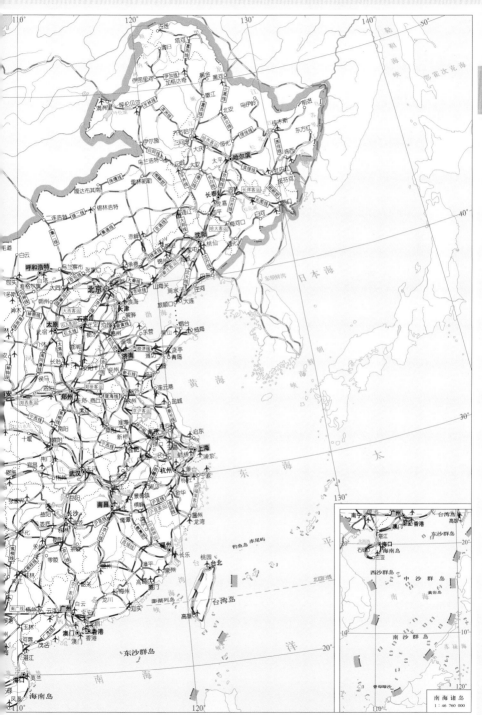

南海诸岛
1:46 760 000

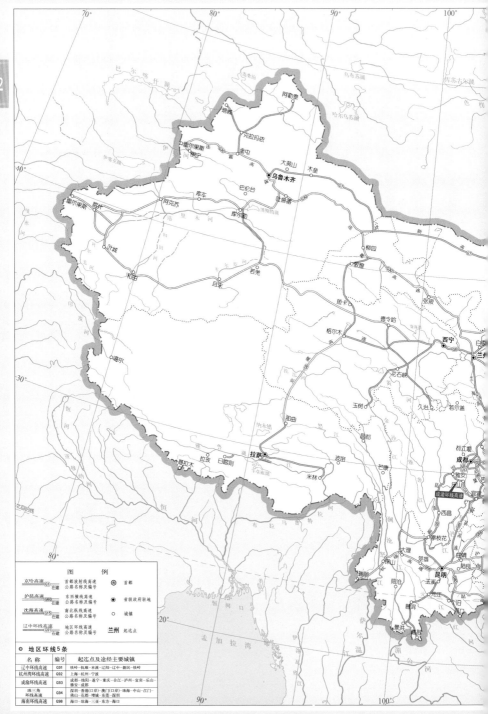

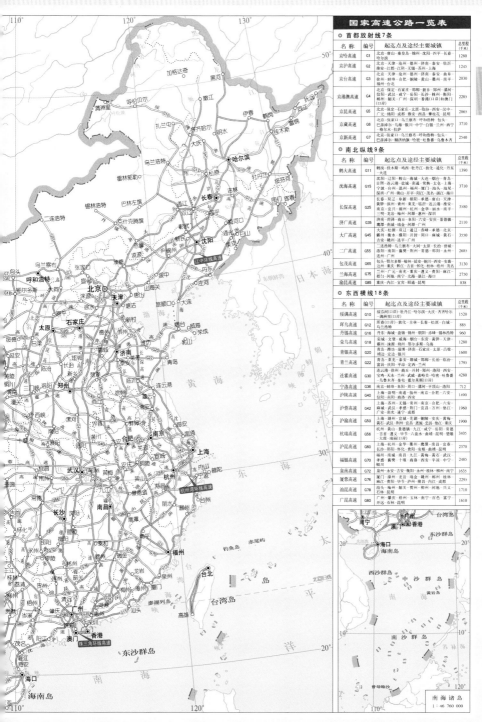

比例尺 1:21 700 000

0　217　434　651　868千米

23

国家高速公路一览表

○ 首都放射线7条

名称	编号	起讫点及途经主要城镇	总里程(千米)
京哈高速	G1	北京·唐山·秦皇岛·锦州·沈阳·四平·长春·哈尔滨	1280
京沪高速	G2	北京·天津·沧州·德州·济南·泰安·临沂·徐州·宿迁·江都·江阴·无锡·苏州·上海	1245
京台高速	G3	北京·天津·沧州·衡水·济南·合肥·铜陵·黄山·南平·福州·台北	2030
京港澳高速	G4	北京·保定·石家庄·新乡·郑州·漯河·武汉·咸宁·岳阳·长沙·株洲·衡阳·郴州·广州·韶关·深圳·香港(口岸)/澳门(口岸)	2285
京昆高速	G5	北京·保定·石家庄·太原·临汾·西安·汉中·广元·绵阳·成都·雅安·西昌·昆明	2865
京藏高速	G6	北京·张家口·乌兰察布·呼和浩特·包头·银川·兰州·西宁·格尔木·拉萨	3710
京新高速	G7	北京·张家口·乌兰察布·呼和浩特·包头·临河·哈密·吐鲁番·乌鲁木齐	2540

○ 南北纵线9条

名称	编号	起讫点及途经主要城镇	总里程(千米)
鹤大高速	G11	鹤岗·佳木斯·鸡西·鸡东·牡丹江·敦化·通化·丹东·大连	1390
沈海高速	G15	沈阳·辽阳·鞍山·海城·大连·烟台·青岛·日照·连云港·盐城·南通·常熟·太仓·上海·宁波·台州·温州·福州·泉州·厦门·汕头·深圳·珠海·茂名·湛江·海口	3710
长深高速	G25	长春·双辽·阜新·朝阳·承德·唐山·天津·黄骅·沧州·乐陵·潍坊·临沂·新沂·淮安·盐城·南通·常熟·上海·杭州·金华·衢州·上饶·鹰潭·赣州·河源·深圳	3580
济广高速	G35	济南·菏泽·商丘·阜阳·六安·安庆·景德镇·鹰潭·抚州·瑞金·龙南·广州	2110
大广高速	G45	大庆·双辽·通辽·朝阳·承德·北京·衡水·濮阳·南阳·襄阳·荆门·常德·吉安·广州	3550
二广高速	G55	二连浩特·乌兰察布·大同·太原·长治·晋城·焦作·洛阳·南阳·荆州·常德·邵阳·永州·贺州·广州	2685
包茂高速	G65	包头·鄂尔多斯·榆林·延安·铜川·西安·安康·重庆·遵义·贵阳·河池·南宁·北海·湛江·茂名	3130
兰海高速	G75	兰州·定西·陇南·广元·重庆·遵义·贵阳·河池·南宁·钦州·防城·海口	2750
渝昆高速	G85	重庆·内江·宜宾·昭通·昆明	838

○ 东西横线18条

名称	编号	起讫点及途经主要城镇	总里程(千米)
绥满高速	G10	绥芬河(口岸)·牡丹江·哈尔滨·大庆·齐齐哈尔·满洲里(口岸)	1520
珲乌高速	G12	珲春·图们·吉林·长春·松原·白城·乌兰浩特	885
丹锡高速	G16	丹东·鞍山·阜新·赤峰·锡林浩特	960
荣乌高速	G18	荣成·文登·威海·烟台·潍坊·东营·黄骅·天津·保定·乌兰察布	1280
青银高速	G20	青岛·淄博·济南·石家庄·太原·吕梁·银川	1600
青兰高速	G22	青岛·莱芜·泰安·聊城·邯郸·长治·临汾·定西·兰州	1795
连霍高速	G30	连云港·徐州·开封·郑州·洛阳·三门峡·西安·宝鸡·天水·兰州·吐鲁番·乌鲁木齐·奎屯·霍尔果斯(口岸)	4280
宁洛高速	G36	南京·蚌埠·阜阳·周口·漯河·平顶山·洛阳	712
沪陕高速	G40	上海·南京·合肥·信阳·南阳·商洛·西安	1490
沪渝高速	G50	上海·苏州·无锡·常州·南京·合肥·六安·麻城·武汉·荆州·宜昌·恩施·涪陵·重庆	1960
沪蓉高速	G42	上海·苏州·无锡·南京·合肥·六安·南阳·安康·达州·广安·重庆·成都	1900
杭瑞高速	G56	杭州·黄山·景德镇·九江·咸宁·岳阳·常德·吉首·铜仁·遵义·毕节·六盘水·曲靖·昆明·大理·瑞丽	3405
沪昆高速	G60	上海·杭州·金华·衢州·鹰潭·新余·宜春·长沙·邵阳·怀化·贵阳·安顺·曲靖·昆明	2370
福银高速	G70	福州·南城·九江·黄梅·黄石·武汉·十堰·襄阳·南阳·西安·平凉·银川	2485
泉南高速	G72	泉州·永安·古安·龙岩·桂林·柳州·南宁	1635
厦蓉高速	G76	厦门·龙岩·赣州·郴州·衡阳·永州·桂林·贵阳·成都	2295
汕昆高速	G78	汕头·梅州·韶关·柳州·河池·兴义·昆明	1710
广昆高速	G80	广州·梧州·玉林·南宁·百色·昆明·开远·石林·昆明	1610

南海诸岛
1:46 760 000

中国国家公路

国家共设69条国道，采用放射状和纵横向布局，构成全国公路网骨架。国道编码为3位数字，按其走向分为三类，第一类是以北京为中心的放射线，首位为"1"，由北按顺时针方向顺序编排，编码为101－112；第二类为南北向纵线，首位为"2"，由东向西顺序编排，编码为201－227；第三类为东西向横线，首位为"3"，从北向南顺序编排，编码为301－330。

图例

310 国道(1字头编码)	◎ 首都
201 国道(2字头编码)	◉ 省级政府驻地
310 国道(3字头编码)	○ 城镇

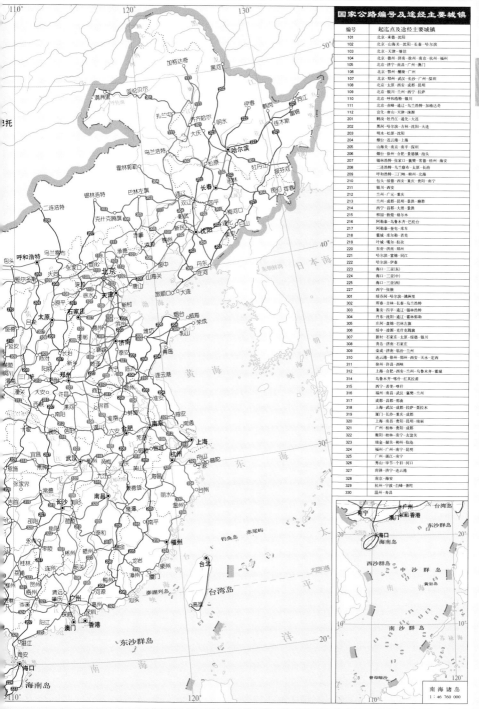

比例尺 1:21 700 000

国家公路编号及途经主要城镇

编号	起迄点及途经主要城镇
101	北京－承德－沈阳
102	北京－山海关－沈阳－长春－哈尔滨
103	北京－天津－塘沽
104	北京－德州－济南－徐州－南京－杭州－福州
105	北京－济宁－南昌－广州－澳门
106	北京－鄂州－樟树－广州
107	北京－武汉－长沙－广州－深圳
108	北京－太原－西安－成都－昆明
109	北京－银川－西宁－拉萨
110	北京－呼和浩特－银川
111	北京－承德－通辽－乌兰浩特－加格达奇
112	宣化－青山－天津－涞源
201	鹤岗－牡丹江－通化－大连
202	黑河－哈尔滨－吉林－沈阳－大连
203	明水－松原－集安
204	烟台－连云港－上海
205	山海关－南云港－南平－深圳
206	烟台－徐州－合肥－景德镇－汕头
207	锡林浩特－张家口－襄樊－常德－梧州－海安
208	二连浩特－乌兰察布－集宁－长治
209	呼和浩特－三门峡－柳州－北海
210	包头－绥德－西安－重庆－贵阳－南宁
211	银川－西安
212	兰州－广元－重庆
213	兰州－成都－昆明－景洪－澜沧
214	西宁－昌都－大理－景洪
215	柳园－敦煌－格尔木
216	阿勒泰－乌鲁木齐－巴伦台
217	阿勒泰－奎屯－库车－若羌
218	霍城－库尔勒－若羌
219	叶城－噶尔－拉萨
220	东营－济南－郑州
221	哈尔滨－同江
222	哈尔滨－伊春
223	海口－三亚(东)
224	海口－三亚(中)
225	西宁－张掖
227	西宁－张掖
301	绥芬河－哈尔滨－满洲里
302	珲春－吉林－长春－乌兰浩特
303	集安－四平－通辽－锡林浩特
304	丹东－沈阳－通辽－霍林郭勒
305	庄河－盘锦－巴林左旗
306	绥中－凌源－克什克腾旗
307	新村－石家庄－太原－绥德－银川
308	青岛－济南－石家庄
309	荣成－济南－临汾－兰州
310	连云港－徐州－郑州－西安－天水－定西
311	徐州－许昌－西峡
312	连云港－合肥－徐州－西安－兰州－乌鲁木齐－霍城
314	乌鲁木齐－喀什－红其拉甫
315	西宁－若羌－喀什
316	福州－南昌－武汉－襄樊－兰州
317	成都－昌都－那曲
318	上海－武汉－成都－拉萨－聂拉木
319	厦门－长沙－重庆－成都
320	上海－南昌－贵阳－昆明－瑞丽
321	广州－桂林－贵阳－成都
322	衡阳－桂林－南宁－友谊关
323	瑞金－韶关－柳州－临沧
324	福州－广州－南宁－昆明
325	广州－湛江－南宁
326	秀山－毕节－个旧－河口
327	菏泽－济宁－连云港
328	南京－南通
329	杭州－宁波－白峰－普陀
330	温州－寿昌

南海诸岛
1:46 760 000

26

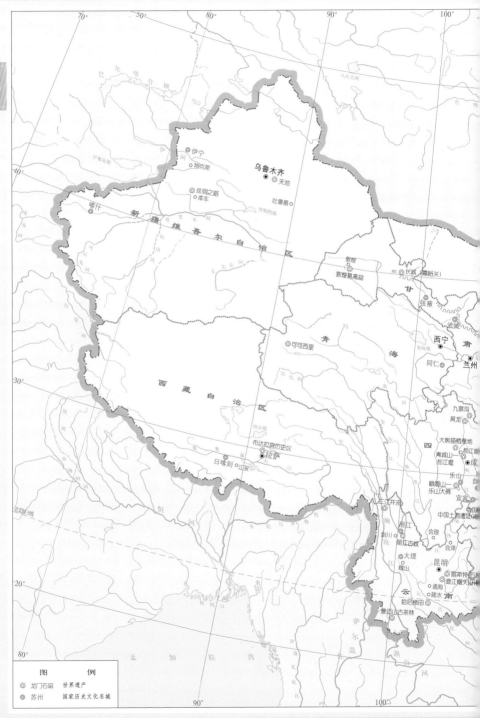

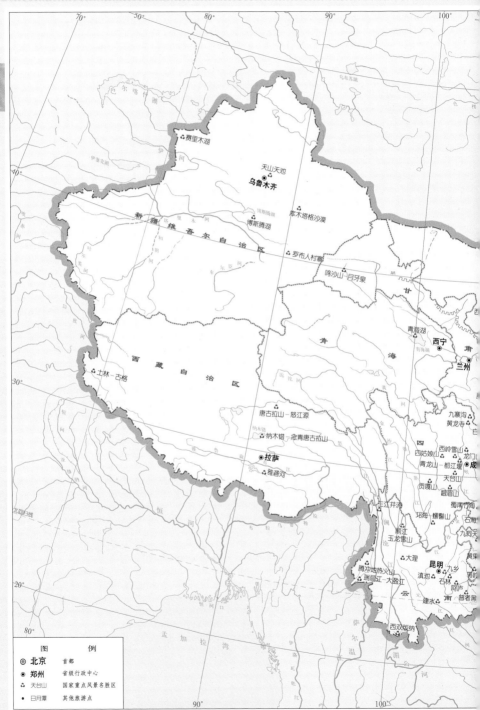

赛里木湖

天山天池
乌鲁木齐

库木塔格沙漠
博斯腾湖

新 疆 维 吾 尔 自 治 区

罗布人村寨

鸣沙山-月牙泉

甘

青海湖

青 海

西宁
甘
肃
兰州

士林-古格

西 藏 自 治 区

唐古拉山-怒江源

九寨沟
黄龙寺

纳木错 念青唐古拉山

西岭雪山
四姑娘山 龙门
青城山-都江堰 成

拉萨

贡嘎山 天台山
峨眉山

雅砻河

蜀南竹海

三江并流

螺髻山 古海
邛海 九洞天

丽江
玉龙雪山

四

大理

马岭

昆明
滇池 九乡
石林 阿庐
建水

腾冲地热火山
瑞丽江-大盈江

云

普者黑

西双版纳

图 例

◎ 北京　首都
◉ 郑州　省级行政中心
♨ 天台山　国家重点风景名胜区
● 日月潭　其他旅游点

比例尺 1:21 700 000

0　217　434　651　868千米

① 云居山-柘林湖　⑥ 郑州黄河　⑪ 天姥山
② 高岭-瑶里　⑦ 南山　⑫ 虎形山-花瑶
③ 花山谜窟-渐江　⑧ 石印温泉　⑬ 平塘
④ 富春江-新安江　⑨ 白云山　⑭ 榕江苗山侗水
⑤ 浣江-五泄　⑩ 佛子山

南海诸岛
1:46 760 000

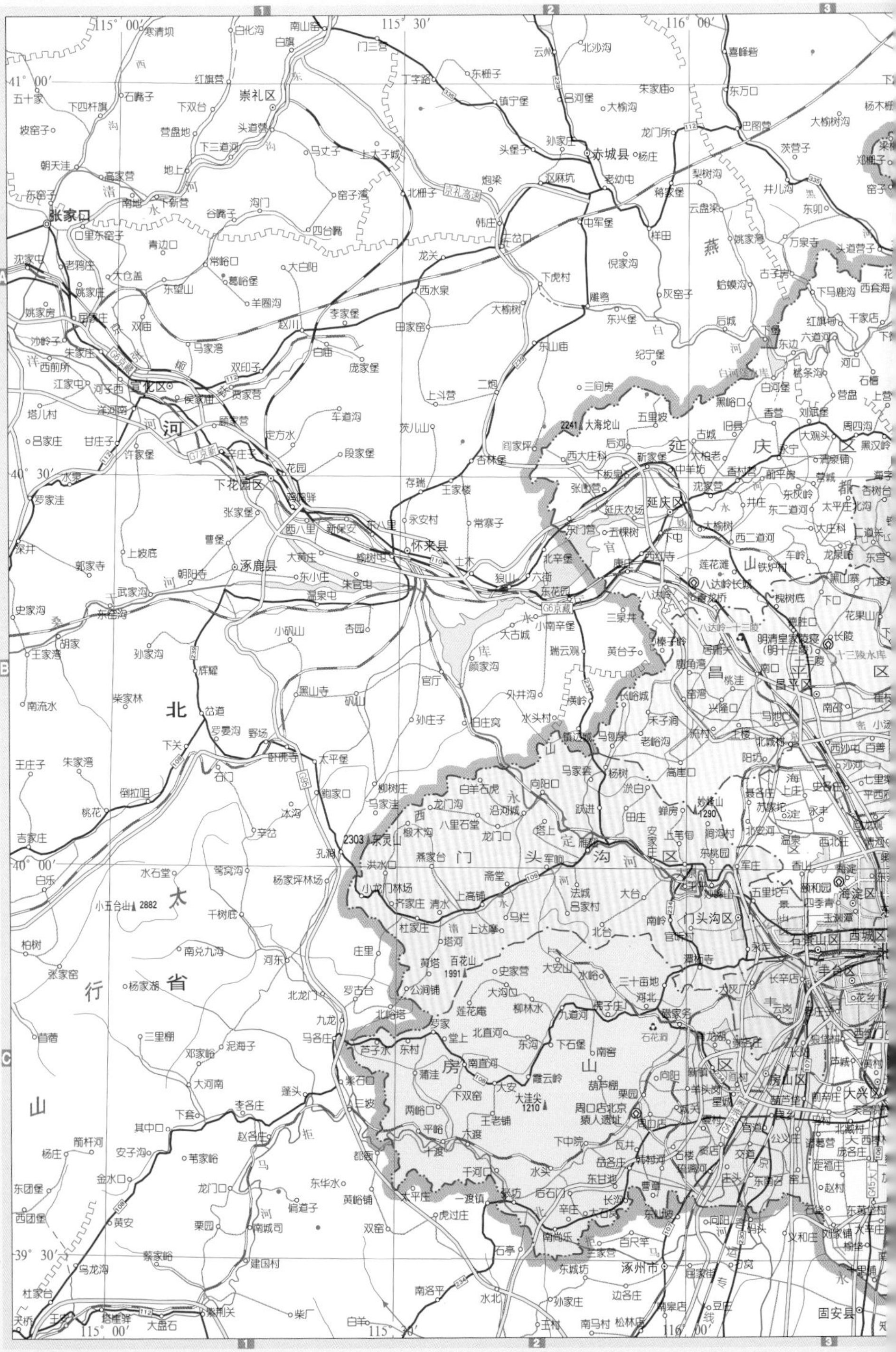

北京市地图

主要地名：张家口、崇礼区、赤城县、燕山、延庆区、怀来县、昌平区、海淀区、门头沟区、房山区、石景山区、西城区、大兴区、涿州市、固安县、宣化区

山脉：北山、太行山、西山

河流：官厅水库、永定河

标高点：大海坨山 2241、东灵山 2303、小五台山 2882、百花山 1991、大洼尖 1210、烧炉山 1290、黑山 1210

经纬度：41°00′、40°30′、40°00′、39°30′、115°00′、115°30′、116°00′

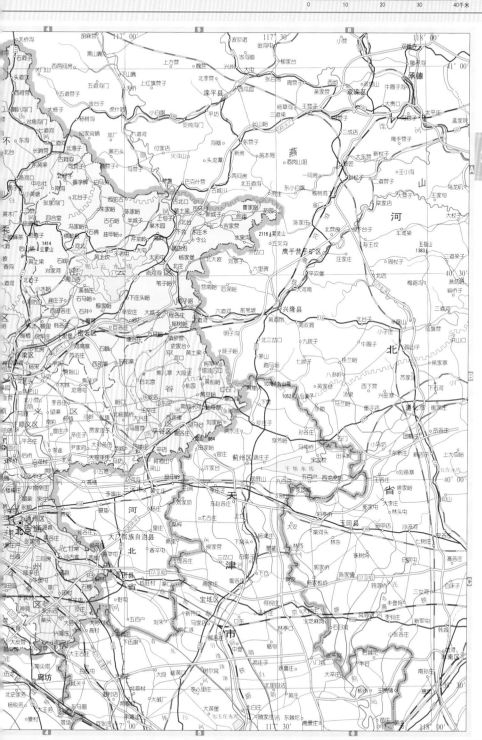

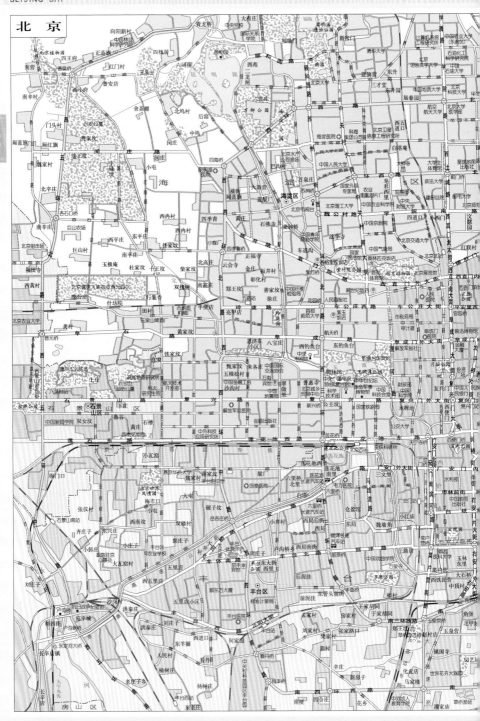

北京

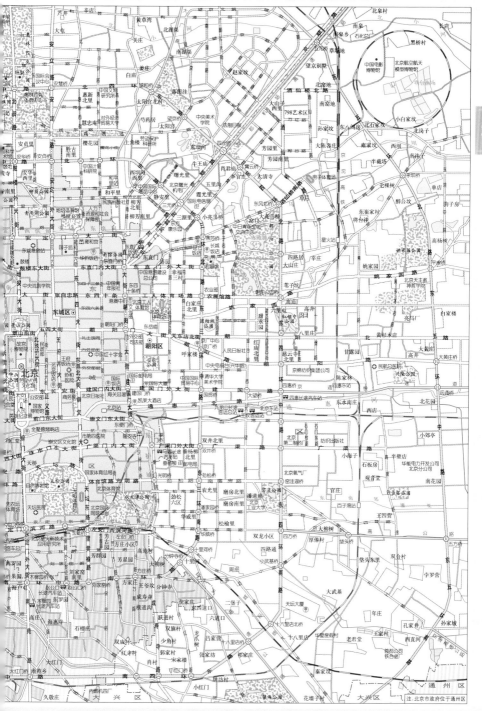

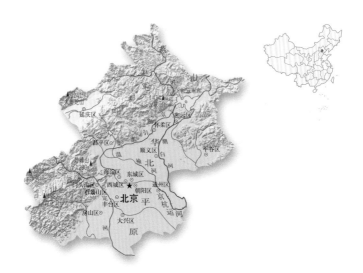

概况

北京市简称京。是中华人民共和国首都，中央直辖市。地处我国华北平原的北端。三面与河北省相邻，东南同天津市毗连。全市面积约1.7万平方千米。人口2189万，有汉、回、满、蒙古等民族。市辖16个区。

大约在50万年前，北京周口店就出现了最初的人类，这就是举世闻名的"北京人"。琉璃河商周遗址的发掘，使北京作为都城的历史从辽金时代上推到3000年前的西周初年。元朝兴建了新都城，命名大都。1403年，明成祖朱棣改北平为北京，并于1421年正式在这里建都，北京的得名就是从这时开始的。清朝继续定都北京。1912年民国北洋政府成立于北京。1928年国民政府定都南京后改设为北平特别市。1930年改称北平。1949年1月31日，北平和平解放；10月1日，中华人民共和国成立，北平市改称北京市。

地形

西部和北部是连绵不断的群山，东南为一片逐渐低缓的平原。山地约占全市面积的62%，海拔500～1500米。平原约占总面积的38%，平均海拔44米。西部为西山，属太行山脉，由一系列东北—西南向的平行山脉组成。东灵山为境内最高峰，海拔2303米。北部山地属燕山山脉，是重要的天然屏障。主要河流有永定河、潮白河、北运河、拒马河、泃河，均属海河水系。永定河为最大河流，斜贯本市西南部，向东南流至天津市入海河。潮白河上游有北京市最大的水库——密云水库，下游经潮白新河入海。北运河流经天津市与永定河汇合。拒马河主要流经房山区。泃河流经平谷区至天津市宝坻区入蓟运河。

气候

为典型的暖温带半湿润大陆性季风气候，一年四季分明，春季干燥多风，夏季炎热多雨，秋季晴爽，冬季寒冷、少雪。全市年平均气温10～12℃，1月平均气温-7～-4℃，7月平均气温25～27℃。年无霜期180～200天，年日照时数为2000多小时。年降水量600～800毫米，7～8月常有暴雨。春旱、夏涝常威胁农业生产。

自然资源

矿产资源有煤、铁、铜、钼、锌、铅、金、大理石、汉白玉等60多种，已探明储量的有40多种，还有硅石、耐火粘土、含钾页岩、白云岩、石灰岩等，分布广、规模大。

全市森林面积58.81万平方千米，森林覆盖率35.84%。

农业

农作物以二年三熟为主。粮食作物主要有小麦、玉米、稻、薯类、高粱、豆类，"京西稻"为著名优良品种。近郊平原以蔬菜生产为主，供应城市消费；远郊区县以种粮油等作物为主。

主要农作物有小麦、玉米、水稻、红薯、高粱、豆类、棉花等，山区盛产柿、梨、枣、杏、桃、苹果、板栗、核桃、葡萄、西瓜等。

工业

新中国成立前的工业基础十分薄弱，是一个古老的消费城市。新中国成立后，大力进行工业建设，工业已具有相当规模、较为雄厚的基础和较高的技术水平，成为全国的工业基地之一。有冶金、煤炭、机械制造、石油、化工、电力、仪表、纺织、建材工业和多种轻工业。传统特种手工艺品种类很多，技艺精湛。

交通

北京是全国的交通中心，拥有类型齐全、设备完备、四通八达的现代化立体交通网络。

铁路：有京广、京沪、京哈、京包、京通、京承、京秦、京九等铁路干线及京沪、京广等客运专线。北京同直辖市、省会和自治区首府都有直达列车相通。国际列车通朝鲜、蒙古、俄罗斯。

公路：有十几条国道通往全国各地，有京哈、京沪、京台、京港澳、京昆、京藏、京新、大广及首都机场等高速公路和环城路。

民航：北京市全国航空线的交汇中心，首都机场已开通200多条国际、国内航线，可通往世界几十个国家和地区以及国内大、中城市。

主要旅游景点 🎈

北京是我国七大古都之一、国家历史文化名城，也是全国最重要的旅游热点城市之一。八达岭—十三陵、石花洞等为国家重点风景名胜区。长城（八达岭）、故宫、周口店北京猿人遗址、颐和园、天坛、明清皇家陵寝（明十三陵）列入世界文化遗产。天安门和圆明园遗址、北海公园、中山公园、香山公园等为著名景点。

天安门和天安门广场：天安门位于北京中心。总高33.7米的天安门城楼金碧辉煌，举世闻名，是新中国、新北京的象征。门楼前、后各有一对石狮和汉白玉华表，门前有金水河，河上有7座用汉白玉修成的金水桥，桥南的天安门广场是我国也是世界上最大的城市广场。

故宫：位于北京旧城中心。旧称紫禁城，为明、清两代的皇宫，是世界上现存最大最完整的帝王宫殿群。始建于明永乐四年（1406年），占地72万多平方米，有屋宇9000余间，宫墙长约3.4千米，四角矗立风格绮丽的角楼，墙外有宽52米的护城河环绕，形成一个壁垒森严的城堡。建筑气势雄伟，豪华壮丽，并存有大量珍贵文物。

八达岭长城：位于北京西北延庆县境内，古代是北京的西北屏障。东起山海关，西迄嘉峪关，蜿蜒6700千米的长城经此。明代在岭上建城关一座，设东、西两门，一名"北门锁钥"，一名"居庸外镇"。由城关登上长城，只见长城如长龙盘山，气势磅礴，景色十分壮观。墙身高大坚固，用花岗岩条石和城砖构筑，高约6~7米，顶宽约4~5米，可十人并行，五马并骑。

八达岭长城

十三陵：位于北京西北约44千米的昌平区天寿山下小盆地中，因有十三处明代皇帝陵墓得名。各陵除面积大小、建筑繁简有异外，其建筑布局、规制等基本一致。平面均呈长方形，后面有圆形（或椭圆）的宝城。建筑自石桥起依次分列陵门、碑亭、祾恩门、祾恩殿、明楼、宝城等。已发掘展出的定陵地宫，由前、中、后、左、右五个殿组成，总面积1195平方米。

周口店北京猿人遗址：位于北京西南约50千米的房山区周口店村龙骨山上。1929年在山上洞穴内首次发现北京猿人第一个头盖骨，随后又发现大量石器和用火遗迹，经测定是距今约70万年至23万年前古人类的遗迹。龙骨山猿人洞是北京猿人的栖身之所，他们断断续续地在洞里居住约30万年之久。在北京猿人洞穴上方靠近山顶的山洞里，还有距今1.8万年前的原始黄种人（称山顶洞人）的遗迹。

颐和园：位于北京西北郊，是一座驰名中外的古代皇家园林。由万寿山、昆明湖等组成，有各种形式宫殿园林建筑3600余间，大致可分勤政、寝居、游览三个活动区域。游览区主要有万寿山前建筑群、昆明湖、后湖诸景。

天坛：天坛始建于明永乐十八年（1420年），时名天地坛。嘉靖九年（1530年），立四郊分祀制度，于嘉靖十三年更名为天坛。后来经乾隆、光绪两代重修改建，形成今天的格局。是明清两代帝王孟春祈谷、夏至祈雨、冬至祭天的圣地，是我国现存规模最大的坛庙建筑群，占地272万平方米，面积比紫禁城还大。天坛实际上是圜丘坛（天坛）和祈谷坛（祈年殿）的总称。圜丘坛在南，祈谷坛在北，两坛中间有一个皇穹宇。丹陛桥（神道）把这三个建筑贯穿起来，两重垣墙，形成内外坛，垣墙北圆南方，象征天圆地方。天坛在世界建筑艺术史上占有崇高的地位，中外无匹。

天坛

名优特产 🚲

特种工艺品中，景泰蓝（铜掐丝珐琅）驰名世界。绢花、牙雕、雕漆、地毯等产品都有浓郁的地方特色。果品以京白梨、密云金丝小枣、大磨盘柿、核桃、板栗、鸭梨等品质最优。北京蜜饯果脯、茯苓夹饼、六必居酱菜、红虾酥糖、豆面酥糖等是名扬四海的馈赠佳品。北京烤鸭蜚声中外。

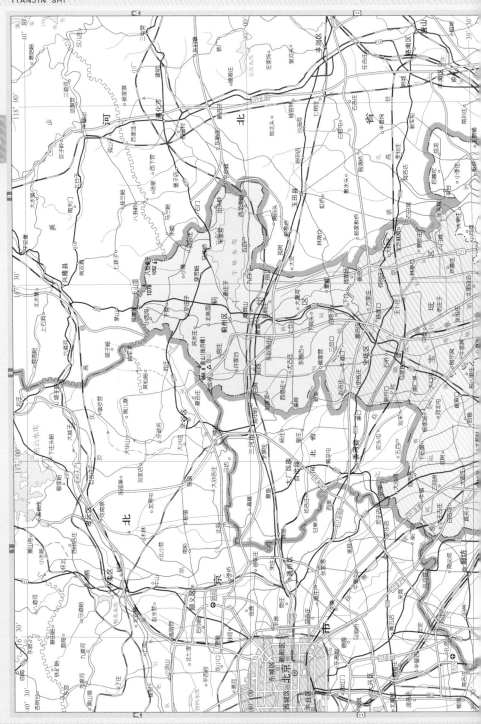

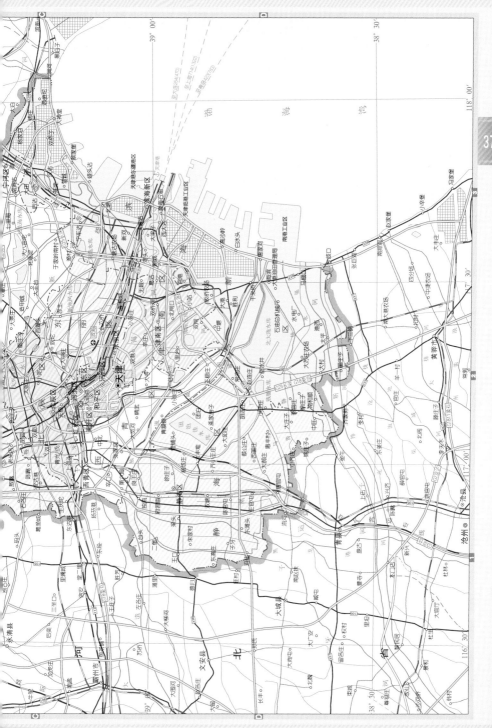

渤　海　湾

天津

概况

　　天津市简称津。地处华北平原东北部，海河流域下游。东临渤海，与山东、辽东二半岛相望，北依燕山，与河北省、北京市相邻。全市面积约1.2万平方千米。人口1373万，有汉、回、朝鲜、满、蒙古等民族。市辖16个区。

　　天津是首都的门户、华北的经济中心和北方的重要口岸城市之一，也是我国的中央直辖市和沿海开放城市之一。金时称直沽。元朝为海津镇。明代永乐初置天津卫。清雍正年间改天津卫为直隶州，后升为天津府，并设天津县为府治。1928年设天津特别市，1930年改称天津市。

地形

　　全境地势北高南低。绝大部属华北平原，由海河携带的泥沙冲积而成，自北向南倾斜。一般海拔2～5米。最北部蓟县山地是燕山山脉向东延伸的南翼，为千米以上低山丘陵，九山顶为境内最高峰，海拔1078米，最低点塘沽口海拔为0米。

　　主要河流为海河，系源于晋、冀、京的子牙河、大清河、南运河、北运河、永定河在此汇流而成，自金刚桥东流，经大沽入海。解放后开辟了永定新河、独流减河、子牙新河等入海河道。北部的蓟运河，经新河道与海河组成天津平原的水网。境内低平地带多洼淀，以南部的北大港最大，已改建为水库。

气候

　　属暖温带半湿润大陆性季风气候。四季分明，春季干旱多风，夏季炎热多雨，秋季睛朗干爽，冬季寒冷干燥。全市年平均气温在13℃左右，1月平均气温-6～-4℃，7月平均气温25～27℃。年无霜期约210天，日日照时数大部分地区超过2000小时。年平均降水量约为560～700毫米，一年四季雨量分布不均，7～8月多雨，春季降水少，气温升高，往往发生春旱。

自然资源

　　最主要的矿产是石油和海盐。渤海湾沿岸的长芦盐区为我国最大海盐产区，在本市有塘沽、大沽、汉沽等盐场。大港为著名油田。

　　地热区已查明总面积为700多平方千米，浅部（1000米以内）地热水温30～53℃，水质较好。在1000米以下的基岩裂隙岩熔地热水水温高达96℃，但含矿物质较多，需经换热器才能利用，目前共有井共270多口，主要作为工业用水。

农业

　　农业以城市服务为特点，近郊及海河两岸为城市蔬菜供应基地，广大平原地区以生产粮食为主，主产小麦、稻米、玉米、高粱、薯类。低平地带为我国北方稻米主要产区，"小站稻"以品种优良闻名。经济作物有棉花、花生、大豆等。北部山区为果木基地，正在迅速发展。

　　渔业生产条件很好，沿海盛产黄鱼、鲐鱼和大对虾。

工业

　　天津近代工业从19世纪中叶兴起，解放前主要为帝国主义所控制。建国后逐步发展为我国重要的综合性工业基地之一，特别是海洋化工、石油、石油化工在全国闻名。天津还是全国主要纺织工中心之一。主要工业还有冶金、机械、仪表、电子、汽车、地毯、自行车、手表、缝纫机、造纸、服装、制药、仪器等，并有一批畅销国内外的拳头产品，著名传统工业品如天津地毯、五加皮酒，杨柳青的年画深受人们喜爱。

交通

以港口为中心的海、陆、空交通网日趋完善。

铁路：天津是我国北方铁路运输枢纽。是京哈和京沪铁路的交会处，西连京九铁路。主要线路有京山、津浦、京秦、津蓟、津霸、京津城际等线。

公路：有京哈、京津、京沪、荣乌、津滨、长深等高速公路，102、103、104、105、205等国道途径天津。

民航：天津滨海国际机场是设备先进的大型客货国际机场，通北京、上海、长沙、成都、广州、乌鲁木齐、哈尔滨、香港等30多个城市，国际航线可通首尔、新西伯利亚等。

水运：天津港是中国前十大港口之一，华北第一大港口，是以外贸进出口为主的综合性国际港口，以塘沽新港为主，拥有全国最大的集装箱码头。有20多条远洋航线与国外相通，与世界180多个国家和地区保持着贸易往来。

主要旅游景点

天津为国家历史文化名城，市区旅游景点有水上公园、宁园、大悲院、古文化街、清真大寺、天津广播电视塔等。北部有蓟县黄崖关长城和国家重点风景名胜区——盘山。宗教遗存较多，独乐寺尤为著名。与中国近代史有关的景点较多，如大沽口炮台是反帝的见证、望海楼与"天津教案"、义和团运动有关，张园曾是孙中山下榻处，南开中学是周恩来的母校。

水上公园：位于市区西南部。1950年建于"青龙潭"上，以水取胜，水面约占全园面积1/2；内设13个岛，岛与岛之间以造型优美的双曲拱桥、曲桥、桃柳堤相连接；傍水点缀的芙蓉榭、湖滨轩、水上登瀛楼和竹质的长廊与高27米的眺园亭相映生辉，既有江南风貌，又有北国情趣。

盘山：南距天津约125千米，为燕山余脉，平均海拔500米，主峰近千米，被誉为"京东第一山"，为历代帝王和名士竞游胜地。古人概括盘山之胜为"上盘之松，中盘之石，下盘之水"，主要名胜有5峰、8石、72名观遗址、13座玲珑宝塔以及亭台楼阁、历史名人题刻等。东麓的盘山烈士陵园属盘山风景区；陵园以东的千佛寺，建于唐开元年间，现存线刻佛像300余尊。

黄崖关长城：位于蓟县城北30千米处。全长41千米，分黄崖关和太平寨两个游览区。黄崖关以雄见长，分4个景区，即以城关和"八卦街"为主要内容的长城关寨游览区；以西北边墙上行至王帽顶烽燧为主的长城高山游览区；以水关凤凰楼为主，并和峡谷沟河、黄崖关水库相连的长城山水游览区；以长城碑林为主的长城文化游览区。太平寨长城长2000多米，曲折盘绕，登城处矗立着戚继光石雕像。

天津广播电视塔：俗称"天塔"。位于河西区西部，塔高415米，塔楼为飞碟式造型，共7层。其中，第2层的眺望厅内设有高倍望远镜及多种游乐设施；第3层为旋转餐厅，在此就餐，人随厅转，目随景移，妙趣横生。

大沽口炮台遗址：位于海河入海口处。此地古称"津门之

屏"，亦是京师咽喉，明代即置炮台，清道光二十年（1840年）建大沽南北炮台置大炮30余尊。清咸丰八年（1858年）建炮台5座，以威、镇、海、门、高5字分号命名，环合浚壕筑垣共置大炮64尊。第二次鸦片战争和1900年抗击八国联军战争期间，爱国军民在此浴血奋战，《辛丑条约》签订后被迫拆毁，唯"海"字炮台尚存。炮台濒临大海，游人可登台远眺海景。

海河

名优特产

"凤船"牌手工地毯原料纯正，图案优美，被誉为"最高贵的地毯"，1979年荣获国家金质奖章。杨柳青木版年画，敷色鲜明典雅，具有浓郁的地方艺术风格。泥人张彩塑是彩绘和雕塑相结合的综合艺术品。天津麻花，尤其是桂发祥（俗称十八街）麻花，酥脆香甜。此外，风筝、大漆镶嵌家具、鸭梨、小站稻米、津冬菜、盘山柿子、天津陈酿、狗不理包子也很有名。艺术蜡制品、旅游风筝（龙头、蜈蚣）、母子鸡、布玩具和新漆画"林间小径"，被评为地方优秀旅游产品。

盘山挂月峰

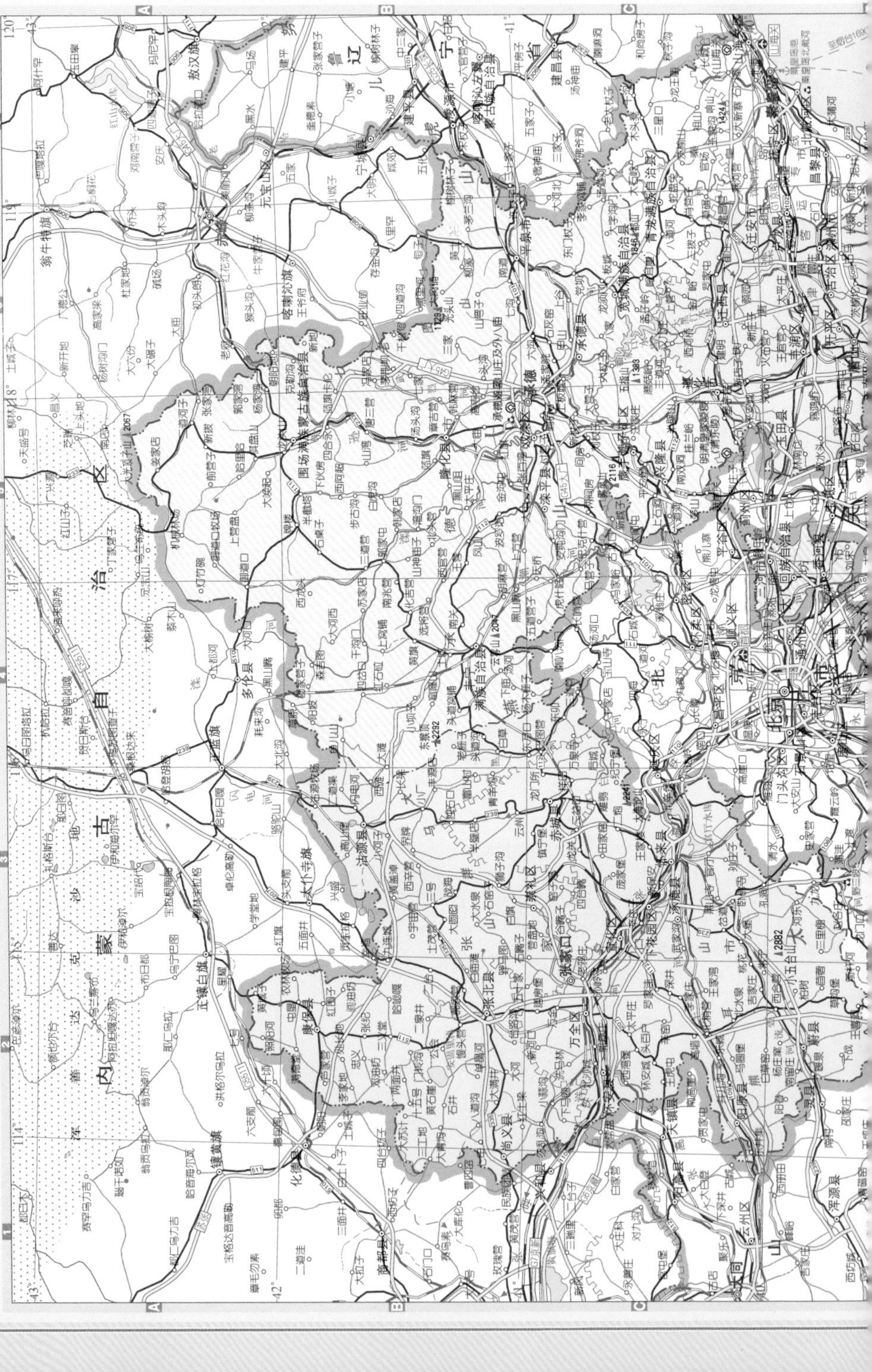

内蒙古自治区
辽宁省
北京市
张家口市
承德市
张北县
丰宁满族自治县
围场满族蒙古族自治县

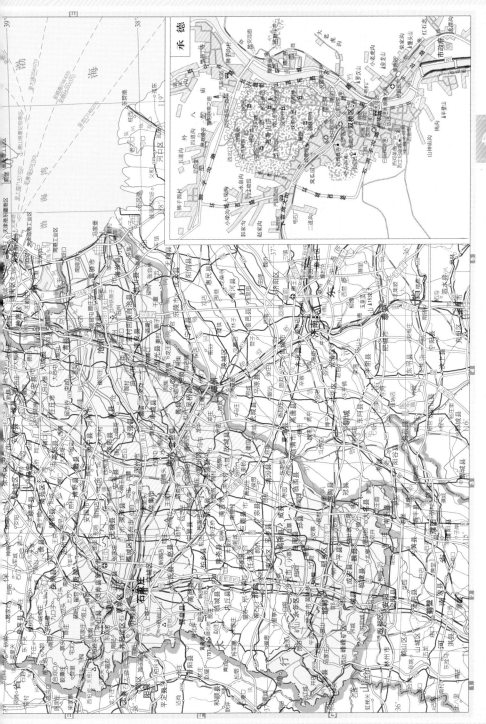

承德

石家庄

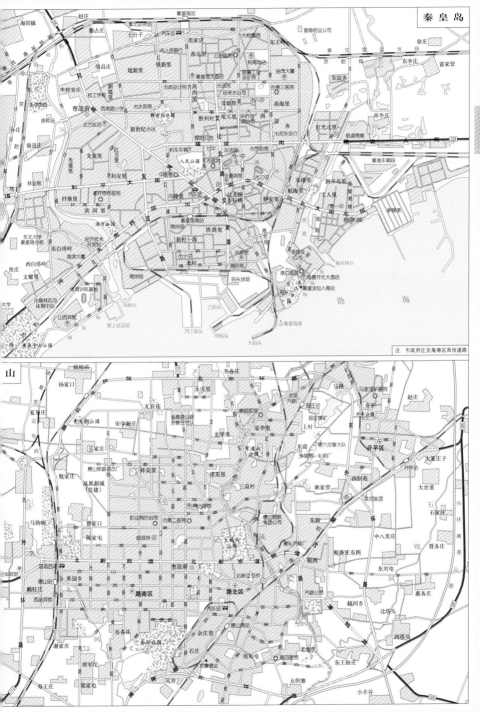

注：市政府迁至海港区西快速路

河北省简称冀。地处华北平原北部，西北环山，东临渤海，和天津共同构成了拱卫首都北京的形势，并与辽宁、内蒙古、山西、河南、山东等省区为邻。全省面积约19万平方千米。人口7448万，有汉、回、满、蒙古、朝鲜等民族。省辖11个地级市、21个县级市、91个县、6个自治县、49个市辖区。省会石家庄市。

春秋战国时为燕、赵之地。汉属幽、冀2州。唐属河北道及河东道。元属中书省。明属京师。清为直隶省。1928年改称河北省，沿用至今。

地形

地貌类型复杂多样。地势西北部高，东南部低，明显分三级阶梯。最北部为张北—围场高原，南缘海拔在1500米以上。北为燕山山地，西为太行山地，海拔多在500～1000米之间。小五台山为省内最高峰，海拔2882米。东南为河北平原，是华北平原的一部分，海拔多在50米以下，地势坦荡辽阔，自山麓向中部及沿海缓缓下降，为本省粮棉主要产区。主要水系有海河、滦河和潮白—蓟运河水系。其中海河是本省最大的一条水系，由北运河、永定河、大清河、子牙河、南运河五大支流组成，流域面积约26万多平方千米，70%分布在本省，年径流量为100多亿立方米。湖泊较少，内流区有咸水湖淖；外流区主要有河流中下游的浅盆式洼淀，面积最大的是白洋淀。还有数十个大中型水库，著名的有官厅、岗南、黄壁庄、朱庄、岳城等大型水库。

气候

属温带—暖温带、半湿润—半干旱大陆性季风气候，是冬季寒冷少雪，夏季炎热多雨，春多风沙，秋高气爽。年平均气温0～14℃，1月平均气温-14～-2℃，7月平均气温17.5～27℃。年无霜期110～220天，年日照时数大部分地区约2450～3100小时。全省年降水量分布很不均匀，年变率很大，一般年平均降水量在400～800毫米之间。降水季节分配也不均匀，夏季降水量占全年的70%，且常以暴雨形式出现，春旱、夏涝对农业生产威胁较大。

自然资源

矿产资源种类繁多，在全国居于重要地位。全省已发现各类矿产100多种，已探明储量的60多种，储量居全国前十位的有大理石、石灰石、铁矿石、炼焦煤、石油等35种，其中炼焦煤居第一位，化工石灰岩居第二位，铁矿石、石油居第三位，天然气居第五位，水泥石灰岩居第六位。

水资源偏少。虽然有大小河流300多条，但水资源总量多年平均为260.36亿立方米，其中地表水151.6亿立方米，地下水108.76亿立方米。

生物资源种类多。全省宜林地面积580万公顷，可放养的淡水水面8万多公顷，草地300多万公顷，植物资源3000多种，动物资源530余种。

农业

河北省是我国重要粮棉产区。大部分地区农作物可两年三熟，主要粮食作物有小麦、玉米、高粱、谷子、薯类等。油料、麻类、甜菜、烟叶也很重要，与棉花合为本省五大经济作物。

畜牧业是本省仅次于耕作业的重要产业，张北为主要牧区，所产"口马"、羔皮最有名。

本省还是我国重要渔区之一，以沿海渔业为主，秦皇岛是主要中心。白洋淀为淡水鱼主要产区。

工业

是全国重要的煤炭、钢铁、纺织工业基地，形成了比较完整的钢铁工业体系，电力、机械、化工、轻工等部门也发展较快。唐山陶瓷、石家庄医药、秦皇岛桥梁制造、邯郸水泥、保定化纤和胶片及华北油田在全国闻名，传统手工业品有曲阳石雕、张北马鞍、易水砚等。

交通

本省地处首都的周围，并和港口城市天津紧密相接，成为首都出海和联系全国的走廊。

铁路：京广、京沪、京哈、京包、京通、京九等主要干线及京广、京沪、京太、津秦客运专线和京承、京原、石德、京太、丰沙等支线。京哈铁路唐胥段为我国最早建成的铁路，京包铁路中的京张段是著名铁路工程师詹天佑主持修建的我国第一条自建铁路。

公路：干线公路形成以石家庄、邯郸、保定、唐山等城市为中心的公路网。有京昆、京哈、京沪、京藏、石太、保津、京港澳、青兰等高速公路。

水运：秦皇岛港是我国北方首个自开口岸，还有唐山港、唐山曹妃甸港、沧州黄骅港。

民航：有石家庄和秦皇岛机场，可通北京、上海、广州、南京、呼和浩特等30多个城市。

管道运输：拥有铁秦、秦京、任京、陕京、沧临等输油管道以及中沧线输气管道。

主要旅游景点

旅游资源十分丰富，自然景观迷人。长城（山海关）、承德避暑山庄及外八庙、明清皇家陵寝（清东陵、清西陵）列入世界遗产名录，承德避暑山庄及外八庙与秦皇岛北戴河、嶂石岩、苍岩山、野三坡、西柏坡一天桂山、崆山白云洞同属国家重点风景名胜区。还有峻峭挺拔的太行山、狼牙山，山峦叠嶂的燕山、雾灵山，以出土金镂玉衣而轰动世界的满城汉墓群。赵州桥在世界桥梁史上地位显赫。

避暑山庄：又名热河行宫。清代帝王不耐北京的暑热，于康熙四十二年（1703年）在此始建行宫，历时87年之久，占地564万平方米，为清代最大的皇家园林。

外八庙：自康熙五十二年（1713年）起，陆续在避暑山庄外围修建庙宇11处，因其中8处有朝廷派驻喇嘛管理，故称外八庙。

避暑山庄

北戴河：我国著名的避暑、疗养胜地，在秦皇岛市中心西南15千米。背山面海、海湾曲折，海滩长达10余千米，沙细、滩缓、潮平，是优良的天然浴场。有鹰角石、老虎石、鸽子窝等景点。

北戴河

野三坡：位于涞水县。按特点可分为6个景区，主要景点达68个，以野、幽、奇、朴为特色。

苍岩山：在石家庄西南78千米的井陉县太行山群山丛中。这里峰险壁峭，林翠谷幽，殿宇昂桥，景色瑰丽多彩，自古有"五岳奇秀揽一山，太行群峰唯苍岩"的盛誉。

清东陵：位于遵化市西。有帝陵5座，后陵4座，妃园寝5座，公主陵1座。共埋葬5帝、15后、141个嫔妃。

清西陵：位于易县城西的永宁山下。有帝陵4座，后陵3座、妃嫔、王公、公主园寝7座，共葬76人。

名优特产

赵州雪花梨为河北名果；定州鸭梨色泽金黄，肉细而脆；深州蜜桃肉厚而甜；宣化有"葡萄城"美称，尤以马奶子葡萄为佳。"口蘑"享誉中外，产于坝上高原。祁州（今安国）称"药州"，每年举行全国性药材交流大会。京东板栗、兴隆红果、冀北血杞（枸杞）、望都"羊角辣椒"等亦属名产。衡水老白干、沙城干白葡萄酒等均为佳酿。唐山有"北方瓷都"之称，其"骨灰瓷"独放异彩。曲阳县定窑为古代五大名窑之一，今多有仿古佳作。曲阳石雕、承德木雕、衡水鼻烟壶等均久负盛名。

主要城市

石家庄：位于河北平原西南部，是全省的政治、经济、科技、金融、文化和信息中心，是华北重要交通枢纽，是我国棉纺工业基地之一，化学工业也是重点发展部门，有规模较大的华北制药厂和石家庄化肥厂，煤炭工业亦占有重要地位。市区西北的平山县西柏坡，1948年5月至1949年3月曾是中共中央所在地。

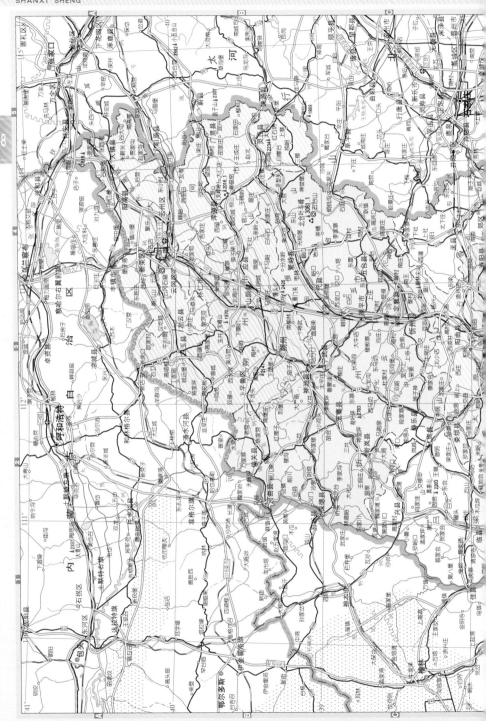

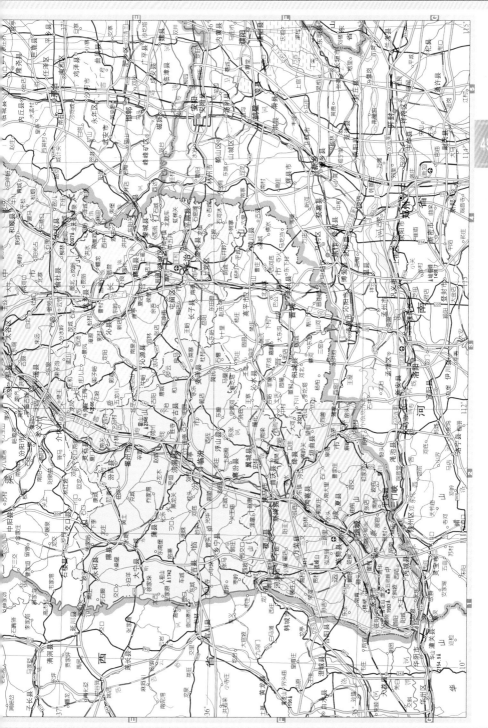

泉

同

长治

市政府位于兴云街2799号

概况

山西省简称晋。地处我国中部。东邻河北，北连内蒙古，西、南与陕西、河南相望。全省面积约16万平方千米。人口3480万，有汉、回、蒙古、满等民族。省辖11个地级市、11个县级市、80个县、26个市辖区。省会太原市。

山西是中华民族古老文明的发祥地之一。襄汾“丁村人”遗址和芮城西侯度遗址的发现证明，早在几十万年以前，我们的祖先已会用火，就已经劳动、生息、繁衍在这块黄土地上。省境在春秋时期属晋。汉属并州。唐、宋为河东道（路）。元设河东山西道宣慰司，“山西”作为政区之名即始于此。明设山西布政使司。清代称山西省。民国时归绥道划归绥远省。新中国成立后称山西省。

地形

通称山西高原，地表多覆盖深厚黄土，经断层作用及流水切割，岭谷交错，大致东、西两侧为山地，中间是一列串珠状盆地。主要山脉有太行山、恒山、五台山、太岳山、中条山、吕梁山，五台山主峰北台叶斗峰为华北最高峰，海拔3061.1米。主要盆地有：大同、忻县、太原、临汾、运城、长治盆地。河流分属黄河、海河两大水系，汾河为黄河第二大支流，其他支流有涑水河、沁河等；属海河水系主要有桑干河、滹沱河、清漳河、浊漳河。湖泊较少，运城附近的解池为本省最大湖泊，是一古老内陆盐湖。

气候

属温带大陆性气候，四季分明，干旱缺雨。全省年平均气温4～14℃，1月平均气温-16～-2℃，7月平均气温19～28℃。年无霜期120～210天。年日照时数大部分地区为2200～2900小时。年平均降水量从东南向西北部递减，一般在350～700毫米之间，夏季常有暴雨和冰雹，冬、春降水很少，常有春旱发生。

自然资源

省境为一个整体隆起、中间低凹的山地高原，矿产资源得天独厚，在全国占有优势地位。有各种矿产120多种，其中煤炭、铝土矿、铁钒土、珍珠岩、耐火粘土等7种矿储量居全国第一。本省是我国主要的煤炭基地，储量占全国的1/3，且分布广、储量大、煤种全、埋藏浅，具有低灰、低硫，发热量高的特点，是本省的优势资源。另外，铜、池盐、芒硝和白钠镁矾也是重要矿产。

本省是一个缺水的省份，年均降水量为534毫米，水资源总量为140多亿立方米，人均水资源占有量仅570多立方米。水资源时空分布很不均匀，河川径流70%集中在七、八、九三个月，水资源总量的60%分布在东、西部山区。西部黄河沿岸和东南部漳河、沁河流域水量较为丰富。

热量资源比较丰富，年日照总辐射量约110～130千卡/平方厘米。地热资源有待勘察，忻州市奇村地下温泉水温68℃，已开发利用。晋北、晋西北风力资源丰富，五台山山顶六级以上大风达年均246天之多。

生物资源种类繁多，动、植物资源丰富。有各种植物2700余种。木材积蓄量3634万立方米，中条山保存有原始森林。有名贵树种红豆松、山白杨等13种国家级保护植物，还有梨、枣、葡萄及党参、黄芪、甘草等30多种药用植物。国家级保护的珍稀动物有褐马鸡、梅花鹿、丹顶鹤等29种。

农业

农作物以二年三熟为主，主要粮食作物是小麦，其次是玉米、高粱，分布较普遍，在水源条件较好的盆地，水稻种植正在发展，以太原盆地晋祠一带历史最久。经济作物有棉花、花生、大豆、烟叶、胡麻。

养殖业以牛、羊、驴、骡、猪为主，晋南大黄牛著名，高原山区的天然牧场，有优质牧草100多种。

工业

现已形成以煤炭、电力、冶金、机械、化工为主体的重工业基地。电子、建材、纺织、食品、造纸、日用化工等工业近年发展较快。机械工业以重型矿山、输变站、液压件、汽车与拖拉机为“五大”支柱产品。著名传统工业品有杏花村汾酒、长治陶瓷、清徐陈醋。

交通

历史上山河阻隔、交通闭塞的状况已经改变，形成以铁路为主，公路、航空为辅的交通运输网。

铁路：有石太、大西高速铁路。同蒲铁路、大西高铁纵贯全省，并跨过黄河通陕西孟塬，与陇海、石太、京包和京原、新太、侯月、朔黄等省际干线相连，加上太岚铁路及多条支线，组成了全省铁路网。

公路：以太原、大同、长治、临汾、侯马为中心，绝大多数的乡镇均通汽车，已建成较完善的网络体系。有二广、青银、京昆、晋候、青兰等高速公路。

民航：有太原、大同、长治等机场。

主要旅游景点 🎈

平遥古城、云冈石窟、五台山列入世界遗产名录。国家重点风景名胜区有华北屋脊五台山，五岳之一的北岳恒山，气势磅礴的黄河壶口瀑布，还有北五当山、五老峰。省内的寺庙、塔、壁画，不仅数量多，而且历史悠久，造诣极高。五台山的南禅寺、佛光寺大殿是全国现存最古老的唐代木构建筑，应县佛宫寺释迦塔是全国最古老的木塔。另外，还有被称为古建筑奇观的恒山悬空寺和晋祠古建筑群、永乐宫壁画。

乔家大院

云冈石窟：位于大同市西16千米的武周山南麓。石窟依山开凿，东西绵延1千米。现存主要洞窟53个，佛龛1000多个，造像5.1万余尊，是我国三大石窟之一，也是世界闻名的艺术宝库，以石窟造像气魄雄伟、内容丰富多彩著称。

五台山：位于五台县东北，是我国四大佛教名山之一。以五峰环抱，峰顶夷平如台得名。即东台望海峰、西台挂月峰、南台锦绣峰、北台叶斗峰、中台翠岩峰，以北台最高，素称"华北屋脊"。山中寺庙林立，清流潺潺，以菩萨顶、显通寺、塔院寺、殊像寺、罗睺候寺为五大禅林。菩萨顶的"滴水殿"，即使晴空万里仍滴水不止，阶台上落水成坑，被视为不解之谜。

恒山：位于省境东北部浑源县境内，亦名太恒山。山峰海拔2016米，东为天峰岭，西为翠屏山，潭水中流，山雄、地险、云奇、泉绝，自古为兵家必争之地。原有十八胜景，今尚存十余处，以悬空寺为首。它坐落在金龙口的绝壁下，至今已有1400多年。在陡崖峭壁上凿洞穴，插悬梁为基，半空中大小不一的殿宇台阁紧贴岩壁，一字排开，高低错落，其间有栈道相通。登楼俯视如临深渊，谷底仰视悬崖如挂彩虹。

壶口瀑布：位于吉县城西北，是我国第二大瀑布。250多米宽的黄河水流经凸凸凹凹的石峡，在此陡然注入直径50米的石壶状峡谷，闪电般地直泻下去，形成一柱柱喷雪吐雾的瀑布，出现了"源出昆仑衍大流，玉关九转一壶收"的奇景。壶口瀑布由此而得名。

壶口瀑布

名优特产 🚴

汾阳杏花村产的汾酒和竹叶青酒是我国的名酒，畅销国内外。老陈醋甜绵酸香，调味上佳。稷山枣、原平枣、清徐葡萄、汾阳核桃是著名的果品。沁州黄米、晋南红柿、大同黄花、平顺花椒是农特产品。并州（太原）剪刀、大同艺术陶瓷、阳泉铁锅等是有名的手工艺品。并州火锅、平遥牛肉、山西刀削面、太谷饼、黄米油糕等是有名的风味食品。

主要城市 🏛️

太原：位于本省中部，太原盆地北端，地跨汾河两岸，同蒲与石太、新太和太岚等铁路交会于此。是山西省政治、经济、文化、交通中心。是我国主要的重工业城市之一，矿藏丰富，以煤最多，其次有大量石膏、石灰石、耐火粘土、铁矿。工业发展迅速，有钢铁、煤炭、机械、化工、建材、纺织、食品等。

大同：位于本省北部，大同盆地西北边缘，当山西、内蒙古、河北3省区交通要冲。为京包、同蒲、大秦3铁路交点。是我国著名的新兴工业城市，国家历史文化名城。境内矿产资源丰富，为著名煤城，"大同煤田"是我国主要煤田之一。主要工业有煤炭、机械、建材、化工、电力、粮食加工等。

长治：位于本省东南部，长治盆地东缘，太焦铁路线上。从一个小手工业城镇发展成为新兴工业城市，是晋东南的政治、经济、文化交通中心。长治工业有煤炭、钢铁、机械、化工、轻纺、印刷等。

阳泉：位于太行山西侧，石太铁路线上。工业以煤炭为主，此外有冶金、机械、电力、化工、电子、建材、仪表、纺织等工业。

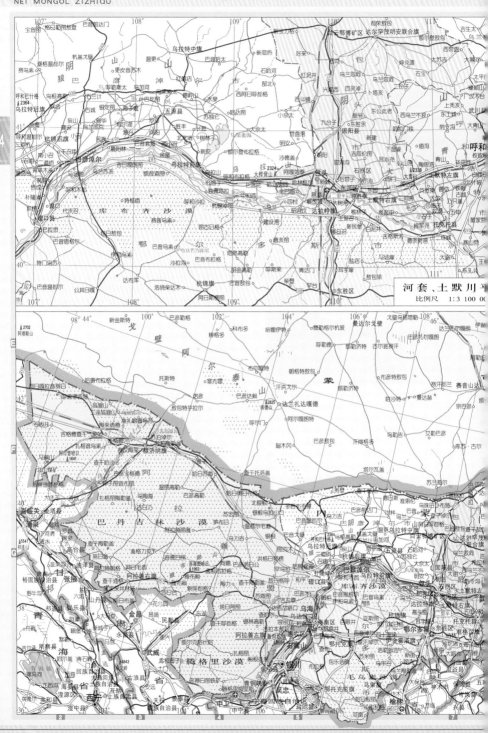

河套、土默川平

比例尺 1:3 100 00

54

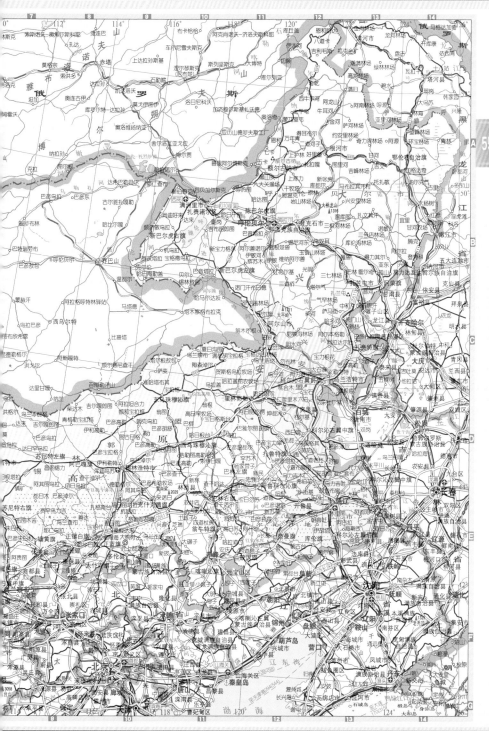

呼和浩特

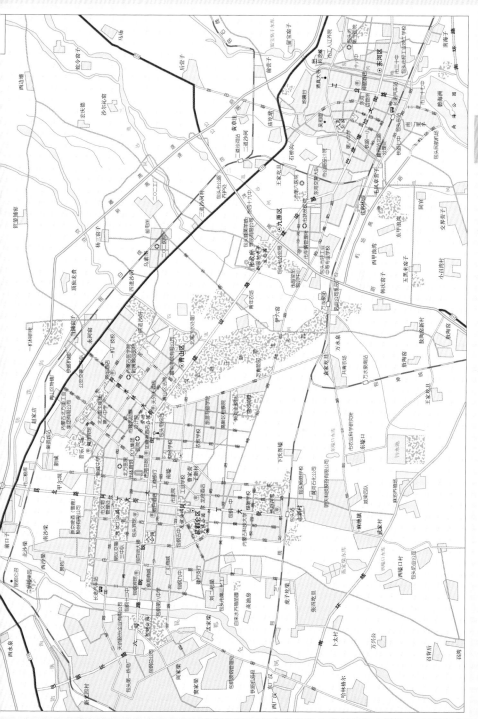

概况

内蒙古自治区简称内蒙古。地处我国北部边疆。北与蒙古国、俄罗斯交界，西、南、东、东北分别与甘肃、宁夏、陕西、山西、河北、辽宁、吉林、黑龙江等省接壤。全区面积约118万平方千米。人口2400万，有蒙古、汉、达斡尔、鄂温克、鄂伦春、回、满、朝鲜等民族。自治区辖9个地级市、3个盟、11个县级市、17个县、49个旗、23个市辖区。自治区首府呼和浩特市。

内蒙古历史悠久。早在十几万年前的新旧石器时代，我们的祖先就在此创造了著名的"河套文化"、"大窑文化"、"红山文化"、"夏家店文化"和"扎赉诺尔文化"。无数历史文物和考古学者证明，内蒙古同黄河流域其他地区一样，是中华民族的发源地之一。这里最早见于文字记载的古代游牧部族有匈奴、林胡、楼烦和东胡等。1206年，铁木真统一中国北方各部落，建立了蒙古汗国，并被拥戴为大汗—成吉思汗。1271年，忽必烈建立了中国历史上空前统一的元王朝，用"蒙古"二字定为民族及地域名称。1664年，清政府又以戈壁大漠为界，将漠北地区划为"外蒙古"，漠南地区划为"内蒙古"。内蒙古自治区于1947年5月1日成立，是我国建立最早的省级民族自治区。

地形

全境以高原为主体，地势开阔，高而平坦，主要高原和山地有呼伦贝尔高原、锡林郭勒高原、昭乌达高原、乌兰察布高原、巴彦淖尔高原、鄂尔多斯高原、阿拉善高原、大兴安岭山地、阴山山地（由大青山、狼山等组成）。与宁夏回族自治区交界处的敖包圪垯

海拔3556米，为本区最高点。平原主要有河套平原、土默川平原、辽河平原、松嫩平原。主要河流有黄河、额尔古纳河、嫩江和西辽河四大水系。大小湖泊星罗棋布，总数1000多个，北部的呼伦湖最大，面积2339平方千米。

气候

本区主要为温带大陆性季风气候，冬季寒长，夏季温凉，春温剧升，秋温剧降，春秋季短暂，气温变化大。全区年平均气温−1～10℃，1月平均气温−23～−10℃，7月平均气温17～26℃。年无霜期60～160天，年平均降水量50～450毫米，全年降水量的70%集中在夏季。春旱及冬季的暴风雪是影响农牧业生产的主要自然灾害。风沙、霜冻、冰雹亦可成灾。

自然资源

矿产资源极为丰富，已发现各类矿床、矿点6000多处，种类达71种，目前已开采的近600处。矿藏中尤以稀土、铌、铍、煤、盐、碱、石膏及优质建筑原材料储量最大，在全国占重要地位。铌、锆、铍等贵重金属和硫铁居首位，铬、铅居第二位，锌居第三位，稀土已探明储量占全国的90%以上，为世界稀土储量的85%左右。此外，金、银、钨、钼等贵重金属和稀有金属的储量也相当可观。煤田遍布全区，大都有煤层深厚、地质构造简单、品质优良、品种齐全等特点。还有30多种储量丰富的非金属矿产，其中蛭石矿是目前国内唯一的产地，麦饭石、铸型硅砂、沸石、石膏、冰州石、萤石等储量居全国之冠。

内蒙古河流较少，全区水资源总量约为512.5亿立方米（黄河过境水量315亿立方米）。湖水面积约4000平方千米，蓄水量239亿立

方米。

热量资源丰富，年日照时数普遍在2500小时以上，全年≥10℃的积温1700～3500℃。年总辐射量110～130千卡/平方厘米。锡林浩特等地处于风能较佳区，有效风能密度200～300瓦/平方米，3米/秒以上的风速超过4000小时，已可有多地使用现代风力机。地热资源有多处开发利用，赤峰市已建多处温泉疗养院。

生物资源种类多，数量大。大兴安岭是我国著名的原始森林之一，森林茂密，野生植物资源丰富。全区森林面积约1665万公顷，占全区土地面积的14.1%，居全国第一位；林业总蓄积量为9.7亿立方米，居全国第五位。内蒙古是我国最大的天然牧场，草原总面积达8667万公顷，占全国草原面积的27.2%，居全国五大草原之首。

农业

本区因各地自然、经济、历史条件不同，可分为农业区、牧业区、半农半牧区三种类型。农作物一年一熟。粮食作物以小麦、莜麦、谷子、糜子、马铃薯为主。经济作物以胡麻、甜菜为主。

牧业区以绵羊、山羊数量最多，还有牛、马、骆驼，是我国主要骆驼区。

大兴安岭林区的林业、狩猎业占有一定地位，并有多种山林特产。本区还有丰富的药材资源。

工业

以优势资源为基础的煤炭、电力、森工、冶金、机械工业和农林畜产品加工工业发展迅速，初步建成具有民族和地区特色的工业体系。重工业主要有煤炭、电力、钢铁、有色和稀土金属、森工、建材、化工、机械制造。轻工业主要是以农林畜产品工业为主，如食品、饮料、纺织、造纸和皮革、皮毛等。传统手工业以多伦的马鞍和蒙古靴最为有名。

交通

本区地势比较平缓，便于交通事业发展。现形成了以铁路为骨干，包括公路、民用航空的交通运输网。胶轮大车和骆驼在短途运输和沙漠地区，仍是重要运输力量。

铁路：包兰铁路东接京包线，西接兰新线，构成横贯我国北方的第二大东西向干线；京通线从北京昌平至本至通辽，是首都通往东北的干线之一；集二铁路、滨洲铁路及新建的集通线，为东、北部主要干线。

公路：以109、111国道为干线，相继建设了呼集公路、赛二公路、乌巴公路、海拉黑公路、呼包公路、呼凉公路和京藏、京新、大厂等高速公路。

民航：有呼和浩特白塔、包头二里半、乌兰浩特义勒利特、呼伦贝尔海拉尔、赤峰玉龙、通辽、锡林浩特等机场，通往北京、上海、广州、石家庄、武汉等40多个城市。

主要旅游景点

草原风光和民族风情为内蒙古两大旅游资源。其北部草原夏、秋季节千里绿海，牛羊如云。蒙古、鄂伦春等民族的服饰、起居、饮食、歌舞、礼仪等令人耳目一新。被称为"绿色宝库"的大兴安岭原始森林，又是野生动植物的王国。有扎兰屯国家重点风景名胜区。昭君墓、成吉思汗陵等为重要景点。元上都遗址被列入世界遗产名录。

成吉思汗陵：位于伊金霍洛旗阿勒腾席热镇东南15千米处。1956年建成，三座蒙古包式穹庐顶建筑相连，金碧辉煌，寝宫安置成吉思汗夫妇灵柩，纪念堂内陈列成吉思汗遗物。

昭君墓：位于呼和浩特西南9千米处。王昭君，名嫱，字昭君，是西汉元帝后宫的"待诏"。 公元前33年，奉元帝之命，出塞嫁于北方游牧民族匈奴首领呼韩邪单于。"昭君出塞"是民族和好的象征。

五塔寺：即金刚座舍利宝塔，位于呼和浩特市区东南部，俗称五塔寺。寺内大殿宇早已塌毁，唯五塔巍然独存。全塔布满1563个鎏金小佛像。塔北的照壁上嵌有三幅精细的线雕刻石——蒙文天文图、六道轮回图和须弥山颂图，都是珍贵文物。

扎兰屯：位于呼伦贝尔市境内，大兴安岭东麓，是一个冬暖夏凉的防寒避暑胜地。雅鲁河蜿蜒在绿毯般的绿茵之上，四周起伏的大兴安岭吟唱着抒情的旋律，被人们称为"草原苏杭"。

名优特产

内蒙古是全国主要畜牧业基地。皮毛及其制品质地优良，品种繁多，诸如具有传统特色的仿古地毯，抗寒力强、质地柔软的驼毛，色泽光润、毛条致密的山羊绒，防寒持久、洁白轻软的羊羔皮等。此外，草原盛产味道鲜美、富有营养的发菜、口蘑，以及名贵中药材党参、黄芪、青羊血、牛黄、大蓉、甘草、麻黄、川地龙等。

主要城市

呼和浩特：蒙古语意为"青色之城"，为国家历史文化名城。现建成以毛纺织、制革、制糖、机械制造、钢铁、建材、畜产加工等部门为主的综合性工业城市，是全国重要毛纺织工业中心之一。

包头：蒙古语意为"有鹿的地方"，历来为我国西北农牧产品集散地，现已成为全国重要钢铁工业基地之一，有"草原钢城"之称。建有煤炭、机械、水泥、炼铝、制糖、皮革、纺织等工业。

阿尔山森林公园

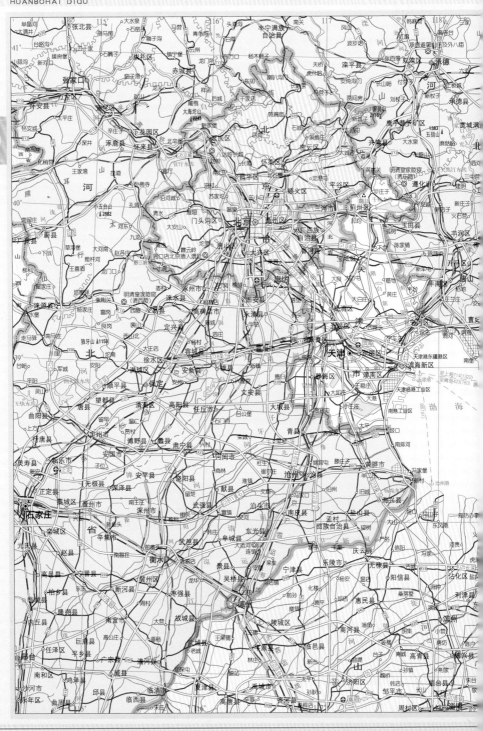

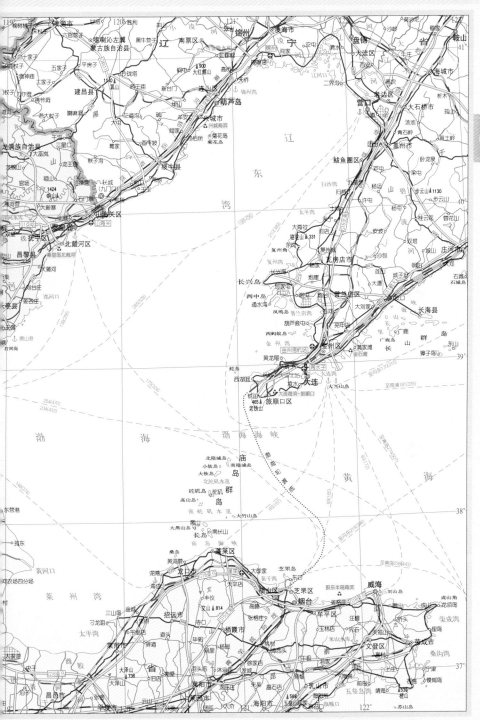

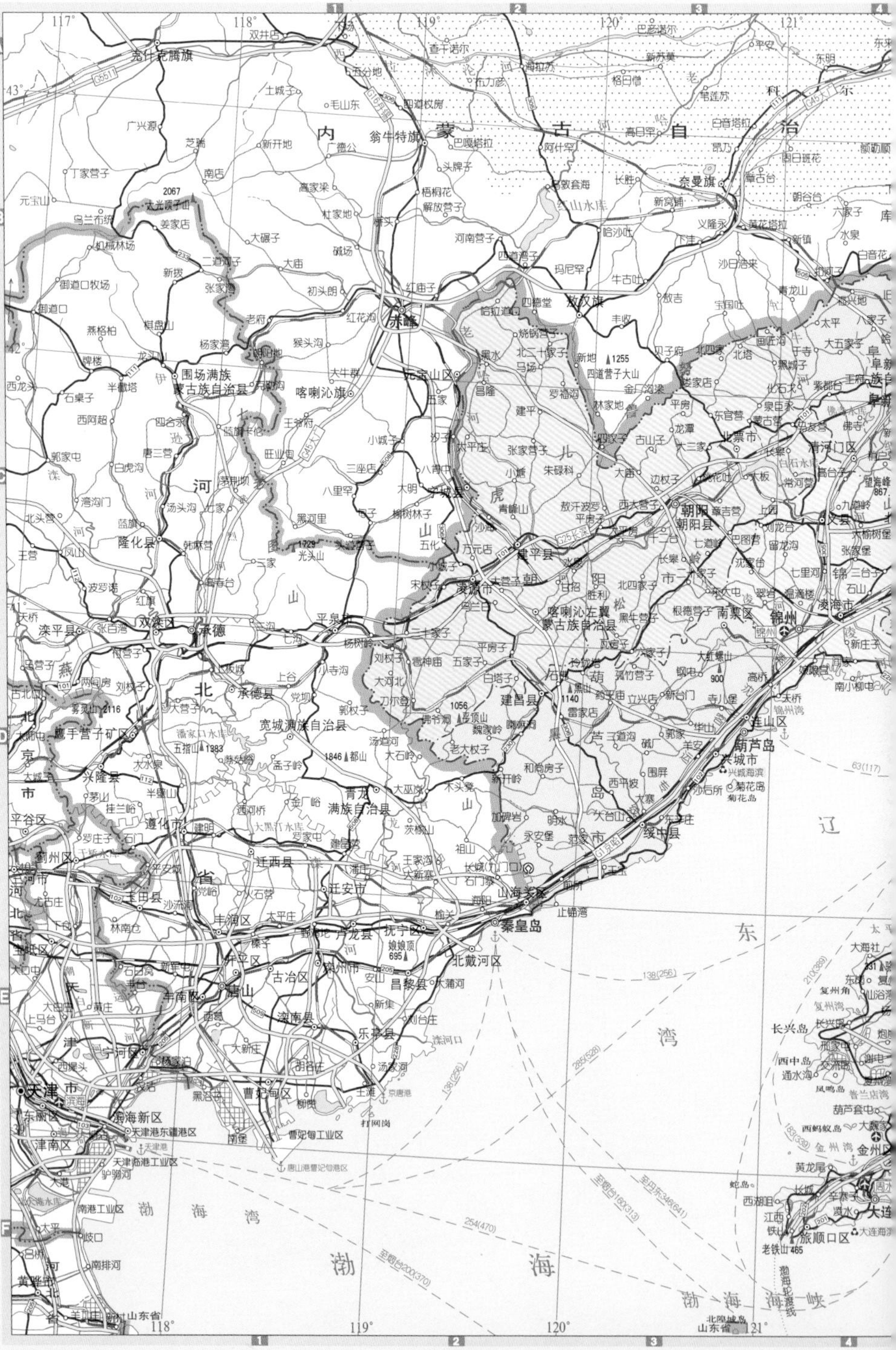

内蒙古自治区

赤峰

围场满族
蒙古族自治县

喀喇沁旗

河

北

山

朝阳县

朝阳市

喀喇沁左翼
蒙古族自治县

锦州

凌海市

隆化县

承德

宽城满族自治县

建昌县

葫芦岛

兴城市

绥中县

北京市

平泉市

青龙满族自治县

迁西县

迁安市

秦皇岛

北戴河区

唐山市

山海关区

辽

东

湾

渤

海

湾

渤

海

大连市

天津市

山东省

比例尺　1:3 100 000

0　　31　　62　　93　　124千米

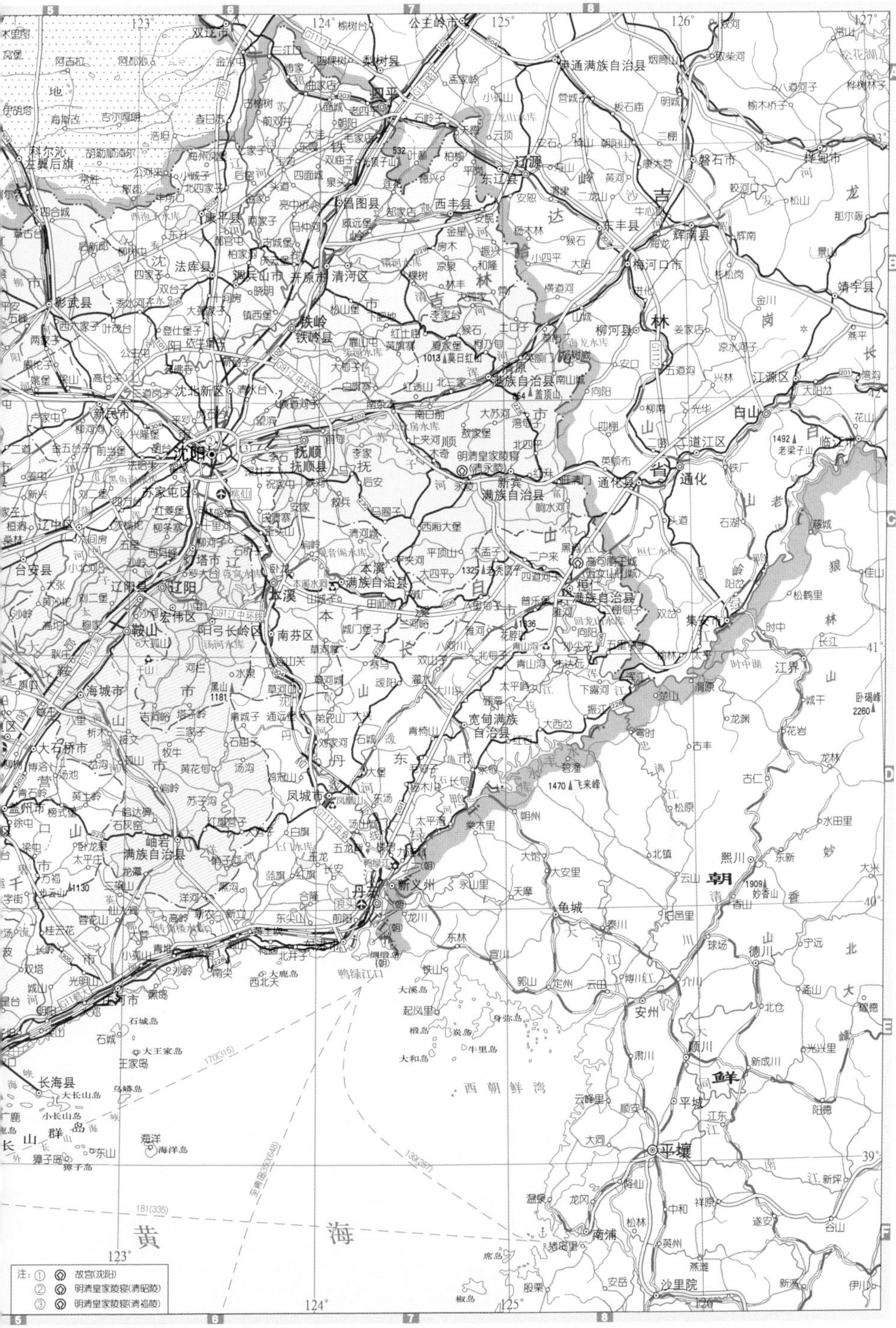

63

黄　海

注：① ◎ 故宫(沈阳)
　　② ◎ 明清皇家陵寝(清昭陵)
　　③ ◎ 明清皇家陵寝(清福陵)

沈阳　抚顺市　铁岭市　辽阳　本溪　丹东　鞍山市　海城市　大石桥市　营口市
四平　辽源　通化　白山　吉林　新宾满族自治县　宽甸满族自治县　凤城市
长海县　长山群岛

西朝鲜湾　平壤　朝鲜　鸭绿江口

123°　124°　125°　126°　127°
41°　40°　39°

沈阳

66

概况

辽宁省简称辽。南临黄海、渤海，西南与河北省接壤，西北与内蒙古自治区为邻，东北与吉林省毗邻，东南与朝鲜隔鸭绿江相望。全省面积约15万平方千米。人口4229万，有汉、满、蒙古、回、朝鲜、锡伯等民族，其中满族、锡伯族聚居人数为全国之冠。省辖14个地级市、16个县级市、17个县、8个自治县、59个市辖区。省会沈阳市。

辽宁省历史文化悠久。营口金牛山、本溪庙后山等古人类遗址表明，在旧石器时代早期（距今二三十万年前）这里已有人类。战国时期属燕国。秦时设辽东、辽西郡。汉、唐、辽、元、明都在此设有行政管辖机构。辽宁是中国最后一个封建王朝——清王朝的发迹开国之地，尤以清前史绩称著。清初设盛京将军，清末改设奉天省。1929年改奉天省为辽宁省。

地形

境内山地、丘陵、平原交错，自然概貌为"六山一水三分田"。地势是东部由东北向西南倾斜，西部自西北向东南倾斜，形成两翼高、中间低、界限较分明的三大地貌区：一是辽东山地丘陵地区；二是辽河平原区；三是辽西低山丘陵地区。主要山脉有千山、医巫闾山、龙岗山、松岭、努鲁儿虎山。花脖山海拔1336米，为省内最高点。主要平原有辽河平原。主要河流有辽河、浑河、太子河、大小凌河、绕阳河及中朝界河鸭绿江。近海分布着500多个岛屿。

气候

属温带大陆性气候，年平均气温6～11℃，1月平均气温-18～-5℃，7月平均气温22～26℃。年降水量440～1130毫米。年日照时数2300～3000小时。无霜期125～215天。受季风的影响，春季少雨而多风，夏季暖热而多雨，秋季暂短而晴朗，冬季寒冷而干燥。

自然资源

矿产资源丰富，已发现的矿种110多种，探明储量的60多种。其中铁、菱镁、硼、膨润土、玉石、滑石等储量均居全国首位；已探明的石油、天然气储量分别居全国第五位和第三位。沿海盛产海盐，年产200多万吨。

全省共有大小河流360多条，年径流总量为335亿立方米。已探明地下水储量为105亿立方米。

地热资源丰富，现有多处开发利用，如营口市熊岳温泉水温达81℃，鞍山市汤岗子温泉水温达72℃，本溪汤沟地下水温76℃，温泉寺地下水温49℃，丹东市五龙背温泉水温60℃。

全省有森林面积5908万亩，森林覆盖率为27.9%，森林蓄积量为1.2亿立方米。海洋生物资源丰富，近海水域约有520多种海洋生物，脊椎动物鱼类100多种，虾蟹类5种和众多的贝类、藻类。

农业

以粮食生产为主，玉米、高粱、大豆、水稻、谷子是其主要农作物。经济作物以棉花、花生、烤烟、柞蚕、甜菜为主。营口、大连地区素有"果乡"之称，苹果、黄桃驰名中外，出口量占全国的3/4。园参、鹿茸及对虾产量居全国第二位。

工业

形成以沈阳为中心，大连为口岸，鞍山、本溪、抚顺、辽阳、丹东、营口、铁岭、盘锦、锦州为重点，包括机械、电子、冶金、石油、化工、建材、煤炭、电力、轻工、纺织、医药等门类的我国最大的工业基地。

交通

形成铁路、公路、水运、航空并举的综合运输网。

铁路：哈大、秦沈高速铁路、京哈线、沈大线、沈吉线、沈丹线、沈承线等贯通境内。

公路：基本形成以省会为中心，国、省干线公路为骨架，贯通市、县和主要铁路站点，干支线相衔接的公路网。各地级市均通有高速公路。

水运：大连港是东北地区的进出口岸，与丹东港、大东港、营口港、葫芦岛港、锦州港及鲅鱼圈港构成辽宁的水运体系，与世界上140多个国家和地区通航。

民航：有沈阳桃仙、大连周水子、朝阳、丹东浪头等机场，可通往国内40多个城市，国际航线可通往日本、朝鲜、韩国、德国、俄罗斯等。

主要旅游景点

辽宁名胜古迹众多，自然风光秀美，是观光旅游的好去处。全省现有国家级文物保护单位190多处。国家重点风景名胜区有鞍山千山、鸭绿江、兴城海滨、金石滩、大连海滨—旅顺口、凤凰山、本溪水洞、青山沟、医巫闾山、高句丽王城（五女山山城）、故宫（沈阳）、明清皇家陵寝（清永陵、清福陵、清昭陵）列入世界文化遗产。

五女山风光

鞍山千山风景区：位于鞍山东南25千米处，为东北三大名山之一。有峰峦999座，以其近千，故名。

鸭绿江游览区：依山傍水，风光秀丽。最吸引游人的是江上游船，江心水流平稳，中、两岸景色各有千秋，令人心旷神怡。

兴城海滨：海岸线长达14千米，海滩平缓，细沙松软，是一处良好的海滨浴场。

金石滩：位于金州凉水湾，与大连港隔海相望。有极佳的天然海滨浴场，海水清澈见底，无任何污染，冬不结冰，夏日风平浪静。

金石滩

大连海滨—旅顺口：位于辽东半岛南端，背山面海，景色秀丽，气候宜人。包括大连湾和旅顺口两个景区。景点有老虎滩、棒棰岛、蛇岛、老铁山等。有多处良好的海水浴场。

名优特产

辽宁素称"苹果之乡"，苹果品种多，耐运耐贮，尤以"国光"为佳；还有辽西的秋白梨、辽阳、海城、开原等地的山楂，朝阳、绥中等地的薄皮核桃，辽阳香水梨等。海味有对虾、海参、扇贝、贻贝、魁蚶、梭子蟹等。山区盛产哈什蟆。辽东为中国最大柞蚕丝生产基地，柞丝绸为上等衣料。辽宁是"东北三宝"人参、貂皮、鹿茸的主要产区之一。岫岩玉雕、抚顺煤精雕和琥珀工艺品，锦州玛瑙，辽阳、大连和鞍山贝雕，大连玻璃制品都各具风采。

主要城市

沈阳：位于辽河平原中部。为国家历史文化名城，是全国重工业基地之一和东北地区最大的交通枢纽。成为以机械工业为主体，包括冶金、化工、轻工、纺织、建材、电子、造纸等工业部门的综合性工业城市，产品80%～90%销往全国各地。

大连：位于辽东半岛南端。是我国沿海开放城市中拥有港口、工业、外贸、科技、旅游等优势的经济中心城市，是东北的对外门户。街道整洁，绿树成荫，故获"花园城市"美誉。大连及旅顺口区也是军事、交通要地。

鞍山：位于沈大铁路线上，为我国最大的钢铁基地。周围有储量丰富的铁、菱镁、滑石等矿。早在西汉就有土法炼铁。现建成采矿、选矿、炼焦、炼铁、炼钢等联合企业，素有"钢都"之称，并带动了机械、化工、建材、电子、纺织、食品等多种工业的发展。

抚顺：位于沈阳以东。是以煤、电、油为主的综合性工业城市，素有"煤城"之称。西露天煤矿是全国规模最大的露天煤矿。煤精、琥珀雕刻品等特产，工艺精湛，为极好的旅游纪念品。

丹东：在辽宁省东部，鸭绿江口，沈丹铁路终点。为通往朝鲜的边境口岸，是我国东北边境一座轻工业城市，所产柞蚕丝绸有名，工业有造纸、化纤、仪表、电子、制药等。

锦州：位于京哈和锦承铁路交会处，向为军事、交通要冲。有石油、化工、冶金、电子、纺织、机械、造纸、食品等工业。

营口：位于辽河东口。以轻工业为主，涤棉细布、各种针织品、纸张、胶鞋、服装、乐器、工艺美术等30多种产品畅销国内外。晒盐早在明代（400年前）就已开始。

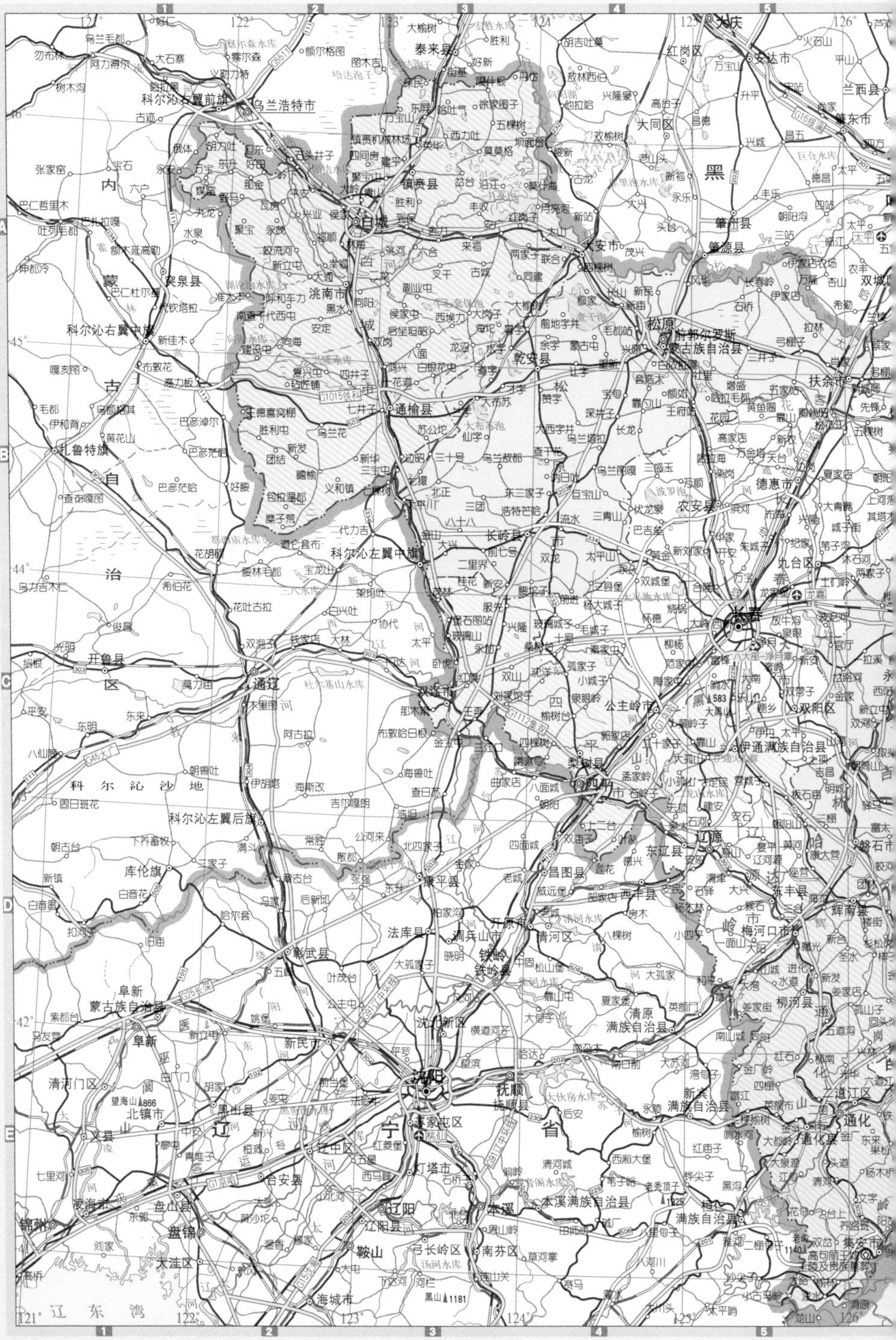

68

比例尺 1 : 3 500 000

0　　35　　70　　105　　140千米

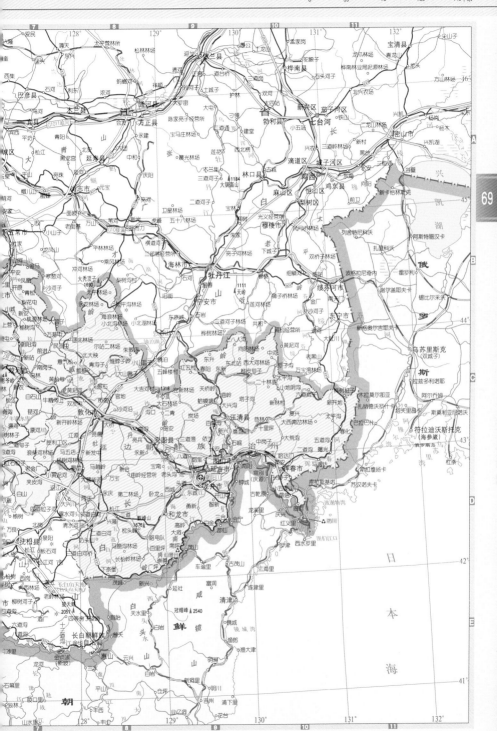

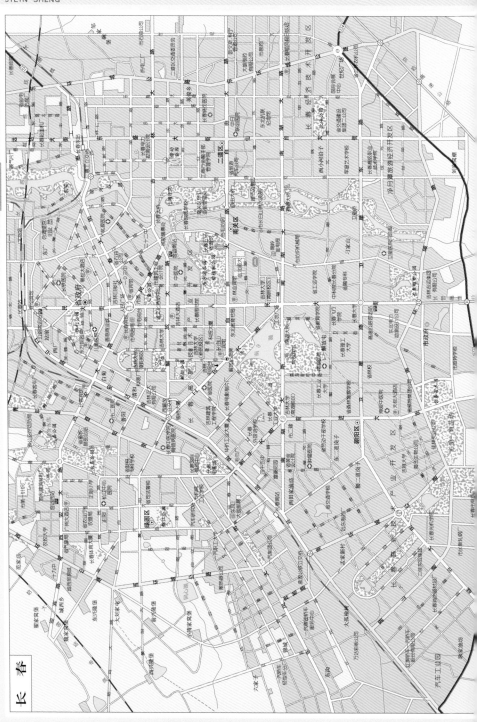

长春

延吉

四平

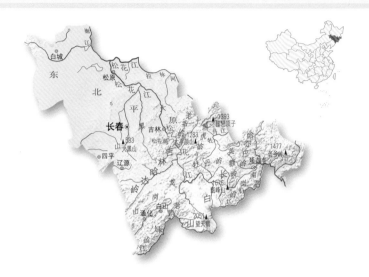

概况

吉林省简称吉。地处我国东北部，为东北平原的腹地。南界辽宁省，北接黑龙江省，西连内蒙古自治区，东与俄罗斯毗邻，东南和朝鲜隔江相望。全省面积约19万平方千米。人口2375万，有汉、朝鲜、满、回、蒙古、锡伯等民族。省辖8个地级市、1个自治州、20个县级市、16个县、3个自治县、21个市辖区。省会长春市。

吉林省历史上长期是满、蒙古、朝鲜等少数民族活动和聚居之地。周、秦时活动在长白山北部一带的肃慎部族（汉、晋称挹娄，后魏称勿吉），是本区原始居民。唐代曾建渤海国于东部山区。宋代又建金国（女真）。省境西部，古称鲜卑、契丹、鞑靼，均为蒙古族同系。五代建辽国，灭渤海国，势力扩至省境东部。元属辽阳行省。明属奴尔干都司。清为宁古塔将军后改称吉林将军辖区，光绪三十三年（公元1907年）设吉林省。

地形

地势东南高、西北低，形成山地、丘陵、平原三大地貌类型。平原占全省面积的30%～40%，山地、丘陵占60%。主要山脉有长白山、吉林哈达岭、张广才岭、龙岗山、老岭、大黑山等。东部山地最高峰海拔2691米，是东北地区和本省的最高峰。主要平原与盆地有松嫩平原、松辽平原、延吉盆地、珲春盆地和敦化盆地等。主要河流有松花江、鸭绿江、图们江、牡丹江、绥芬河。湖泊以松花江上的松花湖（丰满水库）为最大，还有月亮泡、查干泡、大布苏泡等。长白山主峰附近的长白山天池（白头山天池）是中朝界湖，湖面海拔2194米，面积9平方千米多，是著名的火山口湖。

气候

属温带大陆性季风气候，冬季长而寒冷，夏季短促温暖，春秋风大，天气多变。全省平均气温−3～7℃，1月平均气温−20～−14℃，7月平均气温16～24℃。山区气温偏低，长白山天池年平均气温仅−7.4℃，1月−23.8℃，7月也只有8.5℃。年无霜期120～150天，山区不足100天。年平均降水量350～1000毫米。

自然资源

矿产资源种类多，分布广。已探明的70多种矿，储量居全国前10位的有40多种，有石油、铁、金、镍、钼、硅灰石、膨润土、火山渣、硅藻土、浮石、油页岩等储量较大。其中硅藻土、硅灰石、浮石、火山渣、钼、油页岩占全国储量的15%以上，有的甚至占50%以上。省内30千米以上的河川有221条，其中流域面积在5000平方千米以上的有16条，分别属于松花江、鸭绿江、图们江、辽河、绥芬河五大水系。年平均径流总量320亿立方米，加上地下水98亿立方米，总计418亿立方米。其空间分布很不均衡，大体是东部水多地少，中部地多水量不足，西部风沙干旱，严重缺水。地热资源有火山地下热源产生的长白山温泉，多集中在长白瀑布脚下约900米的地方，水温约为60～80℃，泉中含有多种矿物质。年日照时数约1600～2800小时，年总辐射量110～130千卡／平方厘米。森林资源丰富，是全国重点林区之一，林业用地面积870多万公顷，占全国森林面积的5%稍多，居全国第七位；林地活立木总蓄积量为7亿多立方米，居全国第六位。野生植物种类较多，数量大，资源较丰富。经济价值较高的植物有天麻、贝母、桔梗、党参、细辛、五味子、人参等；野生动物有田鸡、貂，珍贵稀有动物有东北虎、丹顶鹤、梅花鹿等。

农业

农作物一年一熟，以粮食生产为主，主要有水稻、玉米、高粱、谷子，还有小麦、糜子、豆类、旱稻。水稻主要分布于东部地区，延边朝鲜族自治州为我国北方历史较久的著名水稻产地。经济作物以甜菜、烟叶为主，还有亚麻、青麻、线麻、向日葵、芝麻、蓖麻等。长白山林区为我国主要林区之一，盛产优质红松、落叶松、鱼鳞松等。园参及养鹿业居全国重要地位。白城地区为本省重要牧区，以绵羊为多，并且是马匹繁殖和改良品种的基地。渔业以淡水鱼为主，松花江，黑、吉2省边境的嫩江，以及松花湖、月亮泡等水域为主要鱼产区。

73

工业

形成以汽车、铁路客车、铁合金、炭素、石油化工、电力、造纸、森工、轻纺、医药等为主的工业生产体系。

交通

形成以铁路、公路运输为主，水运、航空、管道等各种方式组成的运输网。

铁路：有哈大、长吉高速铁路，京哈、沈吉、梅集、通让、长图、长白、平齐等线，与北京、石家庄、乌兰浩特、哈尔滨等主要城市相连。

公路：以长春、吉林、延吉、通化等地为中心，形成长春通往各市、州、县的公路网，有京哈、长营、珲乌等高速公路。

水运：以松花江、嫩江、松花湖为主要航线，鸭绿江、图们江也有航运线，拥有吉林、大安和临江三个大港口。

民航：有长春龙嘉、延吉朝阳川等机场，同国内20多个城市通航。

管道运输：主要有大庆通往秦皇岛、大连的输油管过境。

主要旅游景点

多集中在长春、吉林、松花江和长白山一线，国家重点风景名胜区有松花湖、八大部—净月潭、仙景台、防川。此外有长白山天池、龙潭山鹿场等。高句丽王城、王陵及贵族墓葬群列入世界文化遗产。

松花湖：位于吉林市区东南50千米，因上游的丰满水电站大坝拦截松花江水而成，是东北最大的人工湖。春天，湖岸林木葱郁，层峦叠嶂，湖中白帆点点，风光旖旎，可与太湖、洞庭湖媲美。入夏，可击浪游泳，或日光浴，或搭快艇越湖心岛上驶20千米登五虎岛，至观湖台，垂钓湖鱼。秋季，天高气爽，40座山峰披红结翠，一览无遗。隆冬，雪岭山雨，冰封湖面，水山一色，玉树银花，可驾冰帆，乘坐雪爬犁，或入山狩猎，或凿冰捞鱼。

八大部—净月潭风景区：位于长春东南郊，有起伏的山岳、平静的湖水和广阔的森林，森林公园放养梅花鹿、饲养紫貂和种植人参，绿树丛中建有喷泉和优美的塑像群。在公园一角，开辟废假村儿游乐园。净月潭里种植菱角、春莲。夏季可划船、钓鱼、游泳，冬季可开展滑冰、滑雪、冰橇、冰帆等体育活动。

长白山天池

名优特产

"东北三宝"人参、鹿茸、貂皮饮誉中外，主要产于长白山地，尤以安图、抚松、蛟河、靖宇、辉南等地为盛。哈什蟆油是营养丰富的滋补品。通化葡萄酒与蛟河"长白山葡萄酒"均有盛誉。白鱼是松花江特产，肉嫩味鲜。特殊工艺以长春的刺绣、树皮画、羽毛画和吉林市工艺手杖、石雕较为著名。

主要城市

长春：位于吉林省中部、濒临伊通河，是京哈、长图、长白等铁路交点。是全国主要的汽车制造工业基地，享有"汽车城"的誉称。客车、机车、柴油机、拖拉机等制造工业也闻名全国。电子、化工、橡胶、食品、石棉、制药、胶合板、搪瓷等工业也比较发达。市区风景优美，树木葱郁，素有"森林城市"和"塞外春城"的美称。

吉林：位于松花江畔，长图、沈吉、吉舒等铁路交点。为国家历史文化名城。是以基本化工和电力工业为主要工业部门的城市，号称"化工城"。造纸、冶金、制糖、制材等工业也较发达。建有滑雪场，冰雪运动基地，是我国综合性冬季运动中心。

四平：位于本省西南部，京哈、平齐、四梅三铁路交点。是东北地区重要交通枢纽和省内外重要的货物转运站。是以机械加工、电子、日用化工、汽车制造、建材为主的新兴工业城市。

延吉：位于吉林省东部，长白山东麓，长图铁路线上，延边朝鲜族自治州首府所在地，是全州政治、经济、文化中心，有"歌舞之乡"的美誉。

通化：位于本省南部，浑江畔，梅集铁路经此。为本省新兴工业城市和长白山区木材、粮食、药材、土特产的集散地。以山葡萄为原料的通化葡萄酒驰名中外。

官马溶洞

黑 河

绥 芬 河

俄·布拉戈维申斯克罗
(海兰泡)

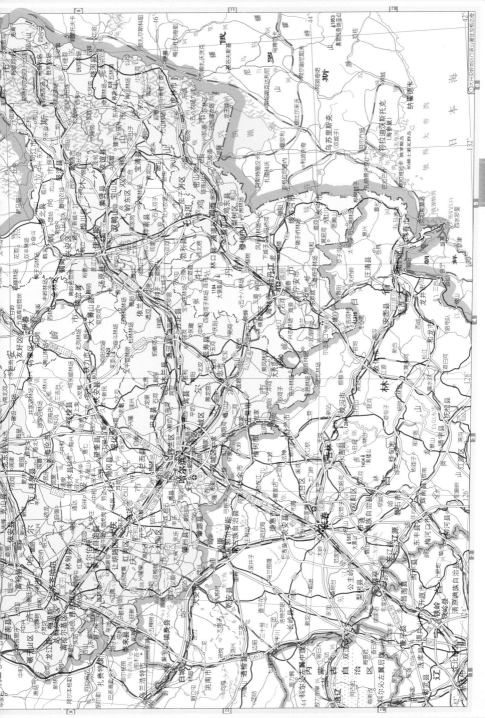

概况

黑龙江省简称黑。地处我国东北部。北部和东部隔黑龙江、乌苏里江与俄罗斯相望，西部与内蒙古自治区毗邻，南部与吉林省接壤，是我国东北门户。全省面积约46万平方千米。人口3125万，有汉、满、蒙古、回、朝鲜、达斡尔、鄂伦春、赫哲等民族。省辖12个地级市、1个地区、21个县级市、45个县、1个自治县、54个市辖区。省会哈尔滨市。

本省是东北地区各族先民自古以来劳动、生息的地方，是满族的发祥地。西周时期，居住在这里的民族为肃慎。汉代肃慎斯为挹娄。北魏时称为勿吉。辽、金时改为女真。清代始称满族。自唐代起历代均在此设机构进行行政管辖。清末改黑龙江将军辖区为黑龙江省。1954年松江省并入。

地形

山地、平原交叉分布，地势大体西北高、东南低，西南、东北低平。主要山脉有大兴安岭、小兴安岭、张广才岭、老爷岭、完达山等。大秃顶子为本省最高峰，海拔1690米。主要平原有三江平原、兴凯湖平原、松嫩平原。主要河流有黑龙江、松花江、乌苏里江、绥芬河、牡丹江和嫩江。湖泊有兴凯湖、镜泊湖、五大连池和连环湖。

气候

属中温带和寒温带大陆性季风气候。冬季漫长寒冷，夏季短

促（西北端尤甚），温差较大。全省年平均气温-2～3℃，1月平均气温-31～-15℃，7月平均气温18～23℃。年均降水量500～600毫米。年无霜期多在100～140天。

自然资源

矿产资源种类繁多，储量丰富，在全国已探明的150多种矿产中占有110多种，其中已探明储量的50多种。储量居全国前十位的有20多种，尤以石油、煤炭、黄金、石墨最为著名。此外，还有砂金、硅线石、铸石、玄武岩、钾长石、熔炼水晶、火山灰、钨、锑、锌、银、铜、石英、黄粘土、沸石、大理石、红（蓝）宝石。黑龙江、松花江、乌苏里江和绥芬河四大水系中，流域面积在50平方千米以上的有河流1900多条，年径流总量为26300立方米，已探明地下水资源140多亿立方米。全省河流水能资源理论蕴藏量为840多万千瓦。

本省是我国风能资源较丰富的地区，全年约5000～7000小时的风速≥3米／秒，风能密度200瓦／平方米。

生物资源种类多，生长量大。全省森林面积2亿多亩，森林总蓄积量13亿多立方米，木材蓄积量、森林覆盖率、木材产量居全国重要地位。主要有针叶林、针阔混交林、阔叶林，树的种类有100多种，其中木质优良、经济价值较高的有50多种。红松、白松、水曲柳、黄菠萝、胡桃楸等树种，是国内外少有的。野生经济植物和食用菌有木耳、蘑菇、猴头菇、松子、山葡萄等。野生动物资源比较丰富，有东北虎、丹顶鹤、猞猁、紫貂、马鹿、水獭、驯鹿等。

农业

农业以粮食生产为主，是国家重要的商品粮生产基地之一。农作物实行一年一熟耕作制。主要粮食作物有大豆、玉米、小麦、水稻、谷子、高粱。经济作物以甜菜、亚麻、向日葵为主，产量常居全国第一位。

大小兴安岭以红松、落叶松为主要树种，是全国最重要的木材供应基地。

牧用草地较广，牧畜业占一定地位，以马、牛为主，其中奶牛饲养量和产奶量均占全国第一位。绵羊、奶山羊、生猪养殖发展很快。各河湖多产鱼类，松花江产鱼量约占全省一半。

工业

建成以煤炭、石油、木材、机械、食品工业为重点，门类比较齐全、布局较为合理的国家重要工业基地。以能源、机械、森工、化工、食品为重点产业，造纸、制糖、纺织、橡胶等工业发展较快。原油、木材、大型发电设备、冶金设备、铁路货车、微型汽车、重型机床、胶合板、纤维板等主要工业产品的产量位居全国前列。大庆油田是世界特大油田之一，鹤岗、鸡西、双鸭山、七台河是特大型煤矿。因地处东北亚的核心地带，对俄罗斯等独联体国家和东欧国家经济贸易起着桥梁和纽带的作用。

交通

形成了陆、水、空、管道运输并行的综合运输网。

铁路：以哈尔滨为中心，贯穿全省2/3以上的市、县，为全省交通网骨干。主要有哈大、哈齐高速铁路和京哈、滨洲、滨绥、哈佳、牡složб、牡图、平齐、齐北、绥北、富西、林东、佳富、福前等线。哈大、哈齐高铁已通车。

公路：基本形成四通八达的公路运输网，有京哈、绥满、哈同、鹤哈、机场高速等高速公路。

水运：水力资源居东北三省之冠，松花江为最重要的内河航道，黑龙江、呼兰河、嫩江、乌苏里江等大部分通行江轮。

民航：以哈尔滨为中心，通北京、上海、香港等多个城市和省内齐齐哈尔、佳木斯、牡丹江等城市。还开通了俄罗斯、韩国、日本的国际航线，成为东北的国际航空港。

管道运输：主要担负大庆原油外运。

主要旅游景点

作为中国火山遗址较多的省份，火山活动为其创造了著名的旅游资源。国家重点风景名胜区有五大连池、镜泊湖。此外，有碧水环抱的避暑游览胜地太阳岛。

五大连池：原名白河，是黑龙江的支流。1719～1721年火山喷发，熔岩将河道截成五段，形成五个串珠状相互连通的火山堰塞湖，称为头池、二池、三池、四池和五池，纵长20千米，统称五大连池。头池、二池湖岸曲折，熔岩石流突入水中，构成无数小岛、半岛、水湾和小潭，水清见底，怪石林立，呈天然园林景观。西岸石龙背上有一温泊，严冬水温摄氏14度，水气蒸腾成雾，池周满树琼花，被称为"温泊云雾"。五池中以三池最大，水深色多。

镜泊湖：位于牡丹江的宁安市河段，距牡丹江市区110千米。南北长45千米，东西最宽处6千米，面积90.3平方千米。约1万年前，

由火山熔岩堵塞牡丹江河道而成，群山环抱，山重水复，景色秀丽。天然形成的吊水楼瀑布、大孤山、小孤山、白石砬子、城墙砬子、珍珠门、道士山、老鸹砬子，是历史上著名的镜泊八景。

三江湿地

名优特产

人参、鹿茸、紫貂、猴头蘑、五味子等为山区名产，主要产于小兴安岭、张广才岭、老爷岭，现多以人工饲养或栽培。大马哈鱼、鳇鱼、哲罗鱼为黑龙江、乌苏里江等低水温河流特产，营养丰富，味道鲜美。哈尔滨玉雕、牙雕、西式银餐具、牡丹江牛角画、齐齐哈尔玉雕为传统工艺美术品。

主要城市

哈尔滨：为国家历史文化名城和东北地区第二大工业城市。以重工业为主，其中动力设备、发电设备为主要产品。国产第一台大型水轮发电机、汽轮发电机、高压锅炉都诞生在这里。此外，还有仪器仪表、量具刃具、轴承、机械制造、麻纺、造纸、制糖、食品油生产、药品等工业。是东北地区北部工农业产品重要集散地。

齐齐哈尔：以机械、冶金、电力为中心的工业城市。富拉尔基第一重型机器厂、富拉尔基发电总厂、齐齐哈尔钢厂是第一个五年计划时期的全国重点建设项目。

牡丹江：有机械、冶金、石油化工、纺织和建材等部门的新兴工业城市。

绥芬河：位于黑龙江省东南部，牡丹江市东部，长白山脉老爷岭东麓，东北与俄罗斯毗邻。为边境口岸城市之一，上世纪20年代曾被誉为"国际商业都市"。

鹤岗：位于黑龙江省东北部，小兴安岭东南麓。是东北地区的煤炭基地之一。特产木耳、蘑菇、猴头菇、松子、鹿茸等。

大庆：以石油、石油化工为主体、农工商综合发展的新兴石油工业城市。是我国重要的石油、石油化工基地。

黑河：与俄罗斯阿穆尔州首府布拉戈维申斯克（海兰泡）隔江相望，是一个边境贸易口岸城市，也是中俄边防会晤中方地址、黑龙江航行例会中方会址所在地，为本省对外交往的重要门户。

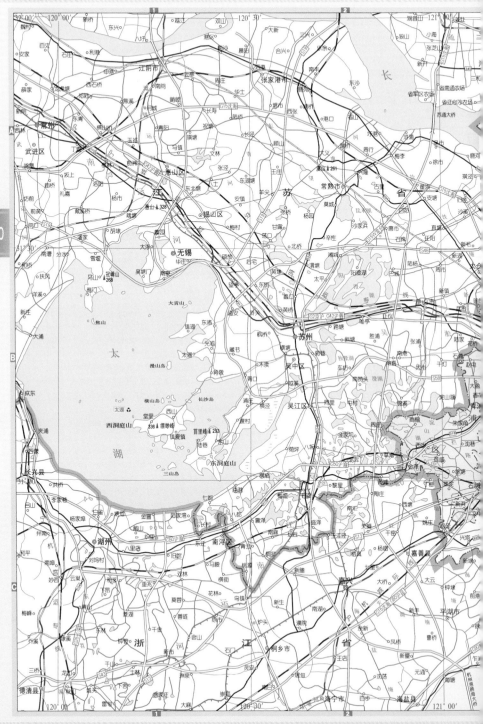

比例尺 1:850 000

0   8.5   17   25.5   34千米

81

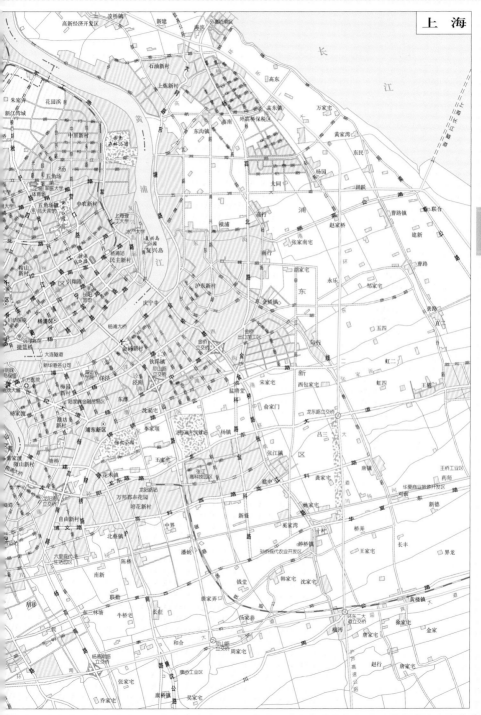

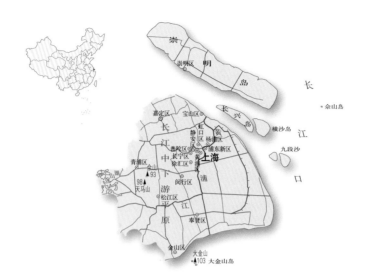

概况

上海市简称沪，别称申。地处中国南、北海岸中心点，长江和钱塘江入海口之间。东濒东海，北、西、西南与江苏、浙江2省为邻。全市面积约6340平方千米。人口2489万，有汉、回、满等民族。市辖16个区。

上海是我国第一大城市，为中央直辖市，也是世界特大城市和十大港口之一。因吴淞江支流上海浦得名。吴淞江口近海段古称"扈渎"，后改称"沪渎"，简称"沪"。南宋建镇。元朝设上海县。1927年设上海特别市。1930年改称上海市。

地形

本市属长江三角洲冲积平原的一部分，土质松软，平均高度为海拔4米左右。除西部有少数海拔100米左右的残丘外，均为坦荡低平的平原。东部高桥、南汇、奉城、漕泾一线以东为滨海平原，为近几百年冲积成陆地。西部青浦、金山一线以西为淀泖低地，原为古太湖一部分，海拔仅2～3米。东西之间则为浦江平原。主要河、湖有黄浦江、吴淞江（又名苏州河）和淀山湖。其中，黄浦江全长113.4千米。主要岛屿有崇明岛、长兴岛、横沙岛，其中崇明岛为我国第三大岛，面积为1080平方千米。市境南端的大金山海拔103米，为本市最高点。

气候

属亚热带海洋性季风气候，温和湿润，四季分明。冬、夏较长，春、秋较短。夏季闷热、潮湿，冬季寒冷、干燥。全市年平均气温15.7℃，1月平均气温3℃，7月平均气温27℃。年无霜期250天左右。年平均降水量1100毫米，6月中旬至7月上旬为梅雨季，7～9月受台风影响常有暴雨。

自然资源

由于地质环境所限，自然资源十分贫缺，主要依靠由外地输入资源进行深加工。水资源相对丰富，境内天然河流密如蛛网，多逢太湖流域，利于养殖鱼类及水上运输。雨量充沛，利于农业发展。

农业

农作物一年三熟，以粮食生产为主，农、林、牧、渔综合发展。农副产品丰富，素称鱼米之乡。主要粮食作物为稻、麦；主要经济作物有棉花、油菜籽及蔬菜。工业区周围为蔬菜生产供应基地，外围为稻、麦、棉、油菜及杂粮产区，近海棉田较多。已建立珍珠、香菇、蘑菇、水貂、长毛兔等农副产品、畜产品出口基地。

工业

解放前，上海工业基础薄弱，结构畸形，以轻纺工业为主。现在已成为全国最大的综合性工业城市，具有工业门类齐全、技术力量雄厚等特点。主要有钢铁、化工、机械、造船、电子、仪表、纺织、轻工、医药、食品、服装、工艺美术等部门，还从无到有、从低到高发展了新型金属材料、高分子合成材料、电子计算机、精密仪器仪表、精密机床等新兴产业。企业生产技术水平、技术装备都已升级换代，有几十项产品获国金、银质奖。浦东新区的发展已成为上海新的经济增长点。

交通

地处我国南北航线中枢，为我国水陆交通中心，具有铁路、水运、公路、航空并举的综合总体运输网。

铁路：京沪线、沪昆线联系南北，有京沪、沪宁、沪杭高速铁路。

公路：市区内南浦、杨浦、奉浦、徐浦等大桥和延安东路、打浦路等隧道，构成市内环线越江的枢纽；内环和南北高架路、外环及龙阳路—浦东机场的磁浮列车道构成市区高架高速道路网络。稠密的公路网连接各城镇，有京沪、沪蓉、沪渝、沪昆、沈海等高速公路。

民航：有虹桥和浦东国际机场，可达北京、广州、成都、兰州、乌鲁木齐、香港、澳门等各大中城市，并有多条国际航线，航线覆盖70多个国家和地区的重要城市。

水运：上海港是西太平洋地区重要国际港口，被称为上海经济命脉，现有万吨级码头泊位约124个，下设10多个装卸区，吞吐量约占全国1/3。黄浦江可通2万吨轮船。水运从长江口可直达重庆，内河航运里程2176千米。沿海可达青岛、天津、大连、宁波、广州、香港等城市，远洋可达五大洲600多个港口。

主要旅游景点

上海是中国共产党的诞生地，为国家历史文化名城。主要名胜有豫园、玉佛寺、"中共一大"会址之一、孙中山故居、鲁迅故居、嘉定孔庙、汇龙潭、古猗园、淞江方塔、醉白池、淀山湖、吴淞口炮台等，还有外滩、东方明珠电视塔、东海影视乐园、大世界游乐中心、佘山国家旅游度假区、上海动物园、金茂大厦等旅游景点。

豫园：位于黄浦区豫园路，占地约5公顷，于明嘉靖三十八年（1559）至明万历五年（1577年）建成。园内共有假山池沼、亭台楼阁30多处，富有明、清两代江南园林建筑风格。由五条龙筑成的围墙，将全园分成6个风景区，构成40多个景点。1982年被列为全国重点文物保护单位。

豫园

玉佛寺：位于普陀区安远路和江宁路交会处，是一座建于1882年的中等规模寺院，仿宋代建筑。寺内有天王殿、大雄宝殿，并藏有不少古代造像、绘画珍品及7000余册明代佛经。其中1890年刻印的全套旧本大藏经1662部，是研究佛教历史的宝贵文献。

古猗园：位于嘉定区南翔镇。该园为著名古典园林，建于1573～1619年间，1937年被毁，1959年修复扩建。园中池水碧波涟漪，风光秀丽，故称"古猗园"。有九曲桥、湖心亭、长廊、梅花厅及唐代经幢、宋代石塔等景观。

古猗园

醉白池：位于松江城西门外，建于1652年，面积600余平方米。清代画家顾大申因钦佩唐代大诗人白居易，将此取名"醉白池"。园内布局幽雅，以池水为主，古木参天，紫藤盘曲，景色迷人。

淀山湖：位于青浦区境内，距上海市区约50千米，是本市最大的湖泊。原以游泳、游船等水上活动为主，近年利用其形态依《红楼梦》之描写而建"大观园"，建筑物既有气势又与自然环境相和谐，已形成新的旅游点。

外滩：北起外白渡桥，南至新开河路外滩，全长1700米，是闻名中外的上海游览胜地。沿江风格迥异、造型多样的大厦面江耸列，起伏有致，与茂密幽雅的江畔绿化带、宽阔繁忙的江面景色一起，构成一幅优美的浦江风光。

东方明珠电视塔：位于黄浦江畔，浦东新区陆家嘴前端。塔高468米，电视塔主要由塔座、下球体、上球体和太空舱等大小不等的钢制球体组成，内设多项游览观光项目。附近还设有娱乐中心和商业中心，是浦东大型多功能旅游景点。

佘山国家旅游度假区：位于松江区北部的佘山镇，地理环境优越，交通快捷。境内包容了上海仅有的12座山峰，人文景观荟萃，自然风光秀丽。主要有世界著名斜塔——天马山护珠塔，被称为"远东第一"的佘山天主教堂，遍布幽林密竹的佘山国家森林公园，始建于1899年的佘山天文台以及欧罗巴世界乐园、佘山娱乐城。

世博园：2010年5月1日至10月31日，举世瞩目的中国2010年上海世博会在上海隆重举行。全世界200多个国家和国际组织将围绕"城市，让生活更美好"这一主题，通过展示、活动、论坛等形式，共同探讨城市发展之路，进行文明对话，展望人类未来，从而使上海世博会成为不同国家、不同文化之间相互理解、沟通、欢聚、合作的舞台。

名优特产

上海是我国工艺美术产品的主要基地，品种丰富，主要有绒绣、雕刻、金属工艺。著名水产品有松江鲈鱼、崇明蟹、淀山湖清水大蟹。上海小吃点心也很丰富，糕点、饼干、五香豆、奶糖等。上海又是我国最大的商业城市，商店多、规模大、商品全、质量好、款式新，经营灵活，以南京路、淮海路、四川路、西藏路、天目东路、豫园商场等"五路一场"为中心。

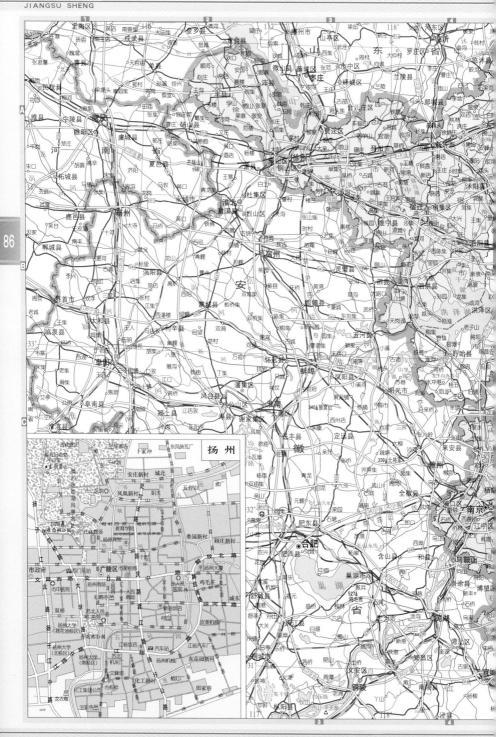

扬州

比例尺　1:2 700 000

0　　27　　54　　81　　108千米

徐州

黄　海

东　海

浙江省

南京

概况

江苏省简称苏。地处我国东部。北接山东，南邻上海、浙江，西界安徽，东濒黄海，有1000多千米的海岸线。全省面积约10万平方千米。人口8505万，有汉、回、满等民族。省辖13个地级市、21个县级市、19个县、55个市辖区。省会南京市。

江苏省历史悠久，南京曾为吴、东晋、宋、齐、梁、陈等六朝古都，成为南方的经济文化中心。隋唐以后，全国的经济重心南移。由于开凿了大运河，建设淮北盐场，扬州成为东南财赋、漕运、盐铁转运的中心。明代中叶以后，苏州、松江、南京等地产生了"机户出资、机工出力"的新型阶级关系，成为资本主义萌芽的发祥地之一。清康熙六年（1667年）改江南右布政使司置省，以江宁、苏州二府首字命名江苏省。

地形

平原辽阔，河湖众多，水网密布，是全国地势最为低平的省区，绝大部分地区在海拔50米以下。平原约占总面积的68%，低山丘陵占14%，水面占18%。平原分为黄淮平原、江淮平原、滨海平原和长江三角洲平原四大部分。有洪泽湖、太湖、高邮湖等大小湖泊200多个，太湖最大，北部的洪泽湖次之。有长江、淮河、沂沭河三大水系，主要河流还有沂河、沭河、新沭河、秦淮河、中运河、里运河，大运河沟通南北。黄海之滨的云台山海拔624米，为本省最高点。紫金山、汤山、栖霞山、青龙山和茅山均为著名山峰。

气候

地处暖温带向亚热带过渡的地带，气候温和，雨量适中，四季分明。全省年平均气温13～16℃，1月平均气温−2～4℃，7月平均气温26～30℃。年无霜期200～240天左右。年平均降水量800～1200毫米，自南向北递减。各季节降水不均，夏季盛行东南季风，降水量占全年的40%～60%，冬季降水较少。

自然资源

矿产资源分布广泛，品种较多。能源矿产主要有煤炭、石油和天然气，非金属矿产有岩盐、硫、磷、水晶、蓝晶石、宝石、金刚石、石英矿、大理石、石膏、凹凸棒粘土矿、陶瓷粘土，还有铁、铜、铅、锌、锶等金属矿产。其中，特种非金属以及大理石等建材类，是本省矿产资源的优势。淮阴盐矿，地质储量达4000亿吨，为全国最大盐矿之一。

水资源丰富，地表径流虽然有限，多年平均为249亿立方米，但过境水量丰富，达10254亿立方米。

海洋水产资源十分丰富，海洋渔场15.4万平方千米，其中包括著名的吕四渔场和海州湾渔场，黄鱼、带鱼、对虾、蟹类及贝类等产品在全国有一定地位。经济鱼类有近40种。

农业

大部分地区农作物一年二熟，是我国农业发达的省区之一。粮食作物以水稻、麦类为主，其次为玉米、高粱等。经济作物以棉花和油料作物为主。森林树种繁多，有毛竹、松、杉、果木林、还有茶叶、板栗、干鲜果品及野生药材。养殖业以猪、桑蚕为主，太湖流域是我国三大蚕基地之一。为全国重要淡水鱼产区，太湖银鱼、长江鲥鱼和刀鱼，阳澄湖大闸蟹均为名产。

工业

解放初以纺织、食品工业为主，现已成为轻、重工业都较发达的省区。本省工业以加工业为主，主要部门有机械、电子、电力、石化、纺织、食品。建材是本省六大支柱产业之一。化工、缫丝业在全国占重要地位。淮北盐场为全国大盐场之一。工艺美术品种繁多，著名的有苏州刺绣、南京云锦、常熟花边、无锡泥塑、扬州漆器和玉雕、宜兴陶器。

交通

本省为华东地区交通枢纽，已形成交通便捷的水陆运输网。

铁路：以南京、徐州为中心，有沪宁、陇海、宁铜等铁路干线和沪宁、沪宁、宁杭高速铁路。

公路：省辖市已全部实现高速公路连通，市与县之间均已实现二级以上公路连通，基本实现了公路"村村通"。有沪蓉、京沪、京台、连霍、沪陕、沈海等高速公路。

水运：长江横贯东西，大运河纵贯南北，内河航运发达，河渠湖荡多可行船。南京港为我国最大的内河港口；南京油码头为鲁宁输油管的终点。海运以连云港为著名海港。

民航：有南京禄口、徐州观音、常州奔牛、南通兴东、连云港白塔埠等机场通北京、上海、济南、郑州、武汉、香港等城市。

主要旅游景点

本省是山水园林、名胜古迹和旅游城市高度集中的地区，又是国家历史文化名城最多的省份之一，有南京、苏州、扬州、镇江、常熟、徐州、淮安等。苏州古典园林、明清皇家陵寝（明孝陵）已列入世界遗产名录。国家重点风景名胜区有南京钟山、太湖、云台山、蜀冈—瘦西湖、三山等。此外，还有南京的"石头城"、中山陵、明孝陵，徐州的汉代兵马俑，以及与长城齐名的古运河等。

苏州拙政园

钟山：又称紫金山，系江南茅山余脉，宁镇山脉的最高峰。名胜古迹有弹琴石、黑龙潭、紫霞洞、一人泉、道士坞、梅岩、头陀岭、兆花坞、梅花山、中山陵、明孝陵、灵谷寺、徐达墓、李文忠墓等。

太湖：位于长江三角洲南部，江苏、浙江两省之间，是我国四大淡水湖之一。湖岸岬湾曲折，地势起伏多变，自然风光奇特，山水组合见胜，远、中、近景天然得体，四季景色迥异。

云台山：耸立在黄海之滨，多异峰奇石，尤以花果山、水帘洞地名。山上曲幽深，花果飘香，有"东海胜境"之誉，历史上曾为海内四大灵山之一。

瘦西湖：位于扬州城西。湖面狭长曲折，清瘦秀丽，是一座风光奇特、建筑精美的古典园林。

瘦西湖

名优特产

"苏绣"是中国四大名绣之一，尤以"双面绣"出色。南京云锦，历史悠久，富丽鲜艳。宜兴号称"陶都"，其紫砂陶器古朴典雅，冲茶色味持久。无锡惠山泥人，手法夸张而神态逼真。扬州漆器和玉雕著名。太湖碧螺春，清澈芳香，为绿茶名品。苏州茉莉花茶、太湖银鱼、长江鲥鱼、南京板鸭、镇江香醋为传统名产。洋河大曲、双沟大曲为中国名酒。

主要城市

南京：公元前473年越国在此筑城，后东吴、东晋、宋、齐、梁、陈、南唐、明、太平天国、中华民国在此建都，历时近500年，为我国七大古都之一。钟山屹立于市区东部，西据浩浩长江天堑，成"龙盘虎踞"之雄姿。今以化学工业占全国重要地位，其次为钢铁、汽车、水泥、电子、仪器仪表、纺织、食品，许多工业产品在国外享有盛誉。

无锡：位于太湖北岸、京沪铁路线上。市内风光秀丽，为本省重点旅游城市之一，是太湖流域的重要工业城市和水陆交通枢纽，被誉为"太湖明珠"。自古以来商业繁盛，曾是我国四大米市之一，向有"小上海"之称。主要工业有纺织、缫丝、电子、机械、化工、轻工等。

苏州：位于京沪铁路线上。因具有江南水乡的独特风光，被誉为"人间天堂"，是一座园林之城。刺绣和檀香扇为著名手工艺品。主要工业有棉纺、丝绸、造纸等，并新建了光学仪器厂等。

徐州：地处苏、鲁、豫、皖交界处，向为军事要地，古为九州之一。境内矿产资源丰富，主要有煤、铁、焦宝石、石灰石。工业以煤炭、冶金、机械制造为主，并有化工、电力、电子仪表等。

连云港：是我国沿海开放城市之一，欧亚大陆桥的东方起点。已初步形成发电、化工、食品、建材、轻工、纺织、机械、电子等门类较齐全的工业体系，成为我国第18个化工基地，也是我国八大海港之一。

常州：位于本省南部。是一座具有2500年历史的文化古城。现是以轻工、纺织、机械、化工、电子为主的新兴的中等工业城市。传统工艺品以梳篦出名。

扬州：位于江苏省中部，长江北岸。自古为漕运枢纽、盐运中心，国家历史文化名城。风光秀丽、人文荟萃。有国家重点风景名胜区蜀冈—瘦西湖。

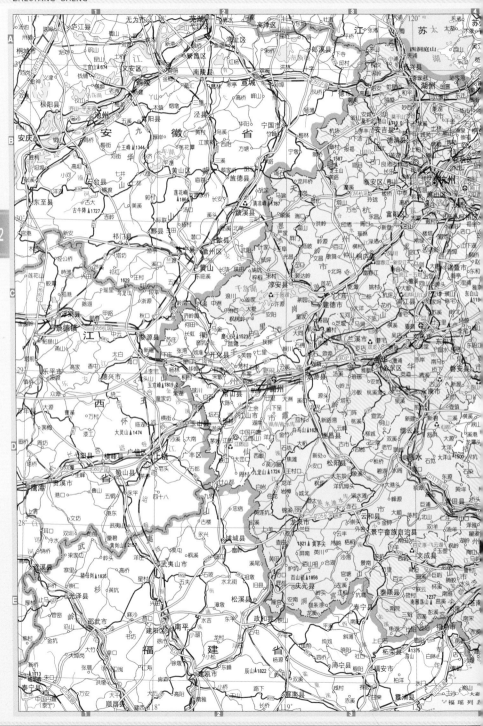

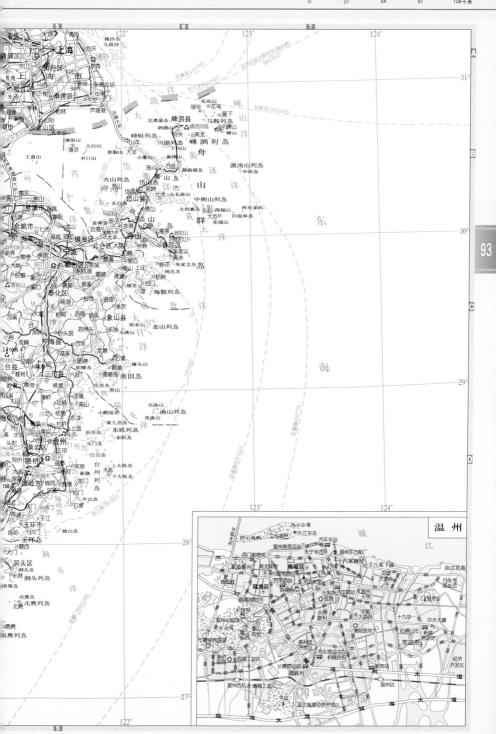

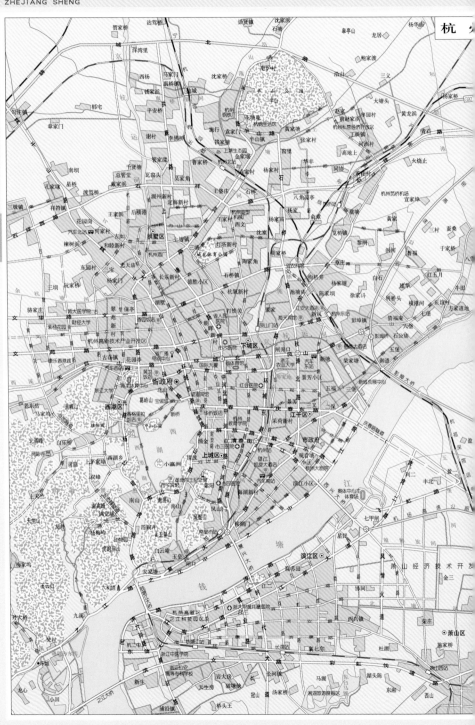

宁波镇海区

金华

概况

浙江省简称浙。地处我国东南沿海，太湖以南，东海之滨。与上海市及江苏、安徽、江西、福建4省为邻。全省面积约10万平方千米。人口6540万，有汉、畲、回、满、苗等民族。省辖11个地级市、20个县级市、32个县、1个自治县、37个市辖区。省会杭州市。

因境内钱塘江旧称"浙江"而得名。秦统一中国后，在此置会稽郡。隋朝开凿京杭运河，沟通南北政治、经济往来，促进了这里的发展。南宋时迁都临安（杭州）。元属江浙行省。明置浙江布政使司。清称浙江省。

地形

以丘陵、山地为主，山地约占全省面积70%，地势自西南向东北倾斜。主要山脉有雁荡山、天目山、天台山、莫干山，海拔200～1000米以上。西南部的黄茅尖海拔1921米，为全省最高峰。杭嘉湖平原、宁绍平原、黄岩平原、温州平原和金（华）衢（州）盆地、东阳盆地、浦江盆地，均为重要的粮食及经济作物区。沿海岛屿星罗棋布，共有岛屿3000多个，其中舟山岛为我国第四大岛。海岸线曲折多港湾，以杭州湾为最大，钱塘江入海处的钱塘江潮为世界一大奇观。河流分属苕溪、钱塘江、甬江、灵江、瓯江、飞云江、鳌江等七大水系，以钱塘江为最长，干流长410多千米。大部分河流源短流急、多峡谷急滩，具山溪型河流特色。著名湖泊有杭州的西湖、嘉兴的南湖、鄞州的东钱湖。

气候

地处亚热带季风气候区，温暖湿润，四季分明。全省年平均气温15～19℃，1月平均气温2～8℃，7月平均气温27～30℃，金衢盆地为一高温中心。年无霜期220～275天。年降水量约在1000～1900毫米之间，6～7月为多雨期，8～9月为台风雨期。7～8月间降水量低于蒸发量，易形成伏旱。

自然资源

基础工业资源储量少，品位低，但建材和非金属矿产资源较为丰富，境内已发现矿藏80多种，其中非金属矿中的萤石、明矾石、叶蜡石、沸石、伊利石、珍珠岩和膨润土、硅藻土的储量均居全国前列。石煤探明储量近16亿吨，位居全国之冠。属多雨区和多水区，水资源总量936亿立方米，水能资源理论蕴藏量606万千瓦。生物资源种类多，生长量大。有森林面积6498.4万亩，林木蓄积量为10137.6万立方米。水产资源具有优势，淡水总面积552万亩，海洋渔场面积22万平方千米，海水可养殖面积152万亩。其中，杭嘉湖地区是我国淡水鱼生产的三大基地之一，舟山渔场是我国最大的海洋渔场。

农业

农作物一年三熟，以粮食生产为主，农、林、牧、渔综合发展。水稻是主要粮食作物，其次是麦类、玉米和红薯。经济作物主要有黄麻、棉花、油菜、甘蔗。盛产茶叶，产量居全国第一位，杭州的龙井茶驰名中外。森林树种繁多，杉、松、毛竹为主要用材林。蚕茧产量居全国第二位。养殖业以牛、羊、鱼为主，渔业在全国著名，沿海盛产大、小黄鱼和带鱼、乌贼，水产总量居全国第三位。

工业

逐步建立了煤炭、冶金、机械、电力、化工和电子仪表等重工业，轻工业主要有棉纺、麻织、丝织、造纸、制茶、水产加工、酿酒等，其中机电、纺织、化工、食品、建材为本省五大支柱产业。手工艺品种类繁多，著名的有青田石刻、东阳木雕、乐清黄杨木刻、温州瓯塑、宁波骨嵌、杭州织锦、黄岩翻簧竹刻、萧山花边、龙泉青瓷。

天台山：位于天台县城北。是佛教"天台宗"的发源地，现有国清寺、高明寺等众多古迹。

楠溪江：位于永嘉县境内。有主要景观800余处，大若岩为道教"第十二福地"。

嵊泗列岛：位于舟山群岛北部，由160个大小岛屿组成。气候宜人，是旅游、避暑、疗养胜地。

西塘古镇

交通

以铁路为骨干，宁波港、温州港为枢纽，形成铁路、水运、公路、航空并举的综合总体运输网。

铁路：有沪杭、浙赣、萧甬、杭长等线及杭长、宁杭、沪杭、杭深深高速铁路。

公路：以杭州为中心，六条国道和沪杭甬、上三、甬台温、杭金衢公路，通达省内各县和大多数乡镇，高速公路通往沪、苏、闽、赣等省市和省内各地级市。有沈海、长深、沪昆、京台、沪渝等高速公路。

杭州湾跨海大桥：北起浙江嘉兴海盐郑家埭，南至宁波慈溪水路湾，全长36千米，是世界上最长的跨海大桥。

水运：初步形成以宁波、温州、台州、舟山为骨干的大中小配套的港口群。内河航道千余条，杭州拱宸桥为京杭运河南端终点。

民航：有杭州萧山、宁波栎社、台州路桥、温州龙湾、义乌等机场，可通往北京、深圳、武汉、香港等40多个城市。

主要旅游景点

本区既富名山胜水，又多文物古迹，是中国旅游最发达的地区之一。西湖、中国丹霞（江郎山）列入世界遗产名录。国家重点风景名胜区有杭州西湖、雁荡山、普陀山、富春江—新安江、天台山、嵊泗列岛、楠溪江、莫干山、雪窦山、双龙、仙都、江郎山、仙居、浣江—五泄、方岩、百丈　—飞云湖。杭州有庄严肃穆的岳王庙、古朴宏伟的六和塔，宁波有全国四大藏书阁之一的天一阁。

杭州西湖：为世界遗产，中国十大风景名胜之一。新老十景素有盛名，加之西湖三面山峦叠翠，湖区内外装点着泉、池、溪、洞、堤、桥、岛、楼、塔、亭、阁等，堪称集自然美与艺术美之大成。

杭州西湖

雁荡山：位于乐清市境，面积450平方千米，因山间湖畔常有群雁栖息得名。这里有峰、岩、嶂、洞、泉、溪、瀑、潭、涧、湖、桥等景点380余处，以形声奇幻诡怪为特色。

普陀山：位于舟山群岛之内，是中国四大佛教名山之一。岛上有寺院300余座，被誉为"海天佛国"，观音道场。梵音洞怪石嶙峋，磐陀石、风动石皆为著名奇石；古树参天，奇花异草遍布。

富春江—新安江：东起杭州，经千岛湖，西通黄山。沿江风景秀丽，多有文物古迹，享有"锦峰秀岭、山水之乡"的美称。千岛湖即新安江水库，水清见底，岛屿星罗棋布，林木繁茂，山川秀丽。灵栖洞以五洞相连，各自景象殊异。

名优特产

西湖龙井茶为国家礼品茶，景宁惠明茶曾获巴拿马金奖，绍兴、诸暨等地的平水珠茶为贡茶。杭菊、浙贝名列"浙八味"之中，黄岩蜜橘则有"天下果实第一"之美誉。金华火腿和绍兴"花雕"酒均为传统名产，建德市严东五加皮酒曾连获国际金、银奖。杭州丝绸被称为"天上的云霞"，杭州织锦被誉为"东方之花"，温州"瓯绣"形象逼真，萧山花边畅销海外，西湖绸伞、扇子既实用又极富艺术性。

主要城市

杭州：我国七大古都之一，五代的吴越国和南宋在此建都达237年，明、清为浙江省会及杭州府治。有冶金、化工、橡胶、电子、麻纺、食品、造纸、机械等工业。丝绸、织锦、茶叶闻名中外。手工艺品、绸伞、剪刀、檀香扇也较著名。

宁波：我国主要港口和沿海对外开放城市之一，也是浙东经济、文化交流中心。早在7000年前，这里已有河姆渡原始文化，2000多年前开始置县设郡，1987年实行计划"单列"，为国家历史文化名城。现为工业门类较齐全、农业经济综合发展、港口设施较先进、内外贸易和科技教育较发达的新兴港口工业城市。

温州：我国对外开放的沿海城市之一。历史上以传统手工业著称，现已建成机电、轻工、纺织、化工、食品、陶瓷、建材等产业。明矾石、花岗石储量全国第一。是浙南最大的城市、海港及瓯江流域的货物集散地。

绍兴：位于浙江省东北部，是国家历史文化名城。春秋时为越国都城。宋高宗赵构驻越州时题"绍祚中兴"四字，升越州为绍兴府，"绍兴"之名源于此。是周恩来同志祖居和鲁迅先生的故乡。有轻纺、铜铁、酿造业。绍兴酒驰名国内外。

嘉兴：位于浙江省北部。重要工业有丝绸、毛纺、造纸。桑蚕绢丝产量占全国首位。

金华：位于浙江省中部偏西。工业有机械、纺织、化工、食品等，"金华火腿"闻名。已列为国家历史文化名城。

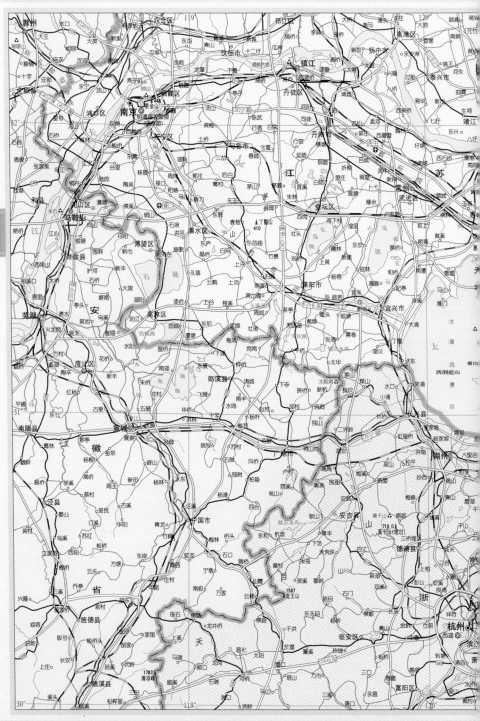

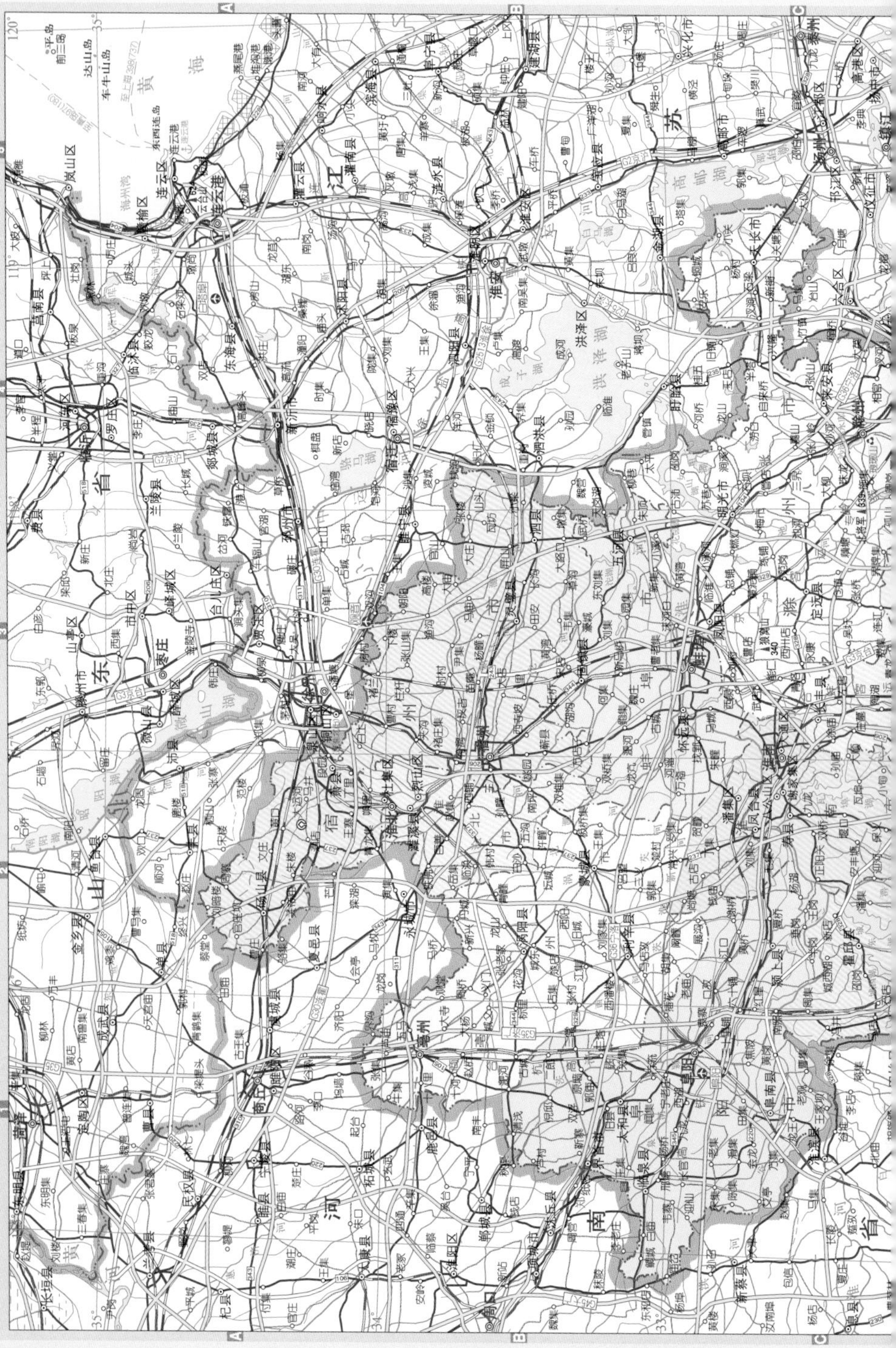

江
苏
山
东
省
河
南
省
洪泽湖
微山湖
连云港
淮安
宿迁
徐州
宿州
亳州
阜阳
淮北
蚌埠
商丘
枣庄
临沂

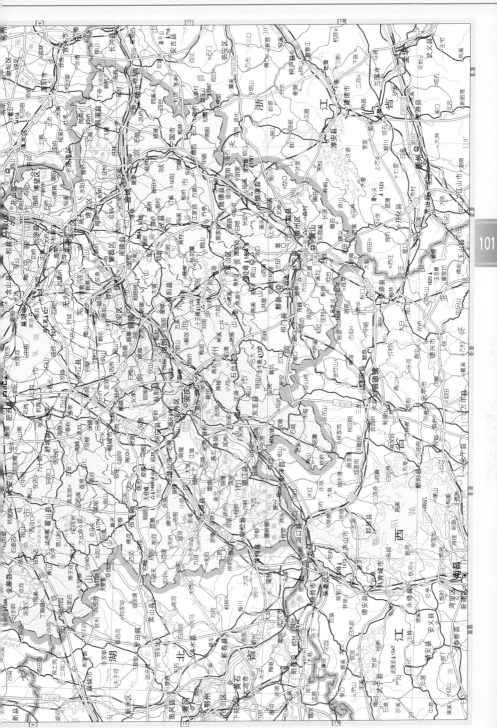

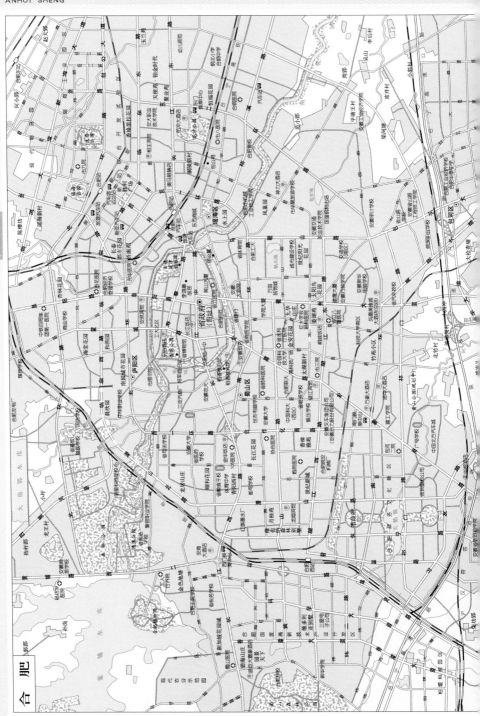

合肥

概况

安徽省简称皖。地处长江中下游，居华东腹地。东连江苏、浙江2省，北靠山东、江苏2省，西接河南、湖北2省，南邻江西省。全省面积约14万平方千米。人口6113万，有汉、满、回、壮、畲、布依等民族。省辖16个地级市、9个县级市、50个县、45个市辖区。省会合肥市。

夏、商时代，这里是东夷地域。战国后期属楚，楚都曾迁于寿春（今寿县）。秦时置九江、泗水、颍川、砀、陈等郡。汉属扬、豫州。明直隶南京。清初属江南省，康熙六年（1667年）由江南省分设安徽省。

地形

大别山脉峙于西部鄂、豫、皖边境，北部是辽阔的淮北平原，中部是起伏绵延的江淮丘陵，南部是峰峦叠翠的皖南山区。地势西南高，东北低。主要山地有大别山、黄山、九华山。大别山海拔1000米，黄山莲花峰海拔1865米，为省内最高峰。平原、丘陵各占全省总面积的30%左右，主要有淮河平原、皖中平原、江淮丘陵和皖南低山丘陵。河流分属长江、淮河和新安江三大水系，其中长江斜贯本省约400多千米，淮河横贯北部。省内多湖泊，较大的有巢湖、大官湖、泊湖、龙感湖、菜子湖、瓦埠湖、城东湖等30多个，面积约800平方千米的巢湖最大。

气候

淮北为暖温带半湿润季风气候，淮南为亚热带湿润季风气候。

四季分明、季风明显、气候温和、雨量适中、梅雨显著。春温多变，秋高气爽，夏雨集中。全省年平均气温14～17℃，1月淮北气温－1～2℃，淮南平均气温0～3℃；7月淮北平均气温27～28℃，淮南平均气温多在28℃以上。年无霜期200～250天。年平均降水量770～1700毫米，6～7月为梅雨期。

自然资源

矿产资源丰富，已发现近90种，探明储量的50多种，其中20多种在全国占有重要位置，煤炭储量居全国第六位。黑色金属矿产有铁、锰、钛、钒等，铁的储量居全国第五位。有色金属矿产遍布全省，铜的储量居全国第五位。非金属矿产有伴生硫、钾长石、明矾石、硅线石、瓷石、大理石、铸石、凹凸棒粘土、蛇纹岩等，瓷石、明矾石、蛇纹岩储量均居全国第二位，开采前景良好。

水资源包括本地径流、过境径流和地下水三大类。正常降水年份本地径流为616.2亿立方米，过境径流共9370多亿立方米，地下水的潜在可采量大约135亿吨／年。水库、塘坝、河沟的蓄水总库容达236亿立方米。

地热资源已开发的有巢湖市半汤温泉，最高水温达80℃，常年保持在60℃以上，水中含30多种活性元素和较多的氢。已成为疗养胜地；黄山温泉，水温常年保持在42℃。光能年总辐射量处在110～130千卡／平方厘米，年日照时数1600～2800小时，≥10℃的积温3500～4500℃。水能资源理论蕴藏量为398万千瓦，约116.9万千瓦可供开发。

生物资源种类多，森林资源丰富。现有林地3400多万亩，野生植物达2000多种，其中连香树、香果树、杜仲、黄山梅等12种被列为国家二级保护植物，明党参、天竺桂等26种被列为国家三级保护植物。渔业发达，淡水面积1580万亩，有120种鱼类。野生动物有金钱豹、云豹等510多种。

农业

本省是我国的重要农业区。淮河以北主要粮食作物是小麦、红薯，普遍为两年三熟制；淮河以南主要是水稻、小麦，为一年两熟制。经济作物有油菜、棉花、大麻、烟叶，中药材以霍山石斛、滁州菊花、亳州白芍著名。作为全国重要茶叶产区之一，祁红、屯绿、黄山毛峰、敬亭绿雪、六安瓜片均为茶中名品。森林树种以杉、松、毛竹为主要用材林，还有油茶、油桐、柏油、生漆、栓皮栎等经济林产品。长江鲥鱼、蚌埠蛤蜊、巢湖银鱼著名。

工业

该省已成为我国煤炭、钢铁生产的重要省区之一，建立了包括煤炭、电力、冶金、化工、机械、电子、建材、轻工、纺织等门类的工业体系。手工业品以歙县的徽墨、歙砚，泾县的宣纸著名。

交通

形成铁路、水运、公路、航空并举的综合总体运输网。

铁路：省内有淮南、宁铜、濉阜、水张、皖赣、符夹等线和合蚌客运专线，并有京沪、合福、沪汉蓉高铁、京沪线、京九线、陇海线铁路过境。

公路：以合肥、六安、蚌埠、阜阳、宿州、芜湖、黄山、安庆为枢纽，沟通各县及多数乡镇，有京台、连霍、济广、沪渝、沪陕、杭瑞等高速公路。

水运：长江、淮河及主要支流通航。芜湖是全省最大河港，裕溪口是现代化煤炭转运港，马鞍山、铜陵、安庆也是主要河港。

民航：有合肥新桥、黄山屯溪、阜阳、安庆等机场。新桥机场与北京、上海、广州、香港等30多个大、中城市通航。

主要旅游景点

省内山清水秀，又多文物古迹。国家重点风景名胜区有黄山、天柱山、九华山、琅琊山、齐云山、采石、巢湖、花山谜窟—浙江。黄山和安徽古村落被列入世界遗产名录。

黄山：位于黄山市。连绵160多千米，山高谷深，劈地摩天，有2湖、3瀑、20潭、24溪、72峰，更以怪石、奇松、温泉、云海为"四绝"，还有许多珍奇的动植物。

安徽黄山

天柱山：位于潜山县。有42峰、16岩、53怪石、25洞、17崖、48寨等。这里秀竹奇松，流泉飞瀑分布其间，还有群山环抱、绿竹掩映的佛光寺，四周古木参天的山谷寺。

九华山：山间有大小寺院70余所，佛像几千尊，为中国佛教四大名山之一。山有99峰，可见怪石、奇松、飞瀑、深潭、流泉、园林，山中遍布岩洞，有"东南第一山"之称。

琅琊山：位于滁州西南。山中有唐建琅琊寺、宋建醉翁亭、摩崖碑、酿泉、归云洞、石山松、南天门。北宋文学家欧阳修著《醉翁亭记》之后，此山名扬天下。

安徽古村落：位于黟县城东，包括西递村和宏村两处村落。西递村现有清代中叶的民居建筑120多幢，宏村现有明代民居1幢、清代民居132幢。古民居建筑层楼叠院，鳞次栉比，青瓦白墙，质朴典雅。现已成为皖南旅游胜地。

西递古村

名优特产

祁红茶、屯绿茶著名，畅销国内外。水果以砀山梨、萧县葡萄、水东蜜枣著名。亳州古井贡酒是中国名酒之一。泾县的宣纸和歙县的徽墨、歙砚为文房四宝中的珍品。芜湖铁画、蚌埠首饰和玉雕、阜阳剪纸、舒城贡席亦有名。

主要城市

合肥：位于本省中部。有钢铁、机械、电子、仪表、化工、纺织等工业。人均绿地面积2.3平方米，享有"绿色的城市"美称。合肥是全省的交通中心，铁路可直达北京、上海、成都等地。

淮南：位于本省中部，是一座采煤、选煤、炼焦、化工、医药、电力工业发达的工业城市，为全国十大煤炭工业基地之一而世称"百里煤城"。陶瓷、树皮画、火笔画等工艺品富有特色。

芜湖：地处长江、青弋江交汇处，是对外贸易港口。有冶金、机械、电力、造船、化工、纺织、食品等工业。名产为菜刀、剪刀、剃刀和铁画、堆漆画、通草画，俗称"三刀、三画"。

蚌埠：是安徽省重要枢纽城市，有京沪、京九铁路经过，蚌埠也是千里淮河第一大港。

铜陵：全国有色冶金基地之一，有色金属采掘被列为我国经济建设的重点之一。

安庆：国家历史文化名城，长江十大港口之一。是新兴工业城市，主要工业有石油加工、电力、机械、化工、纺织、食品加工等。

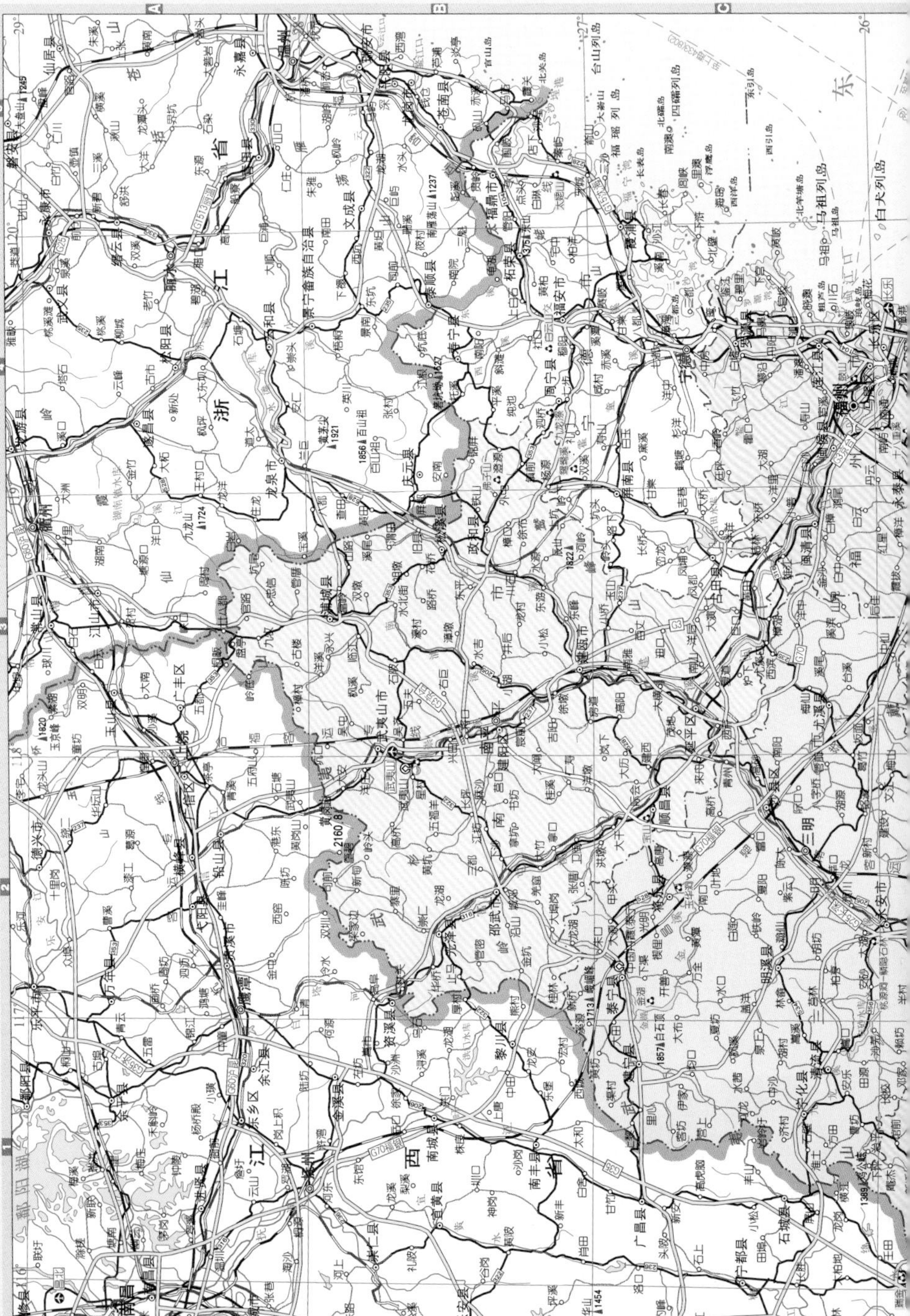
浙江省
江西省
温州
丽水市
衢州
上饶
南昌
抚州
宁德
福州
南平
三明
武夷山市
建瓯市
邵武市
景宁畲族自治县
东海
台山列岛
马祖列岛
白犬列岛

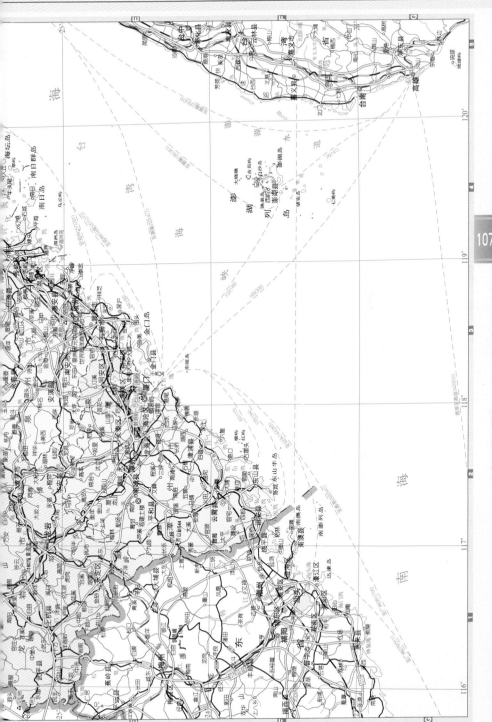

福　州

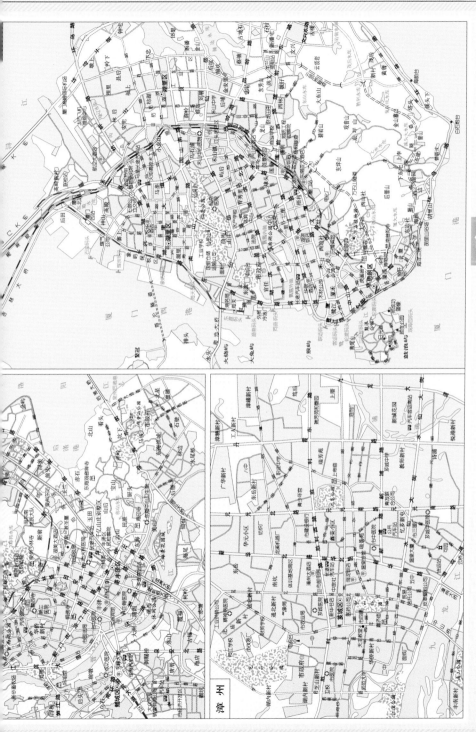

漳州

概况

福建省简称闽。地处我国东南沿海。东隔台湾海峡与台湾省相望，东北与浙江省毗邻，西北以武夷山脉与江西省交界，西南与广东省相连。全省面积约12万平方千米。人口4189万，有汉、畲、回、满、苗、壮和高山等民族。省辖9个地级市、11个县级市、42个县、31个市辖区。省会福州市。

早在原始社会，就有人类在此繁衍生息。秦统一中国后，设闽中郡。汉称闽越国。宋置福建路。元置福建省，沿袭至今。

地形

地势西北高，东南低。境内峰岭连绵不断，山地丘陵约占总面积的80%，有"八山一水一分田"之称。主要山脉有武夷山、太姥山、鹫峰山、戴云山，多呈东北—西南走向。武夷山的顶峰黄岗山海拔2160.8米，为本省最高点。主要平原有福州平原、莆仙平原、泉州平原、漳州平原。主要河流、湖泊有闽江、晋江、九龙江和晋江的龙潭、福州的西湖等，闽江为本省最大河流，干流长584千米。由于河流穿切山地，境内多峡谷、急流。主要港湾有沙埕港、三沙湾、罗源湾、湄洲湾、东山湾等。沿海岛屿1400多个，较大的有金门岛、东山岛、海坛岛等。

气候

地处亚热带地区，气候温暖湿润，福州以南全年无冬。年平均气温17～22℃。1月沿海地区平均气温10～13℃，山区平均气温6～8℃；7月平均气温26～29℃，部分地区最高可达36～38℃。年无霜期240～330天。年平均降水量为1400～2000毫米。夏秋之交多台风，常有暴雨，属雨热同期的气候特点。

自然资源

矿产资源种类较多，分布较广，储量也较丰富。已探明矿产60多种，储量居全国前五位的有钨、玻璃石英砂、铸型用砂、叶蜡石、高岭土、萤石、明矾石、砖瓦粘土、化工石炭岩、水泥混合料、混凝土用砂、压电水晶、宝石和花岗岩石料等14种。

本省共有29个内河水系，663条河流，河流总长13569千米，年径流总量1168亿立方米。

水能资源理论蕴藏量为1046万千瓦，海潮落差大，可利用的潮汐水能资源1500万千瓦以上；年日照时数1700～2300小时，全年≥10℃积温在5000～6500℃；年有效风能可达2500～6500千瓦小时／平方米；地热资源比较丰富。

生物资源种类多，生长量大。现有林地8000多万亩，木材蓄积量达2亿多立方米，是我国南方的重点林区之一。渔业资源丰富，有经济鱼类100多种，是我国主要渔区之一。海洋渔场面积13万多平方千米，主要有闽东、闽中、闽南、闽外和台湾浅滩五大渔场。

农业

以粮食生产为主，水稻居首位，其次是红薯、小麦。经济作物主要有甘蔗、油菜、花生、烟叶，是我国主要产茶省之一。林木种类繁多，主要有马尾松、金钱松、杉木、樟、栲、榕、桉和毛竹。经济林木主要有柑橘、龙眼、荔枝、香蕉、橄榄、菠萝、油桐、乌桕，其中龙眼产量居全国第一位，荔枝产量居全国第二位。盛产海产品，虫益蛏、牡蛎、花蛤、泥蚶四大贝类年产量占全国的50%。

工业

兴建了冶金、煤炭、机械、电子、化工、纺织、造纸、制糖、制茶等工业，形成以轻工业为主，门类比较齐全的工业生产体系。

交通

基本形成以铁路、公路、水运、航空为系统的交通网络。

铁路：有鹰厦线、赣龙线、峰福线、漳龙线和杭福深、龙厦、合福、向莆、昌福等高速铁路。

公路：有福银、沈海、厦蓉、泉南、长深、京台等高速公路，公路可达省内各乡镇。

水运：水路运输最为发达，马尾、泉州、厦门都是历史悠久的国际海港。

民航：有福州长乐、厦门高崎两个国际机场和武夷山、晋江等机场，有通往北京、上海、广州、西安、香港等40多条航线，厦门机场有通往曼谷、马尼拉、吉隆坡和新加坡等航线。

主要旅游景点

以山青水绿、风景秀丽闻名，有主要风景名胜40多处，全国重点文物保护单位40多个。国家重点风景名胜区有武夷山、太姥山、清源山、鼓浪屿—万石山、桃源洞—鳞隐石林、鸳鸯溪、冠豸山、海坛、金湖、鼓山、玉华洞、十八重溪、青云山等。武夷山的野生动植物资源丰富。此外，还有怪石嶙峋、林壑幽然的乌山三十六奇景，形似巨鳌、登山可览福州景色的于山以及莆田广化寺。中国丹霞（泰宁）、武夷山、福建土楼列入世界遗产名录。

武夷山风景区：位于武夷山脉北段南麓，武夷山市境内，面积约60平方千米。山间九溪盘桓，三十六峰各异，丹山碧水相映，兼有黄山之奇、桂林之秀、西湖之俊、泰山之雄。主要景点有九曲溪、水帘洞、碧玉洞、桃源洞、三仰峰、武夷宫、云窝、天游峰，兼有岩棺、武夷精舍、赤石暴动旧址。

太姥山：位于福鼎市南部，面积60平方千米，三面临海，有"山海大观"、"关东第一山"之称。

清源山：位于泉州市北郊，有三峰，以右峰志君岩最著名。山间泉水清翠，奇石叠出，为闽南金三角旅游胜地。

清源山

鼓浪屿：厦门西南海中的一座小岛，面积1.77平方千米。因岛西南角有一岩洞，涨潮时浪涛撞击，发出如鼓浪声而得名。这里四季如春，树木苍翠，鲜花常开，素有"海上花园"美称。岛上不得行车，皆为游人天地。登临主峰日光岩，可眺望厦门和金门岛。

万石山：位于厦门市区南部，岩奇石怪，千姿万态，有"万石朝天"、"中岩玉笋"、"太平石笑"、"天界醉仙"、"紫云得意"、"高读琴洞"、"虎溪夜月"、"长寿峡"等自然景点。

土楼

主要城市

福州：是国家历史文化名城，我国沿海开放城市之一。自古就是我国东南沿海的重要港口，建立了冶金、机械、化工、电子、塑料、建材、造船、食品、医药等工业。交通设施大有改善。

厦门：我国东南沿海的经济特区之一，实行国家计划单列。已形成电子、机械、纺织、食品、化工、建材为支柱行业的工业结构。

三明：由全省钢铁中心，相继发展为电力、机械、化工、纺织、建材、电子等工业的新兴工业城市。物产丰富，主要有建宁的莲子，永安的闽笋、香菇、茶叶。

泉州：我国著名的侨乡，历史上曾为我国最大的对外贸易港口之一。现被列为对外开放区、国家历史文化名城。主要工业有机械、电子、化工、纺织、食品等。所产蜜饯、"铁观音"茶叶、木偶雕刻、刺绣等驰名。

漳州：国家历史文化名城。盛产水果，素有"花果之乡"美誉，食品加工、制糖工业发达。

南平：木材加工、造纸、水泥等工业发达的新兴工业城市，为本省轻工业基地。

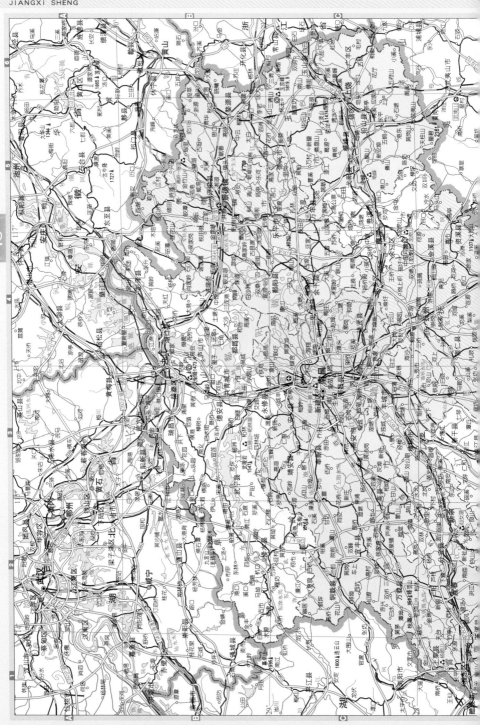

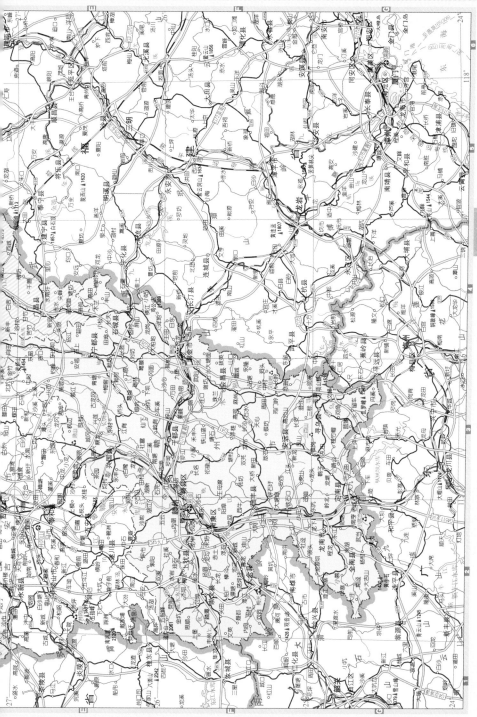

南昌

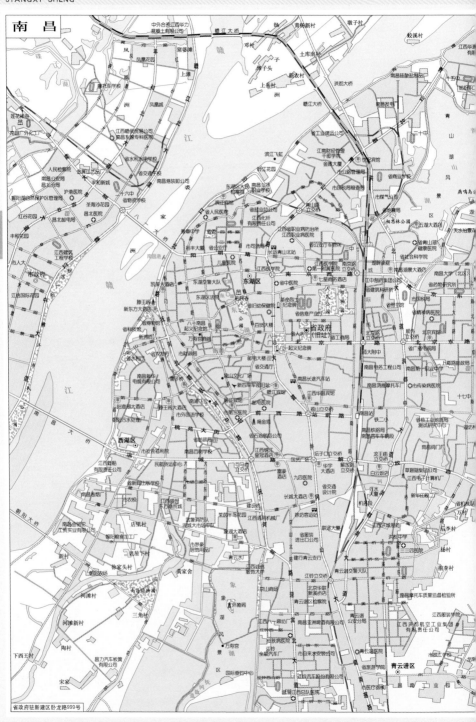

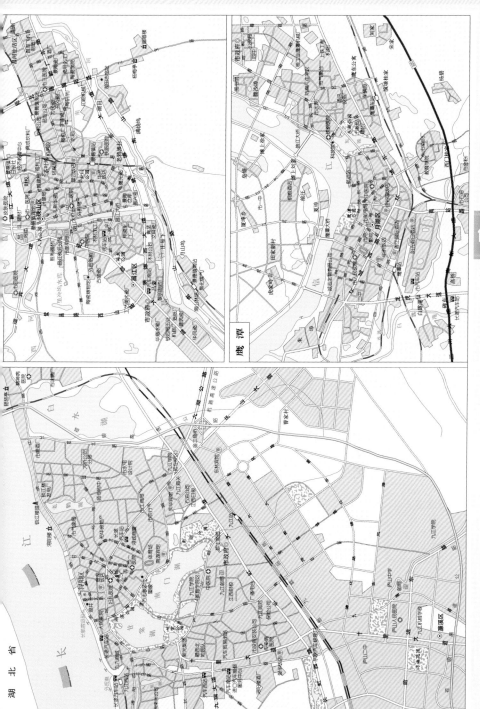

概况

　　江西省简称赣。地处我国长江中下游南侧。东邻浙江、福建2省，北邻安徽、湖北2省，西邻湖南省，南邻广东省。全省面积约17万平方千米。人口4517万，有汉、回、苗、畲、瑶等民族。省辖11个地级市、12个县级市、61个县、27个市辖区。省会南昌市。

　　春秋属楚、吴、越，战国时属楚国。秦置九江郡。汉置豫章郡。晋置江州。唐置洪数州属江南西道。宋属江南东、西两路。元置江西行省。清为江西省。

地形

　　东、南、西三面环山，中部多丘陵起伏，北部有坦荡的平原，整个地势由外及里，从南向北渐次向鄱阳湖倾斜，构成一个向北开口的巨大盆地。山地、丘陵约占总面积的70%。东部自北至南为黄山余脉、怀玉山、武夷山，大体为东北一西南走向。北部山地海拔约500～1000米，庐山耸立在鄱阳湖畔，主峰汉阳峰海拔1473.4米。南部属南岭山地，有九连山、大庾岭等。西部山地北有九岭山、幕阜山，南有罗霄山。闽赣边界的黄岗山为本省最高峰，海拔2161米。中部丘陵位于鄱阳湖以南，三面山地环绕，丘陵间亦多红色盆地，以吉安盆地为最大。鄱阳湖平原位于本省北部，亦称豫章平原或鄱阳盆地，为冲积、湖积平原，是长江中下游平原的一部分，面积约2万平方千米。鄱阳湖是我国最大的淡水湖。赣江、抚河、信江、鄱江、修水等五大江河，均发源于省境山地，自南、东、西三面注入鄱阳湖。

气候

　　属亚热带湿润季风气候，温暖多雨，春、秋短，夏、冬长。年平均气温16～20℃，大体南高、北低，1月平均气温3～9℃，7月平均气温27～31℃。年无霜期约240～300天。年平均降水量1200～1900毫米，其中赣东北山区降水量占一半左右。春季温暖多雨，夏季炎热多暴雨，秋季凉爽少雨，冬季常寒冷干燥。

自然资源

　　本省是我国矿产资源较丰富的省份之一。探明储量的矿产有80多种，居全国前三位的有铜、钨、铋、金、银、钽、钪、锂、铷、铯、磷、钇、碲、伴生硫、蛇纹岩、海泡石、滑石、熔剂白云岩、铀、钍。此外，岩盐、硅灰石、瓷土的储量也较丰富。

　　河流湖泊众多，水资源丰富。大小河流2400多条；河川径流总量为1385亿立方米，居全国第七位。地下水资源多年平均值为213.4亿立方米。水能理论蕴藏量682万千瓦，可开发的水力资源600多万千瓦。

　　热能资源比较丰富。光照充足，全年≥10℃积温5034～6343℃。年平均太阳总辐射量为97～114.5千卡／平方厘米。地热已被利用的庐山温泉，属低矿化度重碳酸钠型，碱性硅质含氟高，平均水温45～46℃。建有温泉疗养院。

　　生物资源比较丰富。有林地8298万亩，森林覆盖率33.1%，木材蓄积量2.5亿立方米，毛竹8.8亿株。水面2500万亩，有近500万亩可养殖水面。有淡水鱼117种，产量较多，经济价值较高的为鲤、鲫、青、鲢鱼等30多种。众多水禽中，不少是受世界性保护的珍禽。

农业

主要为一年二熟耕作制，南部盆地一年可三熟，山丘沟谷一年一熟。稻米占粮食播种面积的80%以上。经济作物以棉、油、麻、蔗为主。棉田主要分布在沿江、滨湖地区；油料作物以油菜为主，是本省最重要经济作物；木本油料作物以油茶为多，主要分布在丘陵山区，是全国重点油茶产区。麻类分布普遍，以黄麻、苎麻为主；甘蔗产于南部盆地，赣州地区较集中。茶叶多产于东北、西北部的低山丘陵区。边境山地多森林、毛竹，主要树种有松、杉及樟、栎、槠为南方木材，竹材重点产区之一。经济林木以柑橘、柚为主，南丰蜜橘驰名国内外。养殖业以牛、猪、鱼等为主。盛产鱼虾，为全国重要淡水鱼产区之一，主产鳙、鲢、青、鲤。长江沿岸各县为我国天然淡水鱼苗的重要产区。

工业

钢铁、有色工业从采选到冶炼加工都已具备相当规模的生产能力，机械工业有了较大发展，汽车、拖拉机、电子工业已具有一定规模，进一步发展了纺织、造纸、制糖、制革、橡胶、食品等轻工业。钨、铜、稀土、铀和钽5种金属矿产被称为"五朵金花"，德兴铜矿、大余钨矿驰名；萍乡煤矿、会昌盐矿和南昌机械、轻纺、食品，九江石化、纺织，景德镇陶瓷工业中外闻名。

交通

水陆交通线交错成网，赣北以铁路、水运为动脉，赣南以公路为骨干。浙赣铁路、长江航线为本省主要对外交通线。

铁路：纵贯南北的京九线和横贯北部的浙赣线为主要干线，东南连接鹰厦线，东北连接皖赣线，西接京广铁路。有向莆、合福、杭长高速铁路。

公路：建成纵横交贯的公路网，实现了乡镇通汽车，各重要革命遗址均有公路相通。南部公路运输尤为重要。高速公路与湖北、湖南、广东、福建、安徽相通，并通往省内各地级市。

水运：以赣、抚、信、鄱、修五大江河为主干，总汇于鄱阳湖。赣江自赣州以下常年通航，沟通南北，南昌、九江为主要河港。

民航：有南昌昌北国际机场、赣州黄金机场和景德镇罗家机场、九江庐山机场等通往北京、上海、杭州、长沙、广州、昆明等城市。昌北机场还开通了至新加坡、首尔、洛杉矶等城市的国际航线。

主要旅游景点

本省富山水之胜，素称人杰地灵之地。国家重点风景名胜区有庐山、井冈山、三清山、龙虎山、仙女湖和三百山、梅岭—滕王阁、龟峰。庐山、三清山、中国丹霞（龙虎山）已列入世界遗产名录。此外，还有许多历史名人故里等景点。

庐山风景区：位于九江之南，是驰名中外的游览避暑胜地。风景区以牯岭街为中心，包括花径、仙人洞、五老峰、龙首崖、大天池、小天池、含鄱口、美庐、锦绣谷、三叠泉等景点。山间层峦叠翠，云雾缭绕，多清泉飞瀑，自古有"奇秀甲天下"之美誉。

井冈山风景区：位于江西和湖南交界的罗霄山脉中段，青山翠岗，层峦叠嶂，动植物资源丰富，为国家级自然保护区。井冈山市是座公园式的山城，以独特的高山田园风光和丰富的革命人文景观闻名于世。如革命旧址最集中的茨坪、井冈山斗争时期红军建筑的五大哨口等。

婺源

名优特产

本省多名茶，庐山云雾茶、婺源"婺绿"、修水与武宁的"宁红"在国际上素有盛名。南丰蜜橘、三湖红橘、遂川金橘、信丰脐橙等皆为柑橘名品。广昌白莲、万载百合亦有名。鄱阳湖银鱼、长江鲥鱼、赣江鲴鱼、庐山石鱼为著名水产。樟树市四特酒，有清、香、醇、纯特点。景德镇瓷器"白如玉、明如镜、薄如纸、声如磬"，尤以青花瓷、彩釉瓷为传统名产。婺源龙尾砚为中国四大名砚之一，玉山罗纹砚、星子金星砚亦久负盛名。其他特产有庐山竹丝书帘、靖安翻簧竹刻、万载夏布等。

景德镇

主要城市

南昌：位于赣江下游，京九铁路线上。工业有钢铁、电子、汽车、拖拉机、化工、纺织、造纸、搪瓷等。公元前201年建城，又称豫章、洪州，南唐时曾为都城，唐宋时已成为江南昌盛之地，现为国家历史文化名城。1927年8月1日，中国共产党领导了著名的"八一"南昌起义。市内风景优美，名胜古迹繁多，东、南、西、北、青山5湖点缀城区，西郊梅岭被誉为"小庐山"，为避暑胜地，市区有江南三大名楼之一的滕王阁。

景德镇：素以"瓷都"驰名中外。早在战国时，这里就有了制陶业；唐代制瓷业已较纯熟；宋代成为我国的重要产瓷区；元代成为全国制瓷工艺最高的窑场。列为国家历史文化名城。现已发展为体系完整的陶瓷工业都市，兼有机械、电子、化工、建材、医药等工业。

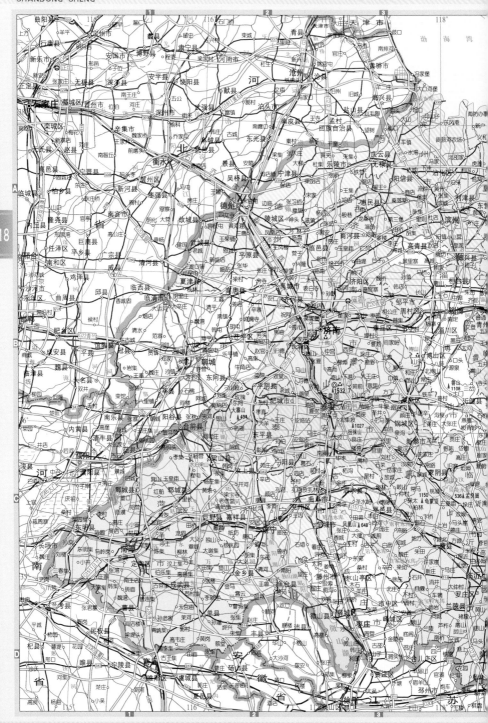

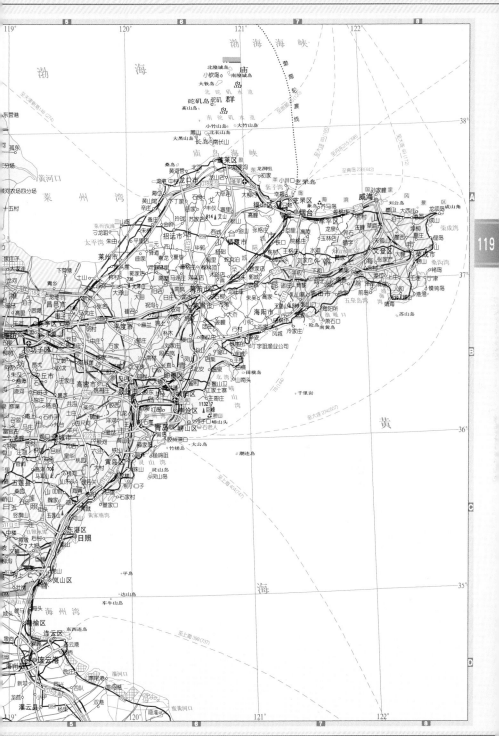

比例尺 1:2 700 000

0　27　54　81　108千米

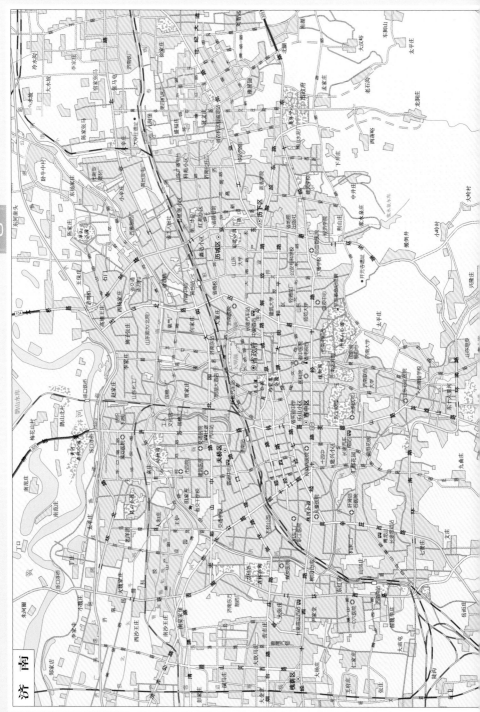

济　南

潍坊

概况

　　山东省简称鲁。地处我国东部沿海的中北段，黄河下游。半岛部分西北临渤海，东北和南部临黄海，隔渤海海峡与辽宁省相望，内陆部分与河北、河南、安徽、江苏4省接壤。全省面积约16万平方千米。人口101070万，有汉、回、满等民族。省辖16个地级市、26个县级市、52个县、58个市辖区。省会济南市。

　　山东是我国古代文化发祥地之一，至今已有4000年有文字可考的历史。西周至春秋战国，这里为齐、鲁两国之地，故今简称"鲁"或"齐鲁"。秦置济北、胶东、琅琊等郡。汉属青、兖、徐州。金置山东东、西二路。明置山东布政使司。清为山东省。

地形

　　境内以平原和山地丘陵为主，中部高四周低，即以泰、沂、蒙、鲁山脉为主体，向四周经低山丘陵逐渐过渡到山前平原和黄泛平原，形成以山地丘陵为骨架、平原盆地交错列其周的地形。山地面积占全省面积20%左右，主要山脉有泰山、蒙山、崂山、鲁山、沂山和徂徕山。泰山为五岳之首，其主峰玉皇顶海拔1532.7米，为本省最高峰。主要平原有鲁西、鲁北、胶莱平原等。河网较为发达，黄河横穿东西，大运河纵贯南北，干流长度大于100千米的河流有18条，各河流分属黄河、海河、淮河三大流域。胶东沿海诸河独流入海，鲁中南和山东半岛的河流均为山溪性，源短流急，暴涨暴落，洪枯悬殊，鲁西、鲁北平原的河流为坡水性，坡小流缓，河道淤积，排洪能力较弱。主要湖泊有微山湖、昭阳湖、独山湖、南阳湖。

气候

　　属暖温带季风性气候，春秋短暂，冬夏较长。夏热多雨，冬季寒冷干燥，春季干旱多沙，秋季天气晴爽。年平均气温为11～14℃，由南向北或由西向东递减，1月平均气温−5～−1℃，7月平均气温24～28℃。年无霜期180～220天，年日照时数2400～2900小时。年平均降水量550～950毫米。

自然资源

　　矿产资源分布广泛，品多质优，储量较大。已发现矿产100多种，内有30多种在全国占有重要地位，金、自然硫、石膏、金刚石储量居全国第一位，石油、石墨、菱镁矿、铝土、钴矿、铪矿居第二位。为全国四大海盐产地之一。

　　水资源总量约500多亿立方米，其中地上水276亿多立方米，地下水240亿立方米。

　　生物资源丰富，野生经济植源640多种；野生陆栖脊椎动物400多种，属于珍稀种类的如丹顶鹤、白鹤、大天鹅；有药材800多种；有野生和常见栽培树种600余种。

农业

　　以粮食生产为主，农、林、牧、渔综合发展。在灌溉条件好的地方，农作物一年两熟。小麦是主要粮食作物，产量常居全国首位，其次是玉米、高粱、谷子、甘薯、大豆。经济作物主要有棉花、花生、烟叶、麻类。柞蚕饲养历史悠久，是全国四大柞蚕丝生产省之一。

　　畜牧业以猪、牛、羊为主，猪的饲养量最大。水产品有淡水鱼95种，有淡水鱼虾、蟹、甲鱼及螺蚌等30余种，近海的鱼虾达260多种，沿岸浅海的贝类、海参、鲍鱼等久负盛名。

　　盛产苹果、山楂、小枣、梨、桃、瓜类，是我国温带水果的最大产区。

工业

　　门类比较齐全，形成以能源、机械、纺织、化工、食品、建材六大支柱行业。还有多种著名的工艺品，如淄博的陶瓷、玻璃器皿，临淄的青州台布花边，栖霞的唐绸等。

交通

　　由铁路、公路、水运、航空、管道五种运输方式，组成综合交通运输网。

铁路：省内有胶济线、蓝烟线、石德线、兖石线、新兖线，过境的京九线、京沪线纵贯西部。

公路：主要有京沪、京台、沈海、长深、青银、青兰、荣乌等线过境，以济南为中心，通往各地级城市，为全国高速公路发达省份之一。

水运：有青岛、烟台、日照、威海、龙口等海港。境内黄河、小清河通航。

民航：有济南遥墙、青岛流亭、烟台蓬莱、威海大水泊、潍坊、临沂沐埠岭等机场，可通国内50多个城市。青岛有至日本福冈、韩国首尔、釜山等城市的国际航班。

黄河入海口

主要旅游景点

境内既富名山，又多文物古迹。国家重点风景名胜区有泰山、青岛崂山、胶东半岛海滨、博山和青州。泰山风景名胜区和孔庙、孔府、孔林已被联合国分别列为世界双重遗产与文化遗产。泰安、烟台、青岛等10个城市已列为国家历史文化名城。

泰山：有"五岳独尊"之称。从山麓到峰顶的高差达1392米，名胜有中天门、十八盘、南天门等。登临峰顶可观赏"旭日东升""晚霞夕照""黄河金带""云海玉盘"四大奇观。

崂山：位于青岛市区东北约30千米处。山势东陆西平，海山相连，主峰崂顶又名巨峰，海拔1133米。群峰拔地而起，雄伟壮观，气候宜人，名胜荟萃。自古被认为是"神仙居住的地境"，今为著名游览避暑胜地。

孔府：位于曲阜城内，是历代衍圣公——孔子嫡系长子长孙的官署和私邸。始建于北宋宝元元年（1038年），后经历代扩建，占地16万平方米，有历史文物数万件。

孔庙：东邻孔府，是中国历代帝王祭祀孔子之地。现孔庙为明、清两代所建，占地21.8万平方米。

孔庙

孔林：在曲阜城北1.5千米处。系孔子及其家族的专用墓地，占地200万平方米。四周是高大宽厚围墙，墙内古树参天。

胶东半岛海滨：位于山东半岛东北部，包括陆上自西向东的蓬莱、烟台、威海、成山角四大片及与之邻近的海上长岛岛、黑山岛、庙岛、刘公岛等长达200多千米的风景名胜区。

蓬莱阁：位于蓬莱市城西北1.5千米临海的丹崖山上，面积约3.28公顷。宜观日出，眺海景，更有海市蜃楼之景，历来为文人雅士聚会之地，今留有名人题刻200余帧。

蓬莱水城

刘公岛：位于威海港以东约4千米处。形成天然的海上屏障，是清末北洋水师的主要基地。中日甲午战争中，丁汝昌、邓世昌等官兵壮烈殉国，今水师提督旧址内辟有甲午海战文物陈列室。

名优特产

烟台苹果、莱阳梨、黑葡萄、乐陵小枣为果中佳品，青岛啤酒、崂山矿泉水、济南高粱饴、德州扒鸡、东阿阿胶为著名特产。菏泽有"牡丹之乡"美称，鲜花空运出口。

主要城市

济南：国家历史文化名城。有冶金、机械制造、电力、石油化工、纺织、面粉、仪表、造纸等工业。亚洲最大的公路斜拉桥飞架黄河两岸。

青岛：国家历史文化名城，本省最大的港口城市。有纺织、机车车辆、机械、化工、石油、钢铁、橡胶、家用电器等工业。夏季凉爽，是全国闻名的旅游避暑胜地。

烟台：本省重要海港和渔业基地。已建立轻工、食品、纺织、机械、建材、电子、仪表、化工、冶金、煤炭等门类较齐全的工业生产体系。

枣庄：本省较早的煤炭工业基地。现已形成以煤炭、电力、建材为主体，拥有纺织、冶金、化工与机械、造纸、食品等门类的工业体系。

潍坊：本省东、西交通咽喉和附近地区的工商业中心。历史上是手工业名城，现形成轻工、纺织、机械、电子、化工、建材六大支柱行业，还有冶金、煤炭、采矿等工业。

威海：北临黄海，形势险要，为海防重镇。拥有包括轻工、纺织、机械、建材、化工、电子、塑料、食品等门类的工业生产体系，是北方最大的渔港之一和胶东沿海旅游重点城市之一。

济宁：大运河沿岸著名码头和鲁西南物资集散中心。工业有食品、纺织、轻工、建材、冶金、电子、机械、化工等。铁器等传统手工业历史悠久。

东营：位于黄河三角洲南部。是以胜利油田冶炼石油、天然气开采为主的新兴石油城市。

123

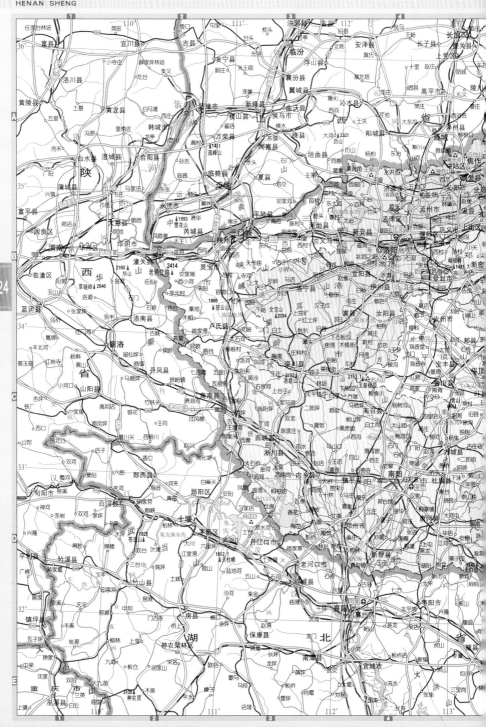

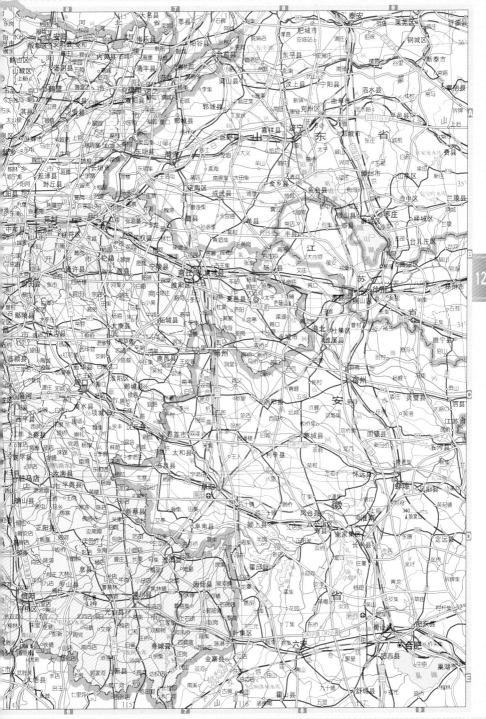

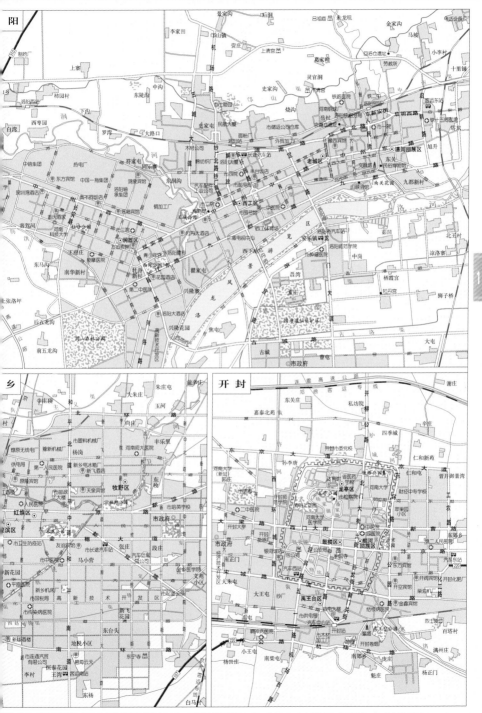

阳

乡

开封

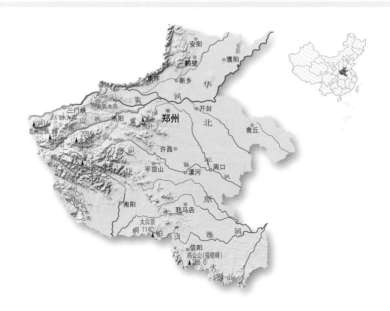

概况

河南省简称豫。地处我国中部偏东的黄河中下游地区，向有"中原"之称。与山东、安徽、河北、山西、陕西、湖北6省接壤。全省总面积约17万平方千米。人口9883万，有汉、回、蒙古、满、壮等民族。省辖17个地级市、21个县级市、82个县、54个市辖区。省会郑州市。

河南省是中华民族发祥地和经济开发最早的地区之一，境内发现五六千年前的裴李岗文化、仰韶文化和龙山文化。夏代以嵩山、洛阳为中心，殷商时安阳附近已有相当发达的文明。自周至宋，10多个朝代在这里建都。元代置行省。明为河南布政使司。清为河南省。

地形

地势西高东低，西北、西、南三面为山地环抱，东部平原辽阔。山地约占全省面积的26%，丘陵约占18%，平原占56%。主要山脉有太行山、崤山、熊耳山、外方山、伏牛山、桐柏山、大别山，西部的老鸦岔脑海拔2414米，为本省最高点。主要平原有黄淮平原和南阳平原。河流众多，大多发源于西部山地，分属黄河、淮河、卫河、汉江四大水系。湖泊少，山麓和盆地有自流井和喷泉分布。

气候

属暖温带和北亚热带大陆性季风气候，冬长寒冷雨雪少，春季干旱风沙多，夏热多雨且丰沛，秋季晴和日照长。年平均气温13～15℃，1月平均气温：颍河、沙河以南为0～2℃，以北为-2～0℃；7月平均气温27～28℃。年无霜期190～230天，年平均降水量为600～1200毫米，夏季降雨量约占其中降水量的45%～60%，尤以7、8两个月为多。

自然资源

本省矿产资源比较丰富，现已发现100多种，其中探明储量的有70多种，已被开采利用的近60种。钼、天然碱、珍珠岩、蓝石棉、铝土矿、耐火粘土、天然油石、天然气、铼、铯、锰等储量居全国前三位，煤、石油、金、银、锑、铷、锗、稀土、锂、铍、钽、铁钒土、水泥灰岩、熔剂灰岩、硅石、大理石、云母、萤石等20多种居全国前十位。

本省四大水系有大小河流1000多条，集水面积在100平方千米以上的河流达400多条，地表水310多亿立方米，地下水200多亿立方米，扣除重复计算部分，水资源总量为413亿多立方米，居全国第十位。

水能与热能资源丰富，水能资源理论蕴藏量约为475万千瓦；豫西山区和太行山南端有地下热水资源，省内有较大温泉30多处。年日照时数在2000小时以上，全年≥10℃积温5100℃。

生物资源种类繁多，有高等植物约3830种，各类陆栖脊椎动物400多种，其中鱼类100种以上、鸟类300种，珍稀动物有黄鼬、水獭、水貂、大鲵、金钱豹、金雕、猕猴、天鹅等。

农业

本省是我国重要的农业区，实行两年三熟或一年二熟制，小麦、芝麻产量居全国首位。棉花产量居全国第二位，粮食总产量居全国第三位。粮食作物还有水稻、玉米、薯类、豆类，经济作物有烟叶、花生。用材林有泡桐、马尾松、华山松、杉木、油松等，经济林木有油茶、油桐、乌桕、漆树、黄栋、核桃、文冠果，水果有枣、柿、梨、苹果、桃、杏、李、梅、石榴、板栗等。四大怀药山及山萸肉、热参、丹参驰名。豫西南山区是我国四大柞蚕主产区之一，信阳毛尖为全国十大名茶之一。畜牧业为农区副业，南阳黄牛、泌阳毛驴、新密寒羊有名。

工业

兼有资源和加工双重优势，形成包括煤炭、电力、机械、电子、冶金、建材、石油、化工、纺织、轻工、食品等门类的工业生产体系。机械、冶金、电力、煤炭、纺织工业是本省支柱行业。手工业产品历史悠久，如钧瓷、玉雕、仿唐马、古锡壶、盘砚、汝瓷等。

交通

我国陆路交通要冲和铁路运输枢纽地区之一。

铁路：有京广线、陇海线、焦枝线、京九线、新菏线等铁路干线，还有9条铁路支线和15条地方铁路。京广高铁和京广线纵贯本省南北，西安至合肥铁路横贯本省南部。

公路：以郑州为中心，公路通往各县和乡镇，形成公路运输网。高速公路通往邻省区和省内各地市。

水运：周口、漯河为重要河港。

民航：有郑州新郑、洛阳北郊、南阳姜营等机场，通往北京、天津、武汉、长沙、南宁、广州、沈阳、昆明、南京、西安等30多个城市。

主要旅游景点

本省有中华民族摇篮之称，名胜古迹星罗棋布。洛阳、开封、安阳、南阳、商丘、郑州、浚县被列为国家历史文化名城。国家重点风景名胜区有嵩山、鸡公山、洛阳龙门、王屋山—云台山、石人山、林虑山等。洛阳龙门石窟、安阳殷墟、登封"天地之中"历史建筑群被列入世界遗产名录。白马寺、关林、古墓博物馆、相国寺、包公祠、九宫山、原始社会村落——大河村遗址、黄河游览区、宋陵七帝八陵、杜甫故里、汤泉池等也是著名景点。

嵩山风景区：位于登封市区西北。嵩山是我国"五岳"的中岳，由太室山和少室山组成，东西绵延约60千米。这里山峦起伏，峻峰奇异，有太阳、少阳、明月、玉柱等72峰。登立嵩顶峻极峰可北望黄河，鸟瞰群峰。著名胜迹有少林寺、中岳庙、嵩岳寺塔、嵩山三阙（太室阙、少室阙、启母阙）、嵩阳书院、观星台、少林武术馆。

鸡公山：位于信阳市区南45千米处。这里风景秀丽，是华中著名避暑游览和疗养胜地。山下武胜关为古代中原南出湖广的要道，京广铁路经此。

龙门石窟：位于洛阳市区南13千米的伊河西岸，是我国四大石窟艺术宝库之一。2100多个窟龛，10万余尊造像中，最大的造像高达17米多，最小的仅2厘米，尤以奉先寺、古阳洞、宾阳洞的造像精美。题记《龙门二十品》为魏碑书法精华，附近琵琶峰有唐代大诗人白居易墓。

龙门石窟

名优特产

特产有信阳毛尖茶、灵宝大枣和苹果、淮阳金针菜、鹿邑宋河粮液酒、豫北四大怀药（生地、牛膝、山药、菊花）、孟津梨、荥阳柿子、确山板栗、封丘石榴、民权葡萄、西峡猕猴桃等。中原书画艺术源远流长，济源盘砚为传统产品，汝州的汝瓷是宋代五大名瓷之一，洛阳的唐三彩、南阳的玉雕、开封的汴绣、信阳的羽毛画及博爱竹器深受国内外市场欢迎。

主要城市

郑州：商代形成城市，隋改荥州为郑州，素有"雄峙中枢，控制险要"之说。是1923年"二七"大罢工策源地。现为全国重要的棉纺中心，并有印染、冶金、机械、化工、煤炭、轻工、电子、建材、印刷等工业。京广、陇海两大铁路在此交会，为我国重要铁路枢纽。

开封：是我国七大古都之一，古有"汴京富丽天下无"之说。现形成以化工、机械、纺织、冶金、建材等部门为主的工业城市，传统手工艺品以汴绣、汴绸著称。

洛阳：位于河南省西部，陇海、焦柳两条铁路交会处。素有"九朝古都"，为我国七大古都之一。今以轴承、拖拉机、矿山机械制造为主，包括冶金、建材、石化、纺织、食品、煤炭等门类齐全，纺织和电力工业也较发达。有"洛阳牡丹甲天下"之誉。手工艺制品有"唐三彩"、宫灯、仿青铜制品。

平顶山：位于河南省中部。是以煤炭、电力为主的新兴工业城市，还有炼焦、化肥、轻工、建材、食品、钢铁、机械以及绢纺等工业。

焦作：以能源为主体，煤炭、电力、化工、机械、冶金、建材、轻纺综合发展的工业城市。

新乡：豫北的新兴工业城市，有机械、纺织、化工、化纤、建材、钟表、食品等工业。城北曾发现约50万年前的原始人骨化石。

安阳：盛产煤、铁，成为以钢铁、纺织工业为主，包括机械、煤炭等门类的工业城市。西北郊小屯村的殷墟，为殷商都城遗址，曾出土大量甲骨文，在中国历史上占有重要地位，是我国七大古都之一。

白马寺

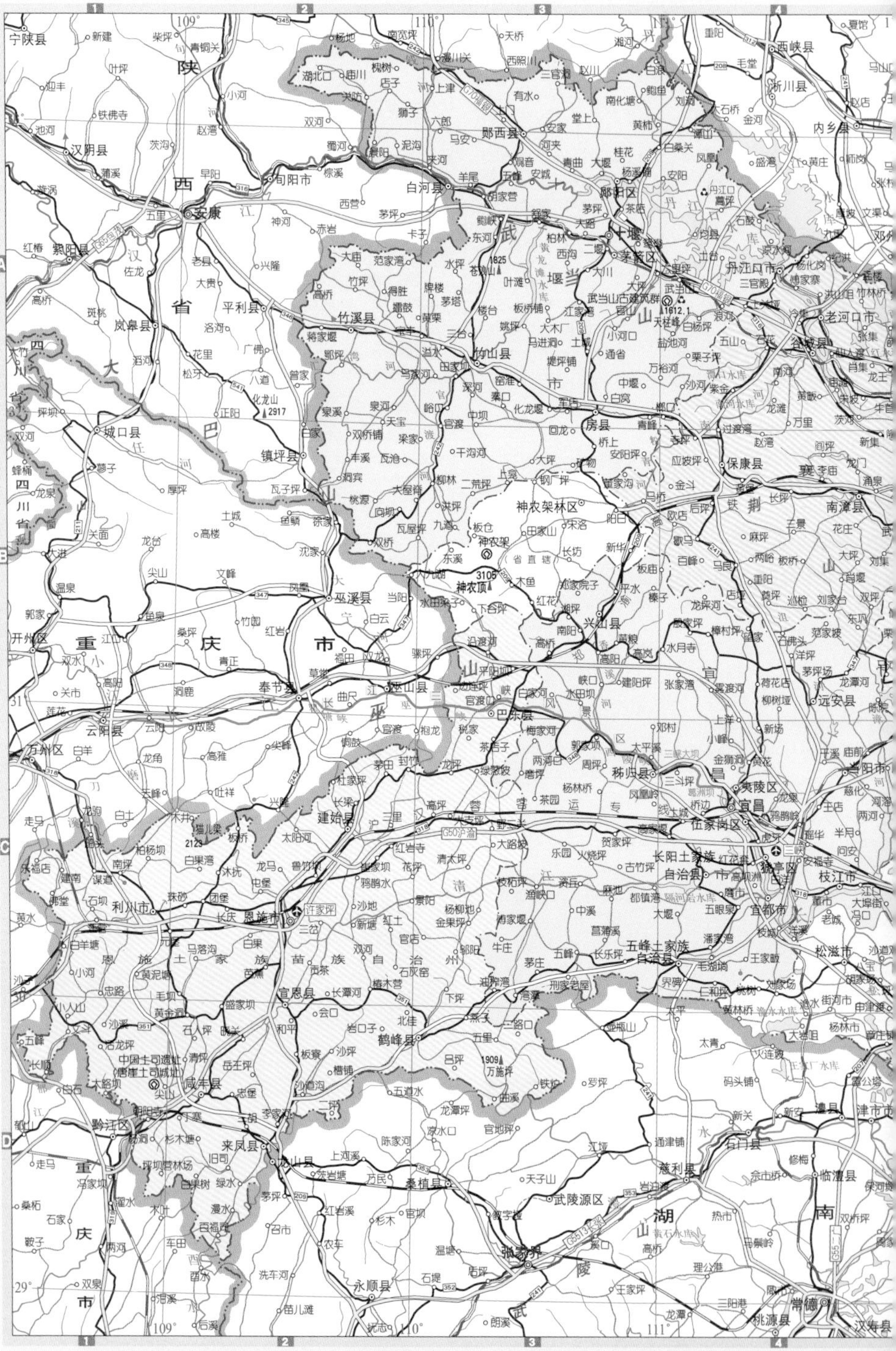
陕西省
重庆市
四川省
湖南
十堰
郧阳区
郧西县
竹山县
竹溪县
房县
丹江口市
老河口市
谷城县
保康县
南漳县
神农架林区
神农顶
兴山县
秭归县
巴东县
宜昌
夷陵区
当阳市
远安县
长阳土家族自治县
五峰土家族自治县
宜都市
枝江市
松滋市
恩施市
利川市
建始县
宣恩县
咸丰县
来凤县
鹤峰县
巫山县
巫溪县
奉节县
云阳县
万州区
安康
旬阳市
白河县
平利县
镇坪县
岚皋县
紫阳县
汉阴县
城口县
开州区
黔江区
龙山县
桑植县
张家界
武陵源区
慈利县
石门县
澧县
津市市
临澧县
常德
桃源县
永顺县
汉寿县
宁陕县
西峡县
淅川县
内乡县
邓州

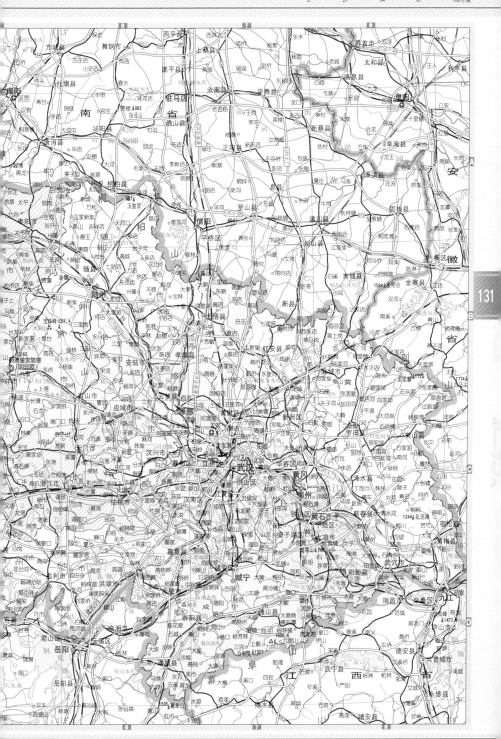

比例尺　1:2 700 000

武汉

概　况

湖北省简称鄂。地处长江中游、洞庭湖以北。东邻安徽省，南与江西省、湖南省交界，西连重庆市，西北接陕西省，北与河南省毗邻。全省面积约19万平方千米。人口5830万，有汉、土家、苗、回、侗、满、蒙古等民族。省辖12个地级市、1个自治州、26个县级市，35个县、2个自治县、1个林区、39个市辖区。省会武汉市。

湖北省是古人类活动的主要地区和中华民族的发祥地之一。战国时属楚地，产生了发达的楚文化。汉时属荆州。三国时期是魏、蜀、吴角逐的焦点。宋属荆湖北路、京西南路。元明时先后属河南江北行省和湖广布政使司。清置湖北省。

地形

地势西高东低，西、北、东三面环山，略成一个向南敞开的不完整盆地。山地、丘陵约占全省面积的70%，平原不到30%，水面较广。主要山脉有武当山、荆山、大巴山、巫山、武陵山、桐柏山、大别山、大洪山、幕阜山，大巴山的神农顶海拔3105米，为本省最高峰，也是华中一带最高峰。主要平原为江汉平原。主要河流为长江及其支流汉江。多湖泊，主要有长湖、洪湖、张渡湖、梁子湖与武昌东湖，其中洪湖、梁子湖与长湖，水面面积都在200平方千米以上。

气候

属亚热带季风性湿润气候，光能充足，热量丰富，无霜期长，降水充沛，雨热同季。四季变化明显：春季阴晴不定、夏季湿热、秋高气爽、冬季干寒。年平均气温13～18℃，1月平均气温1～6℃，7月平均气温24～30℃。年无霜期230～300天，年日照时数1200～2200小时。年平均降水量750～1600毫米。降水和温度的年际变化大，常出现干旱洪涝、低温冷寒、春秋连阴雨等灾害性天气。

自然资源

矿产资源已发现110多种，探明储量70多种，其中金红石、硅灰石、泥灰岩等储量居全国首位，磷储量丰富。黑色金属矿有铁、锰、铬、钒、钛（含金红石）等，有色金属矿有铜、铝、锌、镍、钨、钼、汞、金、银等。此外，有煤、石油等矿产资源。

本省属丰水区，具有完整的水系系统，有大小河流1190多条，大小湖泊300多个，还有6300多座水库。河流总长3.7万千米，年均天然径流量900多亿立方米，地下水储量2000多亿立方米。

水能资源理论蕴藏量为1820多万千瓦，年发电量1490多亿度。

年日照时数1200～2200小时，全年≥10℃的积温为4700～5400℃。

生物资源丰富。森林覆盖率为25.7%，木材蓄积量11780多万立方米，已发现树种1300多种。水面面积1513.8万亩，除江河外，水生动物有鱼、虾、蟹、贝类、鳖等，鱼类有168种，重要经济鱼类50多种；水产植物有莲藕、荸荠等；野生植物近2000种，神农架原始森林植物有1919种；陆生脊椎动物有560多种，其中鸟类有350种，珍稀野生动物30多种。

农业

主要实行一年二熟耕作制，兼有南、北方特点。粮食作物以水稻、小麦、玉米为主，高粱、红薯次之。经济作物以棉花、苎麻、芝麻为主，是我国重要棉产基地之一，苎麻产量居全国前列。林木种类繁多，主要有马尾松、油松、杉树、栎树、华山松、柏树、川杨，经济林木主要有油桐、乌桕、漆树、油茶、核桃、板栗。畜牧业以饲养猪、牛、羊为主。淡水渔业和养殖业发达，盛产鱼、莲、藕、菱、长江三峡是淡水鱼类产卵的场所，每年有大量的水产品和鱼苗远销全国。

工业

本省是我国工业发展较早的地区之一，已建立了以钢铁、电力、机械、纺织、食品为主体，行业比较齐全、布局趋向合理的工业体系，轻重工业并举、略为偏重为其工业结构的重要特征。重工业以机械制造、冶金、石油、电力为主；轻工业中，纺织工业规模最大，缝纫、家具制造业、医药工业、日用金属品工业在全国居一定地位，传统手工业品以天门的印花布、武穴的竹器、江陵的荆缎著名。

交通

地处中国腹地水陆交通枢纽，武汉素有“九省通衢”之称。

铁路：有京广线、汉丹线、武大线、襄渝线、枝柳线、焦枝线、铁山—灵乡线、京九线、武麻线、京广客运专线、沪汉蓉客运专线等。

公路：形成以武汉、襄阳、荆州、宜昌、恩施为枢纽的公路网，各县及大部分乡镇通汽车。高速公路通往周边省、市，并通往省内各地级城市。

水运：内河航运以武汉为中心，以长江、汉江为两大水运干线。全省一半以上县市处在航线上。武汉是全国重要的内河港口，此外还有宜昌、黄石、荆州等河港。

民航：以武汉为中心，通往北京、上海、广州、天津、济南、哈尔滨、香港等50多个城市，省内可通往荆州（沙市）、宜昌、恩施、襄阳等城市。国际航线可通日本福冈等城市。

主要旅游景点

境内山水名胜与文物古迹兼备。河网密集，湖泊众多，又与山地峡谷相结合，故多山水风光，尤以雄伟的长江三峡驰名。国家重点风景名胜区有武汉东湖、武当山、大洪山、隆中、九宫山、陆水。武当山古建筑群和明清皇家陵寝(明显陵)列入世界遗产名录。此外，还有黄鹤楼、神农架、猿人洞、炎帝庙、屈原故里等景点。

三峡

武汉东湖：位于武昌，面积87平方千米。湖面港汊交错，南岸山峦叠翠，东岸林深境幽，西岸亭台相连，而以屈原纪念建筑为主。

武当山：又名太和山。位于丹江口市境内，是我国道教名山之一。山间风景优美，方圆400千米有72峰、24涧、11洞、3潭、9泉、10池、9井、10石、9台胜境，主峰天柱峰海拔1612.1米。自周代便有著名道家在此修炼，唐代起修建道观，明代更是“五里一庵十里宫，丹墙翠瓦望玲珑”。现存多处元、明遗迹。

明显陵：位于钟祥市，占地40公顷，是明世宗朱厚熜生父朱佑杬及生母蒋氏的合葬墓。陵前建有1300米的神道，两侧列有文臣、武将石像及众多的狮、象、麒麟等石雕，雕刻精美、气势恢弘，为全国最大的单体明代帝王陵墓。

大洪山：又称姜山。位于本省中部偏北，西北东南走向，是汉江与涢水分水岭，平均高度为500米，主峰1055米，为褶皱断块山，峰峦连绵，溶洞广布，山岩奇秀，林木繁茂，是风景游览胜地。

隆中：位于襄阳以西13千米，诸葛亮曾在这里隐居长达十年之久，脍炙人口的《隆中对》和刘备“三顾茅庐”的史事都发生在这里。古迹众多，文化沉淀丰富。

九宫山：位于幕阜山脉中段，湖北省通山县境内，总面积210平方千米，有江南山峰之奇秀，塞北峰岳之雄伟，兼有五岳之雄、险、奇、幽、秀，气候宜人，为湖北的旅游名山，九宫山海拔1543米，盛夏季节日平均气温21℃左右。

名优特产

鄂州武昌鱼、三峡桃叶橙、孝感麻糖、荆州九黄饼、无铅皮蛋为千年名产，武汉皮鞋、武汉铜音器（汉锣）、大桥牌童车饮誉海内外，鄂西南水杉为世界少有的名贵树种，西南的红茶、东南的老青茶、来凤的桐油、利川的毛坝漆、房县的银耳、咸宁柏墩的桂花等驰名全国。还有武汉绿松石雕与洪湖、沙湖、荆州淡水贝雕等著名工艺品。

主要城市

武汉：我国古代四大名镇之一，今为国家历史文化名城，又是我国重要工商业城市和工业基地之一。钢铁、机械制造、造船、电子、化工、纺织、食品等工业都很发达。自古交通位置重要，为华中地区物资集散中心。

黄鹤楼

黄石：素称“矿冶之城”，有铁、铜、煤、金、银、石灰石等50多种矿产，采掘冶炼工业历史悠久，采矿、钢铁、有色冶金、纺织、机械、水泥、电力等工业发达。是长江流域重要的原材料工业基地和港口城市。

襄阳：国家历史文化名城、鄂北交通重镇和经济中心。工业以纺织、食品为主并有机械、电子、化工、建材等多种部门，油脂化工和机械制造工业较发达。郊区隆中为诸葛亮隐居地，“隆中十二景”为著名风景区。

十堰：位于本省西北部，武当山北麓。号称“汽车城”，是我国最大的汽车工业基地。

鄂州：位于湖北省东南部，长江南岸，武大铁路线上。是湖北省新兴工业城市。主要自然资源有铁、铜、沸石、石膏、煤等。

宜昌：位于本省西部、长江三峡东口，是长江港口城市，水力发电基地。“万里长江第一坝”——葛洲坝水利枢纽工程就在本市境内。建有化工、轻工、钢铁、机械、电子、建材等工业。

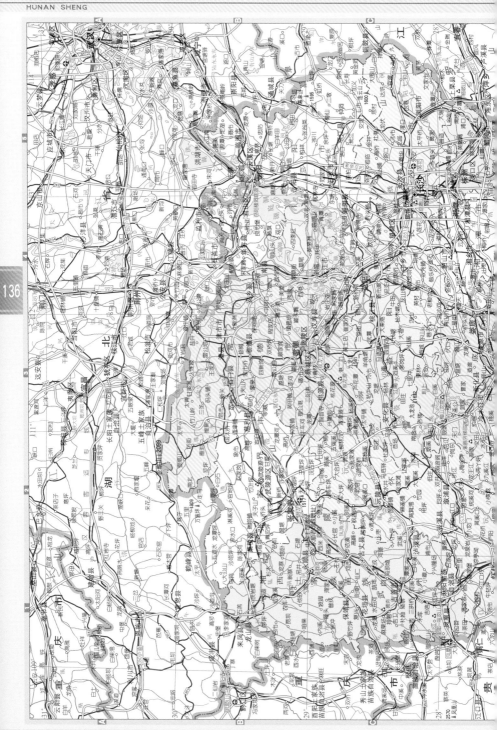

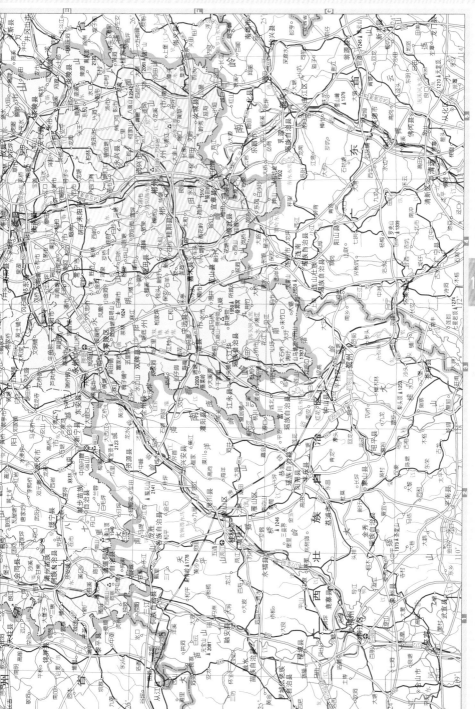

长沙

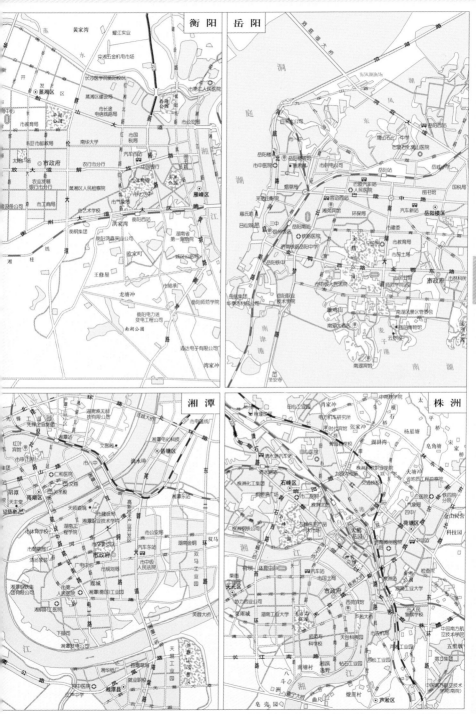

概况

湖南省简称湘。地处长江中游南岸。东邻江西，西靠重庆、贵州，南连广西、广东，北接湖北。全省面积约21万平方千米。人口6622万，有汉、苗、土家、侗、瑶、回、维吾尔、壮、白等民族。省辖13个地级市、1个自治州、19个县级市、60个县、7个自治县、36个市辖区。省会长沙市。

战国时为楚国地。汉代属荆州。唐置湖南观察使。宋为荆湖南、北2路。元属湖广省。明属湖广布政使司。清置湖南省。

地形

地势南高北低，东、南、西三面环山，中部丘陵、盆地起伏，北部湖泊、平原交错。主要山脉有雪峰山、武陵山、南岭和罗霄山，海拔一般在500～1500米。壶瓶山为本省最高点，海拔2099米。丘陵与山地合占全省总面积的80%以上。主要平原为洞庭湖平原。主要河流有洞庭湖水系的湘江、沅江、资水、澧水，以湘江为第一大江，全长817千米。洞庭湖是我国第二大淡水湖，昔日号称"八百里洞庭"，现已分割成东、西、南洞庭湖和大通湖四个较大的湖泊。

气候

属亚热带湿润季风气候，冬冷夏热，四季分明。年平均气温15～18.5℃。1月平均气温3～8℃，7月平均气温27～30℃。年无霜期260～300多天，年日照时数1300～1800小时。年降水量1300～1800毫米。雪峰山、诸广山、九岭山、南岳为多雨地区，可达1800～2000毫米；春夏之交多暴雨，4～6月降水占全年降水量的40%。

自然资源

有"三乡一地"的美称，即"鱼米之乡""有色金属之乡""非金属矿之乡"和旅游胜地。

境内地质构造复杂，成矿条件良好，矿产已发现100多种。其中储量优势矿种有锑、钨、雄黄、萤石、铋等均居全国第一位，其中锑矿储量占世界总量的70%；锰、石墨、钒居全国第二位；铅、锌、钼、铌、芒硝、汞、锡、硼居全国第三和第四位。

本省河网密布，大小河流4700多条，多属洞庭湖水系。水资源总量2085亿立方米。淡水面积2030.6万亩，其中洞庭湖总面积2740平方千米，是我国重要淡水渔业基地之一。

热能资源丰富，全年≥10℃积温5300～6500℃，总辐量射量（86～109千卡）／平方厘米。全省水能蕴藏量1532万千瓦，多集中于各河上中游。风能只有少部分季节利用。地热资源已知有160多处高中低温地下热水。

生物资源种类多，分布广泛。有林地面积13660多万亩，森林蓄积量1.59亿立方米。有种子植物5000余种，其中木本植物2500余种，有野生经济植物1000余种。有野生动物570多种。

农业

历来较为发达，是我国粮食生产基地之一。农作物以一年二熟为主。粮食作物以水稻为主，其次是小麦、薯类。水稻以洞庭湖平原和湘江流域较多，洞庭湖区约占全省粮食产量的1/5，商品粮比价很高。经济作物有油菜、棉花、苎麻、茶等。油菜发展快，是我国油菜籽主产区之一；盛产茶叶，产量居全国第二位。

森林分布较广，杉木为主要用材林，材质优良的辰杉、瑶杉、大量外运；油茶、油桐、柑橘为主要经济林木。

养殖以生猪、牛、鱼为主，是我国生猪饲养最多的地区之一。

武冈"铜鹅"在国际上享有盛誉。

工业

形成初具规模、门类比较齐全、布局基本合理的工业体系，是我国有色冶金工业重要基地之一。机械、化工、食品、纺织、电力、煤炭、钢铁、建材、造纸、陶瓷等工业发展迅速。传统手工艺品以长沙湘绣、益阳和邵阳的竹器、浏阳的石雕、醴陵瓷器、临武龙须草席、望城的铜官石瓷、凤凰的民间工艺著名。

交通

形成了四通八达的交通网。

铁路：有京广、杭长、衡柳高铁和京广线、湘桂线、浙赣线、湘黔线、武广线等干线和资许、娄邵、醴茶等支线。

公路：县县通汽车，大部分乡村通公路，高速公路与湖北、江西、广东等省相通，并通往省内各地级市。

水运：湘、资、沅、澧四水纵贯全省，形成外接长江、内通山区的水运网。

民航：以长沙为中心，通往北京、武汉、南昌、贵阳、广州、上海、成都、南宁、沈阳等40多个城市；张家界、常德机场有定期班机。

主要旅游景点

本省湖光山色秀丽、文物古迹颇丰。国家重点风景名胜区有衡山、武陵源、岳阳楼洞庭湖、韶山、岳麓山、崀山、猛洞河、桃花源亭。武陵源、中国丹霞（崀山）列入世界遗产名录。此外，有炎帝陵、纪念蔡伦的蔡侯祠、纪念柳宗元的柳子庙，尤以马王堆汉墓为轰动世界的考古发现。作为中国新民主主义革命的发源地之一，有毛泽东、刘少奇等领袖故居、秋收起义与平江起义旧址等纪念地。

衡山：我国古称"五岳"中的"南岳"，在本省中部的衡阳市。山势雄伟，盘行百里，大小山峰72座，以祝融、天柱、芙蓉、紫盖、石廪5峰著名。主峰祝融峰海拔1300米，可俯瞰群山，观赏日出。文物古迹，历代碑石甚多，有"五岳独秀"之称；以东南亚佛教圣地和旅游、避暑胜地著称于世。

武陵源：古称青岩山，位于武陵山脉深处的张家界市。张家界、索溪峪、天子山三个景区共有景点1400多处，各有特色，仅木本植物就有500多种，动物有40余种。岩溶地貌发育，奇峰怪石，古木珍禽，深谷幽溪，野趣无穷，是一座纯天然的艺术迷宫。

张家界

岳阳楼：位于岳阳西城门上，中国江南三大名楼之一。宋代范仲淹撰《岳阳楼记》，使之名声益著。相传始为三国鲁肃训练水师的阅军楼。716年扩建为楼阁，重檐盝顶，三层通高19.72米，全木结构，两侧分别有仙梅亭、三醉亭，城下即浩浩洞庭湖。故有"洞庭天下水，岳阳天下楼"盛誉。

洞庭湖：我国第二大淡水湖。南、西纳湘、沅、资、澧四水，北纳长江松滋、太平、藕池3口汛期泄入的洪水，在岳阳城陵矶汇入长江。湖中坐落的君山，又名湘山或洞庭山，与岳阳楼隔水相望，古诗以"白银盘中一青螺"赞之，山上72峰苍翠，处处古迹。

凤凰古城

名优特产

莲子产量居全国首位，主产于湘潭、衡阳等地；茶叶、柑橘产量居全国第二位；君山银针和毛尖自五代时以为贡茶，还有古丈毛尖、沅陵碣滩茶；柑橘以邵阳、怀化、永州、长沙、沅江产量最多，浏阳和蓝山的金橘更为有名；长沙白沙液为湖南第一酒；邵阳、新田、新邵的辣椒远销海内外；湘绣为中国四大名绣之一；醴陵瓷器，其釉下彩瓷被称为"东方陶瓷艺术的精华"，浏阳的烟花爆竹驰名。

主要城市

长沙：国家历史文化名城，商业自古繁荣。有机械制造、食品、纺织、化工、造纸、制药、汽车、电力等工业。手工业发达，以湘绣、瓷器著名。

岳阳：位于湖南省东北部，濒临洞庭湖、扼守长江。为国家历史文化名城，历为重要物资集散地。有石油、化工、纺织、造纸、机电、水泥等工业。轻工业产品具地方特色，有纸扇、美术瓷、竹木制品等。

株洲：位于本省东部、湘江东岸的新兴重工业城市。有有色冶金、机械制造、化工、电力、煤炭等工业，并建有我国最大的苎麻纺织厂，还是我国电力机车生产和科研基地。

衡阳：位于本省南部，京广、湘桂铁路交会处。为包括机械制造、冶金、化工、建材、轻纺等工业的新兴工业城市，也是水陆交通和物资集散中心。

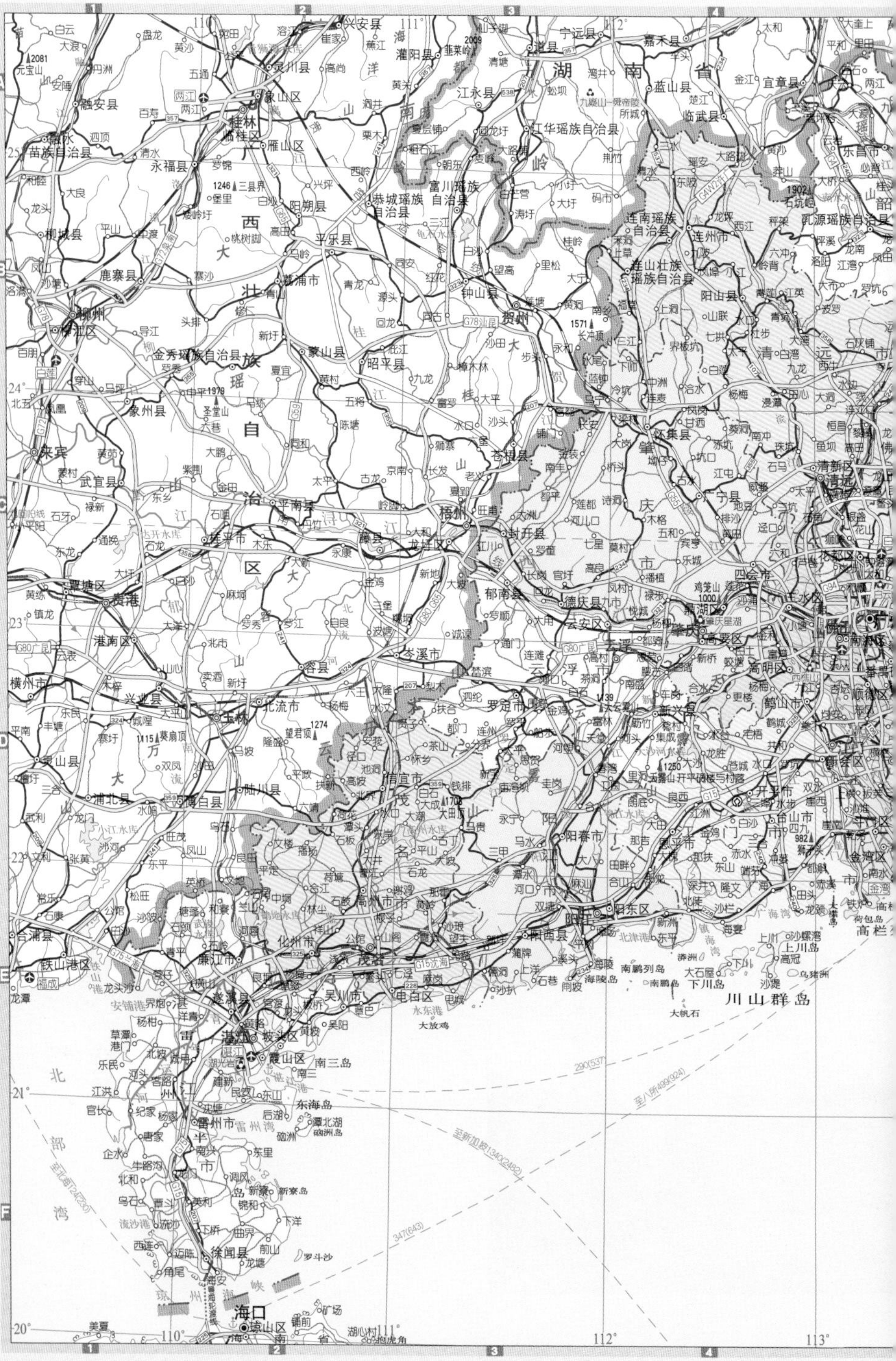

湖 南 省

西

大

壮

族

自

治

区

北 部 湾

川山群岛

海口

比例尺 1:3 400 000

0   34   68   102   136千米

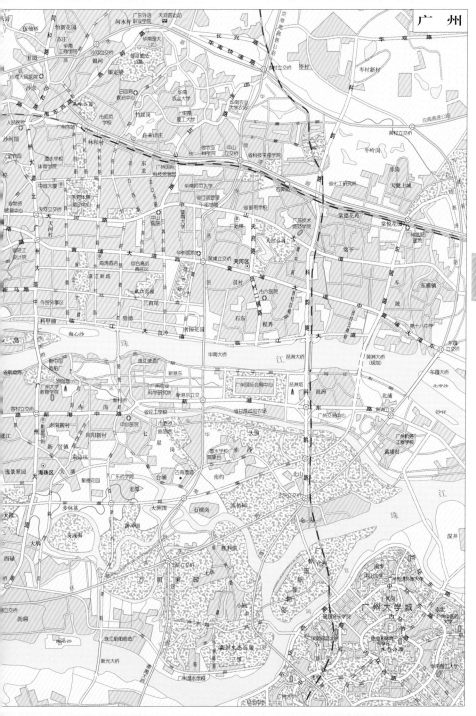

东莞

汕头

湛江

佛山

概况

广东省简称粤。地处南海之滨。东与福建省接界，北连江西、湖南2省，西与广西壮族自治区为邻，西南与海南省隔海相望。全省总面积约18万平方千米。人口12684万，有汉、黎、瑶、苗、壮、回、满、畲等民族。省辖21个地级市、20个县级市、34个县、3个自治县、65个市辖区。省会广州市。

早在二三十万年前，就有"马坝人"在韶关曲江一带活动生息。春秋战国时为百越（粤）地。秦属南海郡。唐属岭南道。宋为广南东路。元分属江西行省、湖广行省。明置广东布政使司。清为广东省。

地形

地势北高南低，山地、平原、丘陵、台地交错，海岸线长，岛屿众多。山地约占全省总面积的1/3。山脉多为东北—西南走向。主要有南岭、青云山、九连山、罗浮山、莲花山、海岸山、云开大山、云雾山、石坑崆为本省最高峰，海拔1902米。山地之间分布有大小不等的盆地，主要有兴宁盆地、梅州盆地、阳春盆地、罗定盆地、怀集盆地。台地主要分布在雷州半岛、海陆丰和惠东西部一带。主要平原有珠江三角洲、潮汕平原。主要河流有西江、珠江、韩江、漠阳江、鉴江。珠江是西、北、东三江汇合后的总称，是本省最大水系，全长2214多千米。主要岛屿有川山群岛、高栏列岛、万山群岛、横琴岛、南三岛、东海岛、硇洲岛等。

气候

地处热带、亚热带地区，气候温和，雨量充沛，日照长。年平均气温在19℃以上，1月平均气温8～21℃，7月平均气温27～29℃。年日照时数1600～2000小时。年平均降水量1500毫米以上，夏季降水占全年降水量的70%，沿海地区5～11月常受台风袭击。

自然资源

已知矿产110种，其中探明储量的80多种，以有色金属为主。硫铁矿、富铁矿、玻璃砂、钛铁矿等储量居全国首位；铅、油页岩、铌等9种居全国第二位；高岭土、瓷土等8种居全国第三位。

雨量丰沛，河流水网发达。水资源总量居全国第二位。水能资源理论蕴藏量约800万千瓦。年积温可达6000～8000℃。已知地下温泉200多处，流出地表水温大于60℃的温泉80多处，温度在40～60℃的温泉100多处，水温高于80℃的有10多处。

全省有林地用地16000多万亩，森林蓄积量2亿多立方米。陆栖脊椎动物多达800多种，列入国家保护的珍稀野生动物有华南虎、猕猴等40多种。水产资源丰富，800多种鱼类中有经济价值的约200多种。海渔场面积40多万平方海里，淡水可养殖面积400多万亩。

农业

以种植业为主，大部分地区实行一年三熟耕作制。水稻是主要粮食作物，其他有薯类、玉米、小麦、高粱。经济作物种类繁多，主要有甘蔗、花生、黄麻。珠江三角洲是全国著名的蚕丝产地。林木茂盛，主要树种为松、杉、樟、桉、毛竹，被列为我国特有或世界著名珍稀树种的有砂椤、坡垒、子京、陈香等10种，经济林木有橡胶、油棕、油桐、茶叶、油茶、咖啡、胡椒。是我国最大水果生产基地之一，品种达270多种，香蕉、柑橘、荔枝、菠萝为四大名果。海水养殖业发达，沿海盛产蚝类、鲍鱼、珍珠、海马。畜牧业以养猪、羊、家禽为主。

工业

主要有食品、纺织、造纸、电子、家用电器、化学、石油、冶金、有色金属、电力、建材和森林等工业，形成以轻工业为主，轻、重工业协调，门类比较齐全的工业生产体系。

交通

广东省已建成了铁路、公路、远洋、沿海、内河和民航等各种运输方式的交通运输网。

铁路：有京广线、京九线、广深线、黎湛线、广茂线、广梅汕线、河茂线、粤海线和京广、杭福深、贵广、南门、广深、广珠高铁等。

公路：是我国公路交通最发达的省区之一，乡、镇全部通公路。高速公路与湖南、广西、福建、香港等省（自治区、特别行政区）相通，并通往省内各地级市。

水运：海运发达，有黄埔、广州、湛江、汕头等海港，有远洋航线通往世界各地。

民航：有广州白云、湛江、珠海金湾、深圳宝安等机场，可通往国内70多个城市和国外10多个城市。

主要旅游景点

本省海岸线绵长，地貌类型多样，多温泉。国家重点风景名胜区有肇庆星湖、丹霞山、西樵山、白云山、惠州西湖、罗浮山、湖光岩等。此外，肇庆鼎湖山、越秀山、顺德清晖园、番禺余荫山房、东莞可园、佛山梁园、广州中山纪念堂、佛山祖庙、深圳的"锦绣中华"、民族文化村以及近代名人故居、重要遗址、陵园等，开平碉楼与村落、中国丹霞（丹霞山）列入世界遗产名录。

丹霞山

肇庆星湖：在肇庆北郊，面积约6平方千米。湖面被长堤分为波海湖、中心湖、东湖、湖光湖、青莲湖和里湖等六部分，各具特色。湖滨有7座石灰岩峰，称七星岩。其风景以湖、岩、石、洞取胜，有"桂林之山，杭州之水"的美誉。

西樵山：位于佛山市官山村南部，为粤名山二樵之一，以清幽秀丽为特色。境内有72峰、36洞、28瀑和207山胜景，还有鉴湖、逍遥台、试剑石、飞流千尺、白云洞等，白云洞更"胜甲西樵"。

名优特产

酸枝（黑檀）家具、藤椅、竹躺椅俗称广货；富有我国南方独特风格的潮汕抽纱、广州牙雕、石湾陶瓷、枫溪瓷雕、新会葵艺、高州角雕、东莞烟花、肇庆草席、端砚等畅销各地；柑橘、菠萝、香蕉、荔枝、龙眼被称为"岭南佳果"；粤绣为中国四大名绣之一，尤以金银线绣最负盛名。

主要城市

广州：简称穗，别称羊城。位于珠江三角洲北部，是我国沿海对外开放城市之一、国家历史文化名城。具有以轻纺工业为中心，

门类比较齐全、设备技术比较先进的工业生产体系，成为华南地区工业中心。主要产品有钢、钢材、机床、船舶、化肥、水泥等，尤以家用电器、食品、服装、日用化工、针棉织品著名。

深圳：位于珠江口东侧，广深铁路终点。1980年建立经济特区以后，城市经济发展迅速。工业有机械、轻工、电子、造船、食品、印刷、塑料、纺织、服装、医药等部门，生产电视机、平板玻璃、铝型材、彩印塑料等1000多种产品。成为以工业为主，工贸结合，旅游和农林牧渔并举的外向型综合性港口城市。

珠海：位于珠江口西岸，是我国设立经济特区的城市之一。从以渔业为主的小镇发展成为以工业为主，农牧渔、旅游、商业、外贸综合发展的对外开放城市，具有纺织、轻工、食品、饮料、建材、电子、五金机械、塑料化工等多种行业。水产资源丰富，万山群岛渔场所产鲜蚝、羔蟹、龙虾、石斑、鱿鱼等畅销港澳地区。

汕头：位于本省东南部，面临南海湾。素为"粤东之门户、华南之要冲"，系经济特区，著名的侨乡。工业以轻纺、感光化学、超声电子及工艺品为主，手工业品以抽纱著名。水产资源丰富，鳗鱼、对虾、贝类、龟、蛇、鳖进入国际市场。

湛江：我国对外开放的沿海港口城市之一。有食品、机械、家用电器、电子、建材、纺织等门类众多的工业。海洋资源丰富。

佛山：位于广州市西南，为我国历史上四大名镇之一。以轻纺工业为主，有纺织、电子、塑料、食品、陶瓷、化工、印刷、建材、制药、五金、造纸、机械等工业。

东莞：位于广州以东60余千米处，是连接穗、港和深圳、珠海以及珠江两岸的交通枢纽，是广东省历史文化名城，全国著名的侨乡。林则徐曾在此销毁鸦片。东莞的三禾宴（禾虫、禾花鲤鱼、禾雀）风味独特，以道滘镇的三禾宴最著名。

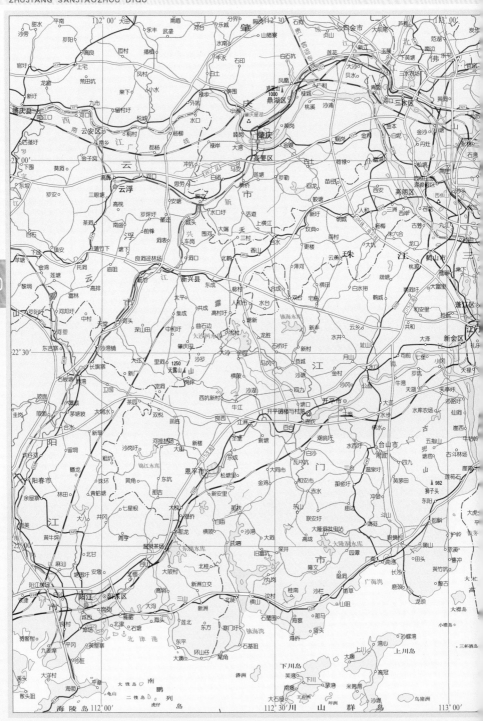

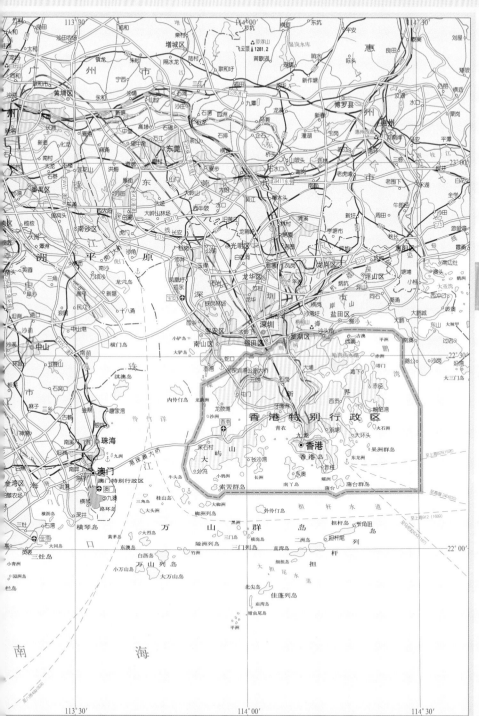

比例尺 1:1 100 000

0   11   22   33   44千米

151

南 海

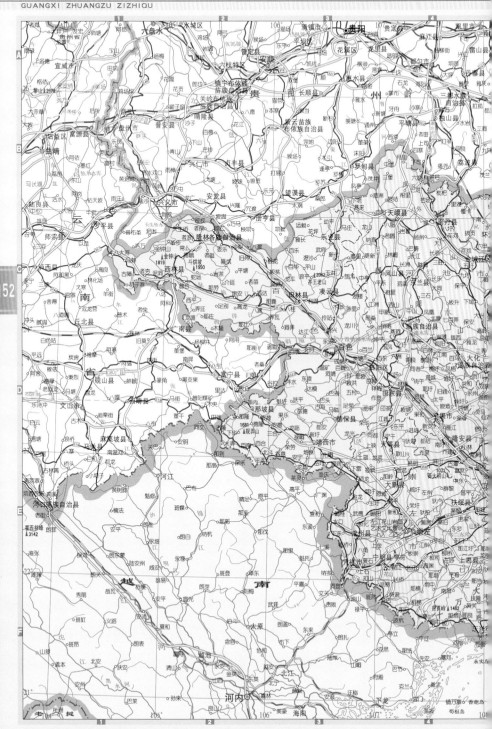

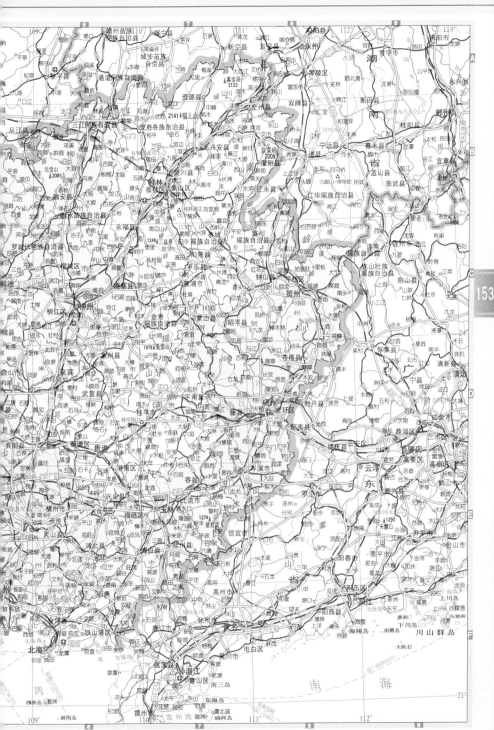

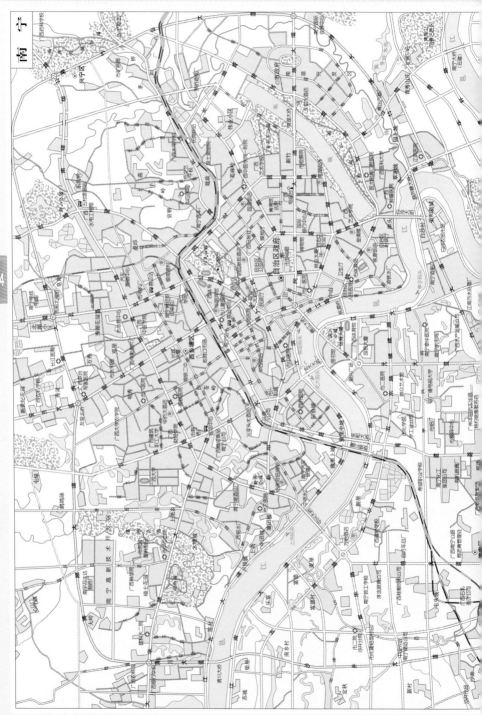

南 宁

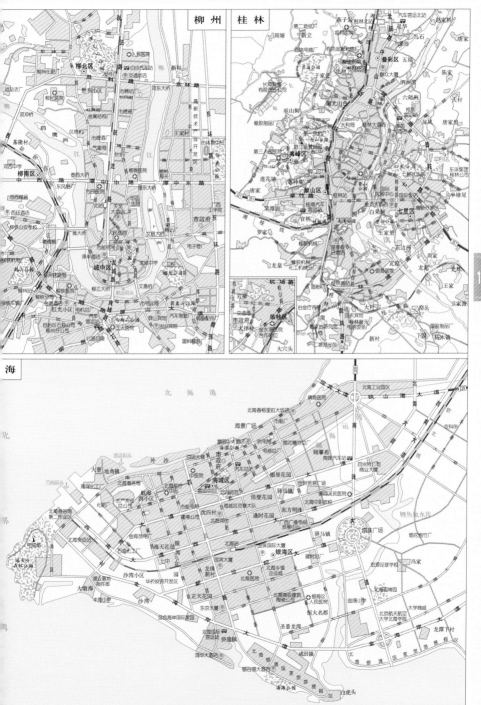

概况

广西壮族自治区简称桂。地处我国南疆。东南邻北部湾与海南隔海相望，西南与越南交界，东连广东，东北接湖南，西北邻贵州，西与云南接壤。全区面积约24万平方千米。人口5037万，有壮、汉、瑶、苗、侗、仫佬、毛南、回、京、彝、水等民族。自治区辖14个地级市、10个县级市、48个县、12个自治县、41个市辖区。首府南宁市。

这里有4～5万年前旧石器时代的"柳江人"、"麒麟人"化石，桂林甑皮岩遗址有新石器时代早期原始人类的文化遗址。秦始皇统一岭南设桂林郡。北宋为广南西路。元属湖广行省。明置广西布政使司。清设广西省。1958年成立广西僮族自治区，1965年改称广西壮族自治区。

地形

以山地为主，大致西北高，东南低，构成"八山一水一分田"的地貌形态。主要山脉有东北部的海洋山、越城岭；南部的云开大山、六万大山、十万大山；西部的金钟山；北部的九万大山、天平山；中部的驾桥岭、大瑶山、都阳山、大明山。越城岭猫儿山海拔2141米，为境内最高峰。平原主要分布在河谷和岩溶盆地中。河流有红水河、融江、柳江、黔江、邕江、郁江、浔江、桂江及连接漓江与湘江的著名灵渠。有北海、防城、梧州、贵港、南宁等海港和内河港口。涠洲岛、斜阳岛为沿海主要岛屿。

气候

属亚热带湿润季风气候，气候温和，阳光充足，雨量充沛，夏长而炎热，冬季偶有奇寒。年平均气温17～23℃，1月平均气温6～16℃，7月平均气温25～29℃。年无霜期300天以上，沿海地区全年无霜。年平均日照时数1600～1800小时。年均降水量1250～1750毫米。

自然资源

矿产资源种类繁多，蕴藏量大。有色金属锡、锰储量居全国第一位；锑、银、铝土矿、钽、钨、锌和钛等储量分别居全国前二至

七位；铅、汞、铌、钴居全国第八位。还有铬、铟、铍、钇、钪等稀有金属。非金属矿产中，膨润土居全国第一位；石灰石、滑石储量居第二位；重晶石居全国第六位；石英砂、大理石、花岗岩、高岭土等也比较丰富。还有天然气、石油、煤等资源。

水、热资源比较丰富。属我国多雨地区之一，有流域面积50平方千米以上的大小河流937条，年径流总量1880亿立方米，水能资源理论蕴藏量为1750多万千瓦，年发电量830多亿度；年日照时数1600～1800小时，全年≥10℃活动积温可达5000～8000℃。

本区是我国生物资源种类最多的省区之一。森林面积520多万公顷，林木蓄积量2.4亿立方米，有1700个树种。动物种类繁多，有白头叶猴、黑叶猴、金丝猴等珍禽异兽。有大陆海岸线1595千米，沿海滩涂面积近20公顷，北部湾为主要产鱼区，海鱼类达500余种，有经济鱼类30余种。

农业

农业以粮食生产为主，主产稻米、玉米、红薯及小麦，是我国水稻重要产区之一。经济作物主要有甘蔗、花生、烟叶、红麻、黄麻。林木种类繁多，柳杉、银杉著名，经济林有油茶、油桐、肉桂、栓皮栎、八角、橡胶、咖啡、胡椒及沙田柚、桂圆。水产品主要有二长棘鲷、蓝圆鲹、金线鱼、石斑鱼、红鱼、鱿鱼、对虾、海参及合浦珍珠。

工业

钢、铁、煤、电、矿山等基础工业迅速发展，现主要有钢铁、机械、有色金属、电力、制糖、粮食加工、罐头食品、纺织、松脂、火柴等工业，是我国主要制糖工业基地之一。农业机械产品主要有拖拉机、柴油机、榨糖机、水轮机等。手工品有土布、夏布、竹纸、瓷器等。

交通

交通方便，有铁路、公路、河运、海运及航空运输。

铁路：湘桂、黔桂、黎湛、焦柳、南昆等线连接全国铁路网。

直通北京、上海、广州、湛江、贵阳、昆明、重庆等城市，有南广、贵广、衡柳等高铁。

公路：形成以南宁为中心的干支结合、内外相连、城乡沟通的公路网。主要有兰海、广昆、昆汕、包茂等高速公路，南宁至友谊关高速公路与越南相通。

水运：已建成梧州、贵港、南宁等内河港口和北海、防城港等海港。防城港是华南四大海港之一。

民航：有桂林两江、南宁吴圩、北海福成、柳州白莲、梧州长洲岛等机场，可通往国内30多个城市，已形成联结北京、上海、广州、香港、澳门以及西北、西南、中南各大城市的航空网络，并开设了国际航线，通达越南、日本等国。

主要旅游景点

境内岩溶地貌发育完备，山水独特、风光绮丽，尤以桂林为最，素有"桂林山水甲天下"之称，为中国旅游重点地区之一。国家重点风景名胜区有桂林漓江、桂平西山、花山。龙胜花坪、象鼻山、芦笛岩、叠彩山、独秀峰、状元山、月牙山、海滨公园、北部湾、灵渠、柳侯祠为知名景点，还有三江程阳桥、马胖鼓楼等独具特色的侗族建筑。喀斯特（环江）、喀斯特（桂林）列入世界遗产名录。

桂林漓江：位于桂江之上游，全长437千米，江水清澈如带，两岸青山峭拔如画。尤其桂林至阳朔的83千米江段，两岸奇峰峻岭，水流碧波回环，好似长长的画廊，"清、奇、巧、变"——清指水，奇说山，巧指景致逼真，变指风景随时、地、季节而不同。沿江著名景观有象鼻山、净瓶山、奇峰镇、大圩、冠岩、九马画山等。

漓江风光

桂平西山：位于桂平市区西1500米处。古称思灵（陵）山，海拔600余米，以林秀、石奇、泉甘、茶香为特点。有李公祠、洗石庵、龙华寺、乳泉亭、飞阁等古建筑。

德天瀑布

名优特产

八角、茴油、桂皮、罗汉果产量居全国第一位；甘蔗、松香、香蕉、菠萝、烤烟、紫胶产量居全国第二位；荔枝和龙眼（桂圆）产量居全国第三位。咖啡、胡椒、剑麻、田七、容县沙田柚、柳州的柳杉和银杉、南宁菠萝蜜为名产。名贵海产品有石斑鱼、红鱼、大虾、鱿鱼等；驰名的合浦珍珠——"南珠"为世界珍珠市场上的精品。

主要城市

南宁：位于本区南部、西江支流邕江沿岸，湘桂铁路线上。建成以轻工业为主，具有食品、轻纺、机械、电子、冶金、化工、建材、煤炭等门类的工业体系。产香蕉、菠萝、柑橘、荔枝、龙眼、芒果，有"绿色花园城市"美誉。湘桂铁路贯穿，内河航运发达，民航通国内主要城市和越南河内。

桂林：国家历史文化名城。位于本区东北部、漓江西岸，市区坐落在岩溶盆地中。岩溶地貌典型，故"山青、水碧、洞奇、石美"，成为我国旅游胜地。有机械、电子、纺织、化工、水泥、制药等工业，手工业有铁器、织布、梳篦、毛笔。湘桂铁路经过，桂江水路与梧州相连，民航通国内主要城市和日本福冈。

北海：濒临北部湾，是沿海开放城市之一，也是本区对外海运的港口城市。自秦、汉起已是对外贸易港口，"海上丝绸之路"的始发港之一。工业有食品、纺织、建材、造纸及纸制品、化工、机械等。水产品中的对虾、珍珠、牡蛎、青蟹、海参在国际市场具有较强竞争力。还有石油、石英砂、粘土矿、钛铁矿等矿产。北部湾是我国六大石油气盆地之一，白虎头海滩为亚洲十大海滨浴场之一。

柳州：国家历史文化名城。位于本区中部偏东，西江支流柳江沿岸，湘桂、黔桂、焦柳铁路在此交会。有机械、冶金、造纸、纺织、食品加工、建材、化工等工业，为本区最大的工业基地和货运中心。

梧州：位于本区东部、浔江与桂江交汇处，东邻广东省。四周丘陵广布，背山临水，向为西江流域的物资集散中心，造船、机械、化工、制糖、食品工业发展迅速。

比例尺 1:2 400 000

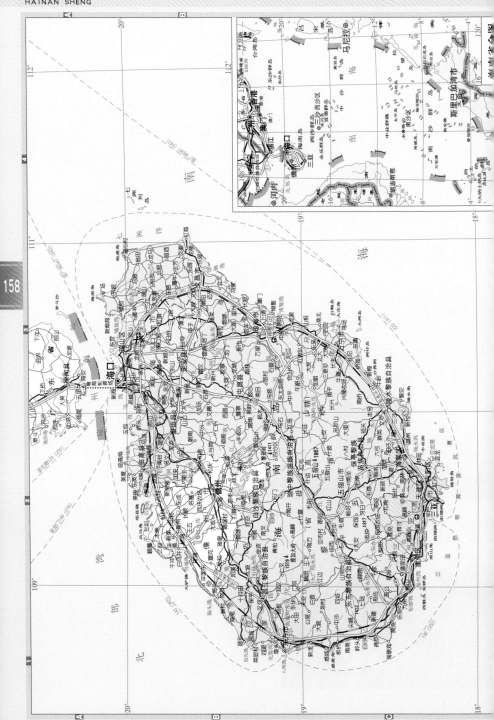

海南省全图

概况

海南省简称琼。地处南海。北隔琼州海峡与广东省相望。全省陆地总面积约3.4万平方千米。人口1020万,有汉、黎、苗、回等民族。省辖4个地级市、5个县级市、4个县、6个自治县、10个市辖区。省会海口市。

本省包括海南岛、西沙群岛、中沙群岛、南沙群岛等岛屿及其海域。汉设珠崖、儋耳2郡。隋置珠崖、儋耳、临振3郡。唐设崖州、儋州、振州、琼州、万安州。明设琼州府,领儋、万、崖3州。清为琼州府和崖州,属广东省。1950年设海南行政区,1988年建省。

地形

本省主体海南岛是我国第二大岛,四周低平,中南部隆起,由山地、丘陵、台地、平原组成。海岸线曲折,长1528千米,多港湾。500米以上的山地占全岛面积的25.4%,分布在岛中偏南地区;100~500米的丘陵占13.3%,位于山地外围;台地、阶地、平原占61.3%。主要山脉有五指山、黎母岭等,海拔1867米的五指山为本省最高峰。主要河流有南渡江、昌化江、万泉河,南渡江最大,干流长331千米。

气候

属热带季风气候区域,以高温多雨为主要特征。年平均气温22~27℃,1~2月平均气温16~21℃,7~8月平均气温26~29℃。年日照时数1750~2750小时。年降水量为1500~2000毫米,东部和中部达2000~2800毫米。5~6月为夏季季风降雨高峰期,8~10月为热带风暴和台风降雨高峰期,年均八九次台风,两高峰期的降雨量占全年降雨量的70%以上。冬春雨量稀少,部分地区干旱。

自然资源

矿产资源已发现铁、钛、石油、天然气、褐煤、油页岩、锰、铜等50多种。尤其铁矿石储量最多,品位高为全国之冠;石油、天然气储量丰富。

本省海洋面积广大,海水浓度较高,已建成莺歌海、东方、榆亚三大盐场。

海南岛水系发达,短状独流入海的154条河流组成辐射状水系,年均入海量283亿立方米。水能理论蕴藏量为99.5万千瓦。

热资源比较丰富,年日照时数1750~2750小时,年总辐射量(110~130千卡)/平方厘米,全年积温8700℃以上。

生物资源种类繁多,有林地和橡胶林地,各类植物达4200种。有海渔场、群岛渔场、浅海滩涂,产鱼、虾、贝、藻类达800余种。

农业

以发展橡胶等热带作物为重点,其次是营造热带林木,提高粮食产量,全面发展农、林、牧、副、渔。

粮食作物以水稻为主,其次是番薯;经济作物以甘蔗、花生、芝麻、豆类和茶叶为主。经济林木主要有橡胶、椰子、胡椒、咖啡、槟榔、油棕、可可、腰果,其中橡胶产量占全国60%以上。盛产荔枝、芒果、龙眼、菠萝等热带水果,菠萝为大宗水果。畜牧业以牛、猪为主。渔业捕捞、养殖并举,养殖面积已达53.1万亩,水产品总产量在12万吨以上。

工业

海南省是我国唯一一个以省作为行政单元的经济特区,改革开放以来,工业发展迅速。现有制糖、橡胶、制盐、罐头食品、纺织、农机、电子、森工和矿山开采等部门,铁矿石、木材、水泥、食糖、原盐、橡胶轮胎、化学纤维是主要工业产品。初步建立起具有本省特点的工业生产体系。

交通

海南岛外运输以水运和空运为主,岛内运输以公路和铁路为主。

铁路:连接琼州海峡的粤海铁路是我国第一条跨海铁路,从海口经儋州、昌江、东方、崖城直至三亚。海口到三亚的海南东西线高速铁路已通车。

公路:形成三纵四横的交通网,有环岛高速公路。

水运:海运是对外运输主要方式,有海口、三亚、八所、洋浦等20多个港口。海口和三亚港口已开辟对外贸易航线70多条。内航运里程343千米。

民航：有海口美兰、三亚凤凰等机场，通往北京、上海、广州、昆明、成都、西安、沈阳、香港等40多个城市，并有通往新加坡、曼谷等外国城市的航班。

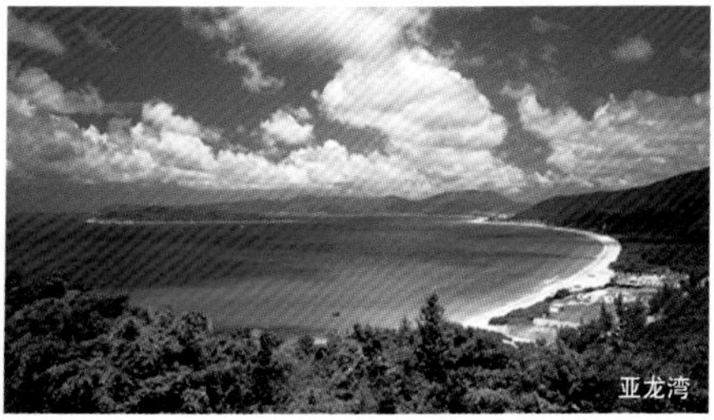

主要旅游景点

海南岛风景秀丽，四季气候宜人，是我国最迷人的热带风光旅游胜地。三亚热带海滨为国家重点风景名胜区。景点还有五公祠、海瑞陵园、儋州东坡书院等，共240余处。

三亚热带海滨：在三亚市南部，濒临南海，面积212平方千米。由海棠湾、亚龙湾、榆林港、落笔洞、鹿回头、大东海浴场、天涯海角等景点组成。

天涯海角：位于三亚市区西26千米处。背倚岭山，面对碧海，河滩上直立无数嵯峨巨石，最为人称道的是刻有“天涯”、“海角”、“南天一柱”字样的古迹。其中“天涯”二字为清雍正十一年（1733年）崖州守备程哲题写。

鹿回头：位于三亚市区南5千米处。山高275米，三面环海，椰林满山，雾笼烟绕，黎寨整洁，更有美丽的传说：一黎族青年猎手，追猎一只梅花鹿，鹿跑至此处，回眸化为美丽少女，遂与猎人结为夫妻。

落笔洞：位于三亚市区东北约10千米处，海拔1100米的石灰岩孤峰。东山腰有岩溶洞穴，岩壁原有石钟乳若倒悬之笔，有水顺笔尖下滴，相传若能接水在手，即会文思敏捷。有人接水不着，怒而砸笔，今只留笔痕。另有仙姑洞房、仙女洞房等，均多奇丽的岩溶造型。洞中还发现旧石器时代文化堆积层。

五公祠游览区：位于海口市区南5千米处，占地3.7万平方米，包括苏公祠、五公祠、二公祠三部分。原为金粟庵，1097年苏轼遭贬曾在此小住，明代民众在金粟庵旧址建苏公祠。为纪念被唐、宋贬至海南的李德裕、李纲、赵鼎、李光、胡铨5位爱国忠臣，清代建五公祠，有“海南第一楼”之称。 二公祠则纪念海瑞和邱浚。这里花木繁茂，楼阁恢宏，素称“琼台胜景”。

名优特产

海南岛是我国热带作物主要生产基地，还是全国最大的育种基地之一，盛产橡胶、可可、胡椒、菠萝、芒果、咖啡。手工艺品有椰雕、珊瑚盆景。五指山的红、绿茶亦佳。海参、龙虾、海马、水貂、珊瑚为当地名产。文昌市会文镇的八哥远销海外，被称为“八哥之乡”。

主要城市

海口：位于海南岛北部、南渡江口。是重要的港口城市，也是对外贸易重要口岸。有食品、机械、电子、造船、化工、纺织、橡胶、建材、木材加工和工艺美术等工业，椰雕和海石花为著名手工艺品。已列为国家历史文化名城。

三亚：位于海南岛南端的新兴热带海滨旅游港口城市。有食品、制糖、制盐、建材、电子、机械、电力、造船等工业；市郊产甘蔗、橡胶、油棕、槟榔、可可、咖啡；沿海盛产鱼、盐。榆林为著名港口。三亚是海南岛东西环线铁路的连接点。

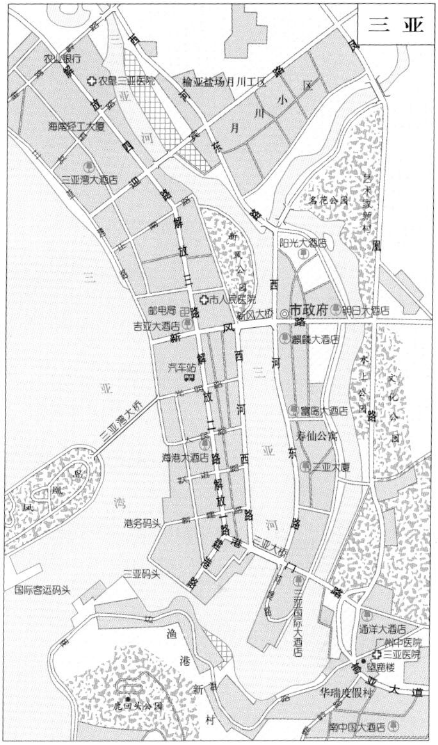

162

比例尺 1:2 700 000

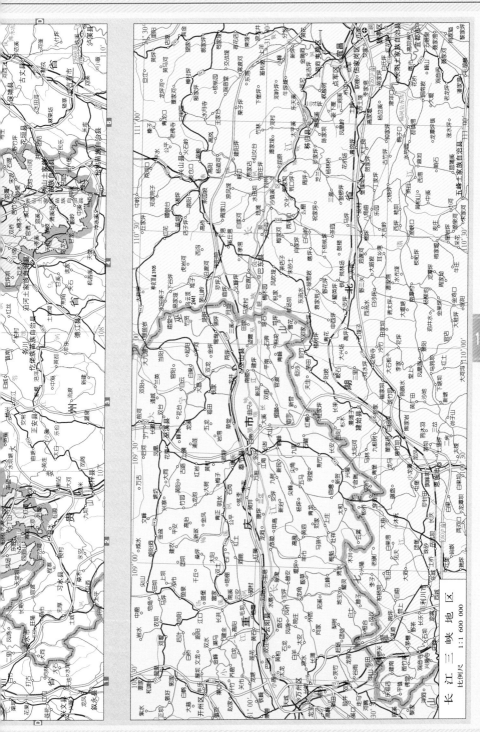

长江三峡地区
比例尺 1:1 600 000

重庆

渝北区

概况

重庆市简称渝。地处我国西南部，四川盆地东南部。东与湖北、湖南2省为邻，南部与贵州省接壤，西连四川省，北倚陕西省毗邻。全市面积约8.2万平方千米。人口3212万，有汉、回、苗、彝、藏、土家等民族。市辖26个区、8个县、4个自治县。

公元前11世纪为周所封巴国都城，后历改江州、恭州。1189年南宋赵惇在此先封恭王，后登帝位（光宗），一年之中嘉庆双重，遂升恭州为重庆府。1929年设重庆市。1939年升中央直辖市，次年定为陪都。新中国成立初期，为西南行政区领导机关驻地。1954年改为四川省辖市。1997年3月，析四川省重庆、万县、涪陵3市和黔江地区，设中央直辖的重庆市。

地形

全境轮廓形似"人"字，山地、丘陵、盆地兼备，即东、南、北三面均为山地，西及西南部分地区有丘陵和平坝分布。北部自西北—东南走向的大巴山横亘，海拔1500～2200米，部分山峰在2500～2700米之间。东部及东南部有巫山和七曜山，呈东北至西南走向，海拔一般为1000～2000米，地势陡峭，河谷深邃，长江自西向东横切巫山，形成著名的长江三峡。阴条岭海拔2797米，为市内最高点。东南部多岩溶地貌。西南部以低山丘陵为主。河流有长江、嘉陵江、乌江、渠江、涪江等。

气候

属亚热带湿润季风气候，气温受地形影响，较同纬度的长江中下游偏高，冬暖春早，夏热秋雨。年平均气温为13～18℃，1月平均气温1～8℃，7月平均气温21～29℃。最高极限气温可达43.8℃。年

无霜期长达210～349天。年均降水量1000～1400毫米。重庆秋末春至多雾，年平均雾日为68天。年均日照时数1259小时。

自然资源

矿产资源较丰富，已发现矿种75种，其中已探明储量的39种。优势矿产有煤、天然气、锰、汞、铝、锶和建材用非金属矿产。渝东天然气田储量在我国占重要地位；锶矿主要分布在铜梁和大足，储量居全国第一、世界第二；秀山、酉阳有全国罕见的特大型汞矿床。

生物资源丰富。有维管植物4000多种，其中栽培植物近千种；药用植物近2000种，主要有黄连、党参、天麻、贝母等；有国家1～3类保护植物50多种，如桫椤、水杉、珙桐、连香树等。山地森林覆盖面积广，林木蓄积量大。有动物600多种，水生动物及鱼类200多种，其中有国家1～3级保护的珍稀动物近100种，如金丝猴、黑鹿、穿山甲等。

境内江河纵横，水网密布，温泉、热泉众多。水资源总量年平均5000亿立方米，水能资源理论蕴藏量1438万千瓦，可开发水能资源约750万千瓦。

农业

具有大农业、大农村特点，盛产水稻及小麦、玉米、红薯，经济作物有花生、油菜、棉花、柑橘、芝麻、烟叶。林产品有桐油、生漆、茶叶、蚕茧、板栗、松香、松节油。是我国重要的商品粮、猪肉、蚕茧、柑橘、烟叶生产基地，桐油产量居全国之首，生漆产量居全国第二，柑橘产量居全国第三，荣昌良种猪、石柱长毛兔、奉节脐橙等享誉全国。

工业

　　轻、重工业多部门综合性发展，形成以汽车、摩托车、冶金化工为三大支柱产业，机电设备、电子通信、食品、建材、玻璃陶瓷、日用化工为六个优势行业的体系。工业门类较齐全，配套能力强，为西南地区最大的综合性工业基地。

交通

　　重庆市是我国西部集水、陆、空运输为一体的交通枢纽，交通运输网日趋完善。

　　铁路：有成渝、川黔、襄渝、宝成、成昆等线及沪汉蓉客运专线。

　　公路：有成渝环线、沪蓉、沪渝、渝昆、兰海、包茂、长涪、綦万、开万等高速公路和多条国道、省道。

　　水运：是长江上游的水运中心，年货运量约2.65亿吨，千吨级货轮可全年通航。

　　民航：江北国际机场可起降大型客机，航班可通往全国40多个城市和香港、澳门，国际航班通往曼谷、名古屋、首尔等城市。

主要旅游景点

　　本市是中国旅游发达地区之一。国家重点风景名胜区有长江三峡、缙云山、四面山、金佛山、芙蓉江、天坑地缝。大足石刻、喀斯特（武隆）、喀斯特（金佛山）列入世界遗产名录。涪陵白鹤梁石鱼题刻、丰都名山、红岩村革命纪念馆、北温泉公园、万州太白岩、大宁河小三峡等为著名旅游景点。

　　长江三峡：从重庆奉节白帝城至湖北宜昌南津关之间的瞿塘峡、巫峡、西陵峡的总称，全长193千米，风光如画。瞿塘峡约83千米，江面宽仅100余米，以其雄奇壮观著称，入口处的夔门誉为"天下雄关"。中段的巫峡，长约40千米，西望巫山十二峰秀丽多姿，为最有观赏价值的一段水程。西陵峡居东，长约120千米，以滩多水急闻名，有著名的兵书宝剑峡、牛肝马肺峡、青滩、灯影峡。三峡沿岸，白帝城、石宝寨、张飞庙、神女峰、高唐观、秭归屈原祠、香溪昭君故里是驰名的游览胜地。

巫峡

　　缙云山：位于市区西北60千米北温泉之上。山有狮子、香炉、日照、猿啸、莲花、夕照、玉尖、宝塔、云雾等9峰，素有"小峨眉"之称。主峰狮子峰峰顶可观日出，可浏览嘉陵江和北碚全景。唐23年修建的缙云寺已有1500多年的历史。山上诸峰环绕，古木参天，翠竹成林，是避暑胜地。

　　金佛山：位于南川市境内，是国家重点风景名胜区。原始森林中，有被称为活化石的银杉，药用植物多达2000种以上，有古生植

　　物、稀有植物的自然博物馆之称。

　　大宁河小三峡：位于巫山县境内，是大宁河上的龙门、巴雾、滴翠三处峡谷的总称。该峡南起大宁河汇入长江的河口，北至涂家坝，全长约50千米。沿途峭崖秀峰，陡滩急流，清泉飞瀑，奇岩古洞，倒悬钟乳，自然景色秀丽多姿。峡内还可见巴人悬棺、船棺和古栈道遗迹。

　　四面山：位于江津市区东南90千米处。风光秀丽，野趣迷人。有原始森林4万余亩，野生植物1500余种，动物200余种，被誉为"天然物种基因库"。因有百挂形态各异的大小瀑布，故又誉称"瀑布之乡"。其中望乡台瀑布，宽40米，落差172米，有"神州第一高瀑布"之称。

　　大足石刻：在大足县境内。唐宋石刻造像5万余尊，分布于40余处，北山和宝顶山两处艺术价值最高。

大足石刻

　　天坑地缝："天坑"在地理学上叫"岩溶漏斗地貌"，位于距奉节县城91千米的荆竹乡小寨村，坑口直径622米，坑底直径522米，坑深666.2米，是地下河的一个"天窗"，属当今世界洞穴奇观之一。地缝位于距奉节县城91千米的兴隆镇境内，为地面一条长14千米的天然缝隙，是典型的"一线天"峡谷景观。

名优特产

　　涪陵榨菜闻名全国；梁平柚子，云阳、合川桃片，永川豆豉，荣昌夏布，江津米花糖，大足竹编也颇有名气。

主要城市

　　重庆：国家历史文化名城。地处长江、嘉陵江汇流处。成渝、襄渝、川黔铁路交点。城区依山傍水，以其丘陵地貌素称"山城"。

　　万州：位于重庆东北，长江北岸。为川东水陆交通要冲及农畜产品集散地，有纺织、制革、罐头食品、造纸、化肥、机械等工业。

　　涪陵：位于重庆以东，长江和乌江交汇处。有煤、铁、天然气、石灰石等矿藏。工业以食品加工为主。

　　永川：位于重庆西南，南濒长江。有食品、采矿、化工、建材、丝绸、机械等工业。

　　合川：位于重庆西，嘉陵江、涪江、渠江合流处。工业有采煤、电力、缫丝、化工和仪器加工等部门。

　　江津：位于重庆西南，交通发达。有机械、化工、纺织、建材、食品加工等工业。

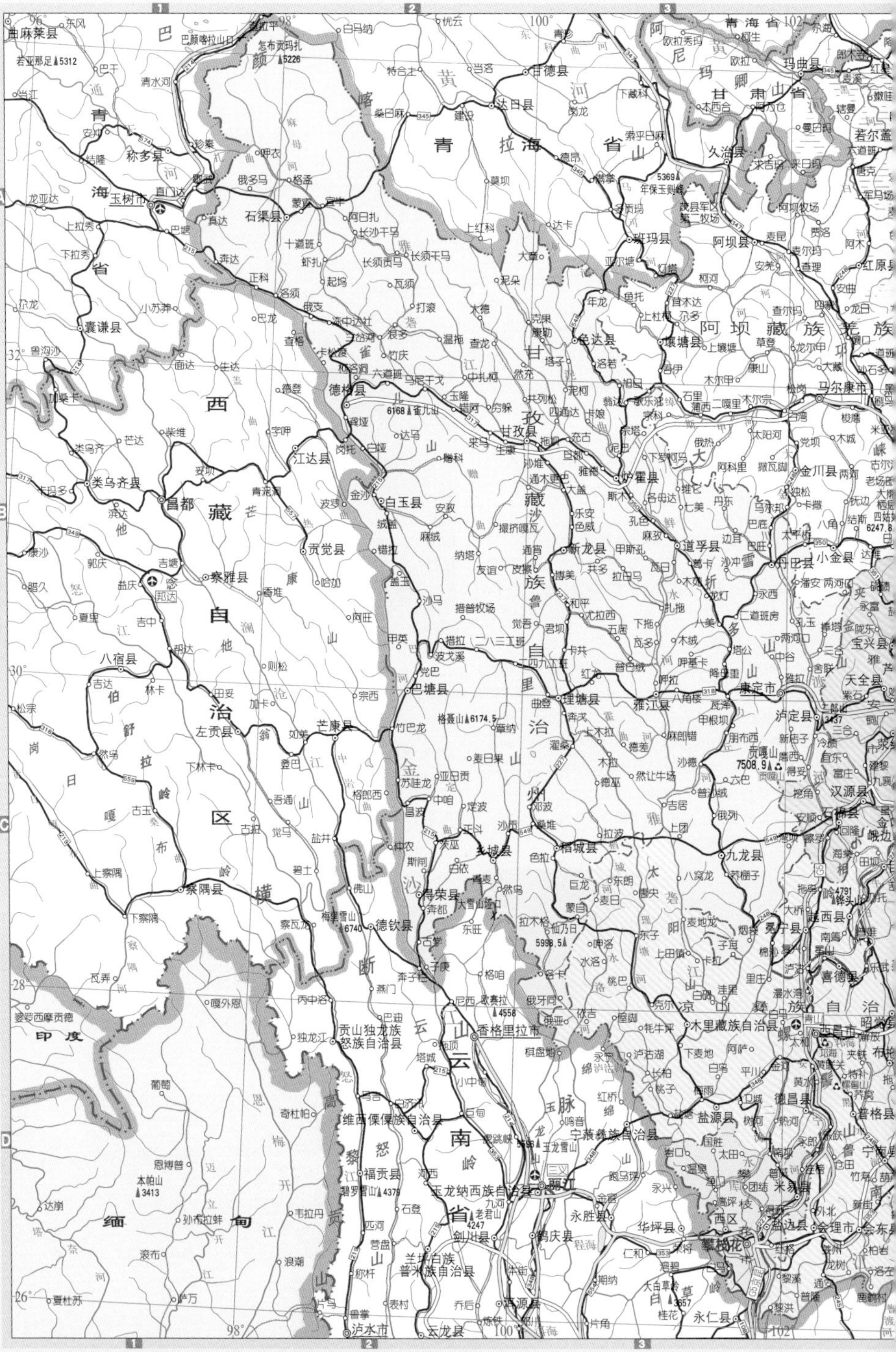

青海省

青 海 省

甘肃省

西 藏 自 治 区

云 南 省

印度

缅甸

曲麻莱县
东风
巴颜喀拉山
怎布死玛扎
▲5226
黄
特合土
白马纳
桃云
岩窝
日德县
清水河
称多县
久治县
玛曲卿
若尔盖
阿坝藏族羌族
西
藏
自
治
区

玉树市
石渠县
甘孜县
阿坝县
马尔康市
昌都
江达县
德格县
甘孜州
金川县
小金县
囊谦县
白玉县
贡觉县
新龙县
道孚县
康定市
八宿县
理塘县
雅江县
泸定县
左贡县
芒康县
巴塘县
乡城县
九龙县
德钦县
香格里拉市
木里藏族自治县
盐源县
会理县
贡山独龙族怒族自治县
福贡县
玉龙纳西族自治县
攀枝花
永仁县
泸水市
云龙县
永胜县
华坪县

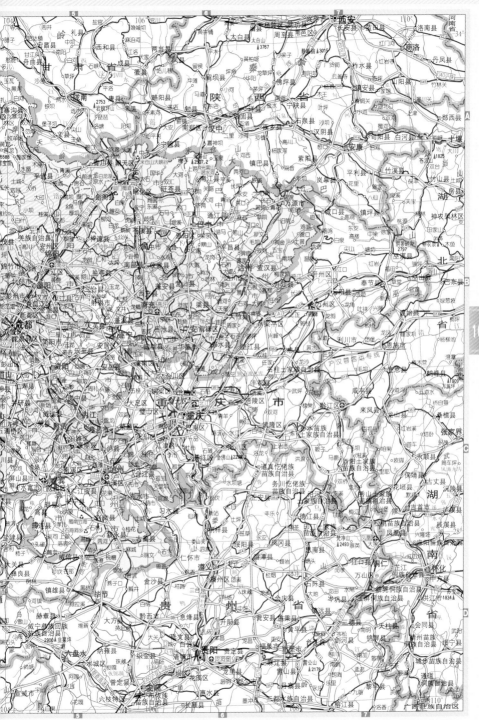

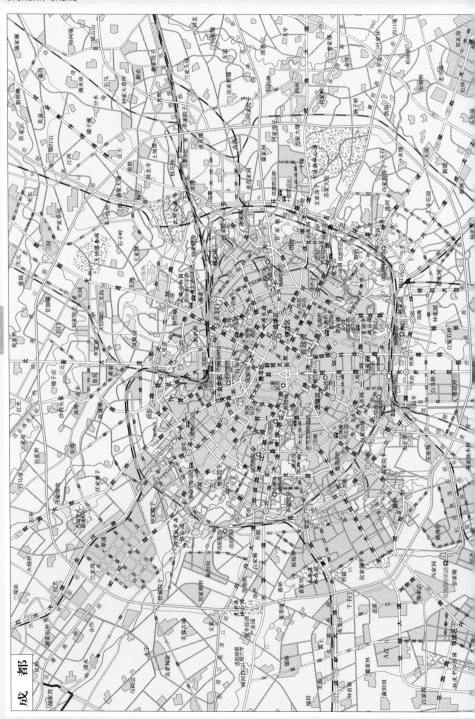

成都

宜宾

乐山

绵阳

自贡

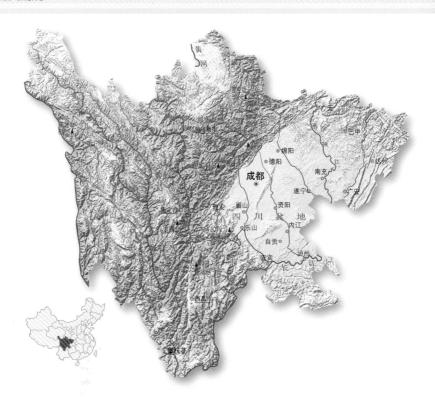

概况

四川省简称川或蜀。地处我国西南地区、长江上游，与陕西、甘肃、青海、西藏、云南、贵州等省区及重庆市毗邻。全省面积约49万平方千米。人口8372万，有汉、彝、藏、苗、回、羌等民族。省辖18个地级市，3个自治州，19个县级市，105个县，4个自治县，55个市辖区。省会成都市。

春秋战国时为巴、蜀等国地。秦置巴、蜀2郡。汉置益州。唐属剑南道、山南西道及吐蕃地。北宋置成都府、梓州、利州、夔州（今为重庆市）4路。元置四川行省。明设四川布政使司。清为四川省。

地形

地形复杂多样，可分为平原、丘陵、山地和高原四大类。地势西高东低，两部迥然有别。西部山地、高原隆起，东部相对低下，是著名的四川盆地。主要山脉有大巴山、米仓山、岷山、邛崃山、大雪山、大凉山、峨眉山等，大雪山主峰贡嘎山海拔7508.9米，为本省最高峰。川西北高原、川西南山地面积广大，雅砻江、岷江、沱江、嘉陵江等依地势纵贯汇入长江（金沙江）。

气候

东部暖、西部冷，地区差别大。东部盆地温暖湿润，为亚热带季风气候。年平均气温16～18℃，无霜期在300天以上，年日照时数约1000～1400小时，年降水量为800～1200毫米。西部地区则为寒冷的高原大陆性气候，霜雪多、雨量少，年平均气温在6～12℃，无霜期在100天左右（北部不到50天，河谷地区200天左右），年日照时数2000～2500小时。

自然资源

由于特定的地质环境，矿产资源已找到120多种，探明储量80多种，其中居全国前三位的有天然气、铁、钒、钛、镍、钴、锶、铂、铍、锂、汞、岩盐、钙、芒硝、石棉、白云母、磷、钾、硫铁矿、石灰岩等24种。此外，铝、锌、锡、铜、银、金、铀、煤等储量也较为丰富。

水资源极为丰富，1300余条江河密布，雨量较多，平均年径流量4485亿立方米。水能资源丰富，其理论蕴藏量1.5亿千瓦，占全国1/5。

光、风能不足，但四川盆地全年≥10℃积温达5300～6500℃。

生物资源列为全国第二位。森林面积11190多万亩，林木蓄积量13亿多立方米。有植物4000种以上，其中药用植物3500多种，油脂植物300多种，芳香油植物150多种，淀粉植物150多种，纤维植物200多种，单宁植物150多种。有脊椎动物1100余种，占全国总数的40%。其中属全国一、二、三类保护的珍稀动物50多种，属一类保护有大熊猫、金丝猴、牛羚、白唇鹿等10种，二类保护动物有小熊猫、雪豹等。

农业

农作物一般为一年二熟或三熟耕作制。以粮食生产为主，农、林、牧、渔综合发展。水稻、小麦是主要粮食作物，其次是青稞、红薯。经济作物主要有棉花、油菜、甘蔗，油菜籽产量居全国第一位。

针、阔叶树种繁多，有柏油、茶油、棕片等经济林木以及五倍子、川芎、当归、虫草、川连、贝母等多种中草药材名。

养殖业以牛、羊、马、猪为主，川西高原及四川盆地养殖量大。

工业

是我国西南工业最发达的省区之一。有煤炭、电力、石油、钢铁等重工业和纺织、建材、木材加工等轻工业，丝绸工业历史悠久。手工业品种类繁多，蜀锦巴缎、蜀绣、挑花、石刻、竹器、绢扇、火绘、竹丝瓷胎、金银饰品、美术漆器著名。

本省地区生产总值30053.10亿元，其中第一产业3677.30亿元，第二产业13248.08亿元，第三产业13127.72亿元。进出口商品总值469.4亿美元，其中出口283.9亿美元，进口185.5亿美元。

交通

以铁路为骨干，形成水运、公路、航空并举的总体运输网。

铁路：有沪汉蓉、成绵乐、成灌高铁和成渝线、宝成线、川黔线、成昆线、襄渝线、达成线等。

公路：有渝昆、京昆、沪蓉、厦蓉、包茂、成渝环线等高速公路。

水运：形成以长江为总干线，嘉陵江、岷江为主要内河航道的水运网。

民航：有成都双流、西昌青山、宜宾菜坝、泸州蓝田、广元盘龙、绵阳南郊等机场，可达国内50多个城市，双流国际航班可达曼谷、新加坡等国外城市。

主要旅游景点

境内既富名山胜水，又多文物古迹，是中国旅游发达地区之一。国家重点风景名胜区有峨眉山、青城山—都江堰、黄龙寺—九寨沟、剑门蜀道、贡嘎山、西岭雪山、四姑娘山、蜀南竹海、石海洞乡、邛海—螺髻山、白龙湖、光雾山—诺水河、天台山、龙门山。其中九寨沟、黄龙、峨眉山—乐山大佛、青城山—都江堰、大熊猫栖息地列入世界遗产名录。杜甫草堂、武侯祠、太白故里等为知名旅游景点。

乐山大佛

峨眉山：位于四川盆地西南部的峨眉山市境内。其最高峰万佛顶海拔30979.3米，气势雄伟，兼有苍松翠柏，流泉飞瀑，素有"峨眉天下秀"之称，为我国佛教四大名山之一。

九寨沟：地处本省北部的九寨沟县境内。是岷山丛中一条纵深40千米的山沟谷地，因其间有九个藏族村寨得名。从山间至河谷地带，有连续的大小湖泊100多个，多瀑布，水清林幽，万象天然。

都江堰：我国古代四大水利工程之一。位于都江堰市，为战国时蜀郡守李冰主持修建的水利工程。该工程凿通玉垒山，由鱼嘴将岷江分为内、外江，以飞沙堰与宝瓶口配合自动调节内江水位，并淘出淤沙到外江，既保证成都平原免受洪水之灾，又获灌溉之利。

黄龙寺风景区：在松潘县城北约35千米处。古称雪山寺，建于明代，寺门匾额从前、右、左不同角度观看显出不同字样。周围林木茂密，间有天然形成的大小水池数以千计，状若梯湖，底色斑斓，通称五彩池。

黄龙

剑门蜀道：川、陕间有秦岭阻隔，古称"蜀道难，难于上青天"。秦以来自陕西汉中经广元、剑门到梓潼段，大修栈道，沿途植树，终成交通要道。剑门至梓潼段，浓荫蔽日，故称"翠云廊"，沿途有剑阁、清风峡、宝山等旅游景点。

名优特产

四川卤漆、银丝工艺品、竹雕、竹席、瓷胎竹编、雪魔芋、天麻、虫草、田七、黄连、鲜笋、茶叶、白蜡较有名。浓香、绵甜甘洌的名酒有全兴大曲、泸州老窖特曲、剑南春、宜宾五粮液等。有名小吃赖汤圆、龙抄手、担担面、麻婆豆腐、天府花生、怪味胡豆、四川腊制肉品也很有名。工艺美术品有蜀绣、竹编制品等。

主要城市

成都：国家历史文化名城。位于成都平原中部。有冶金、机械、电子、轻化工、纺织、电力等工业，蜀绣、蜀锦、漆器等驰名。成渝、宝成、成昆、成灌等铁路经过，是西南交通枢纽之一。

自贡：位于本省南部，内宜铁路线上。古以产井盐闻名，向称"西南盐都"，为国家历史文化名城。现为以制盐、化工、天然气为主，包括冶金、电力、机械、轻工、建材等部门的综合性工业城市。

宜宾：位于本省东南部，岷江与长江交汇处，扬子江起点。素有"万里长江第一城"之称。国家历史文化名城。盛产"五粮液"、芽菜、草席。

南充：市区位于嘉陵江中游，是川北水陆交通中心和重要的工商业城市。为本省蚕茧生产及丝绸工业中心，金属及粮畜产品加工业也发达，所产猪鬃主要供出口。

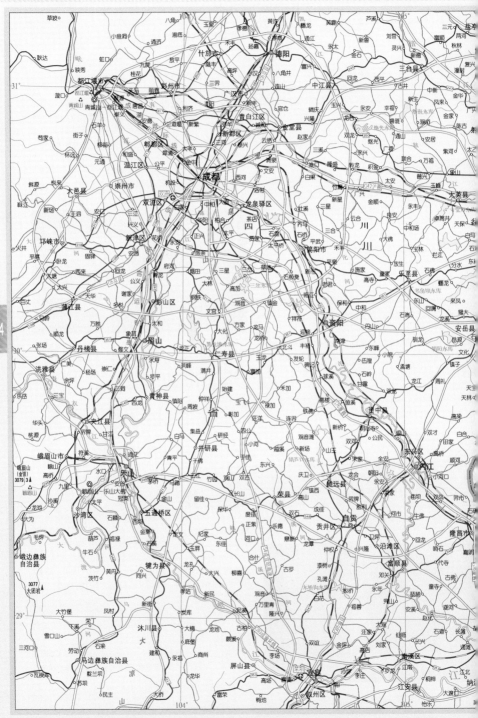

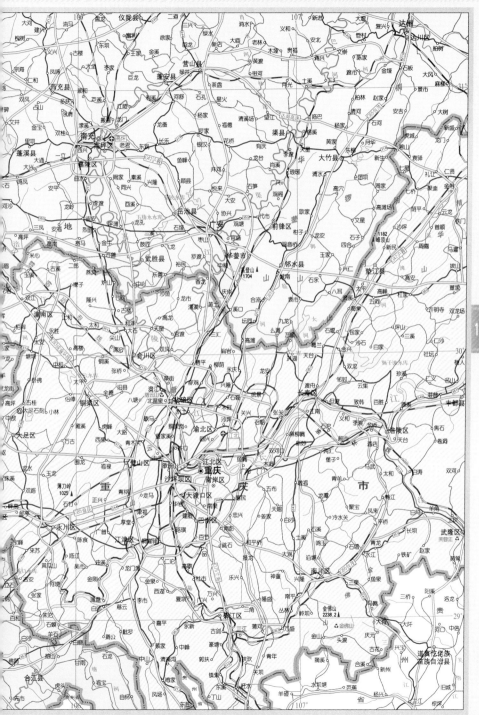

175

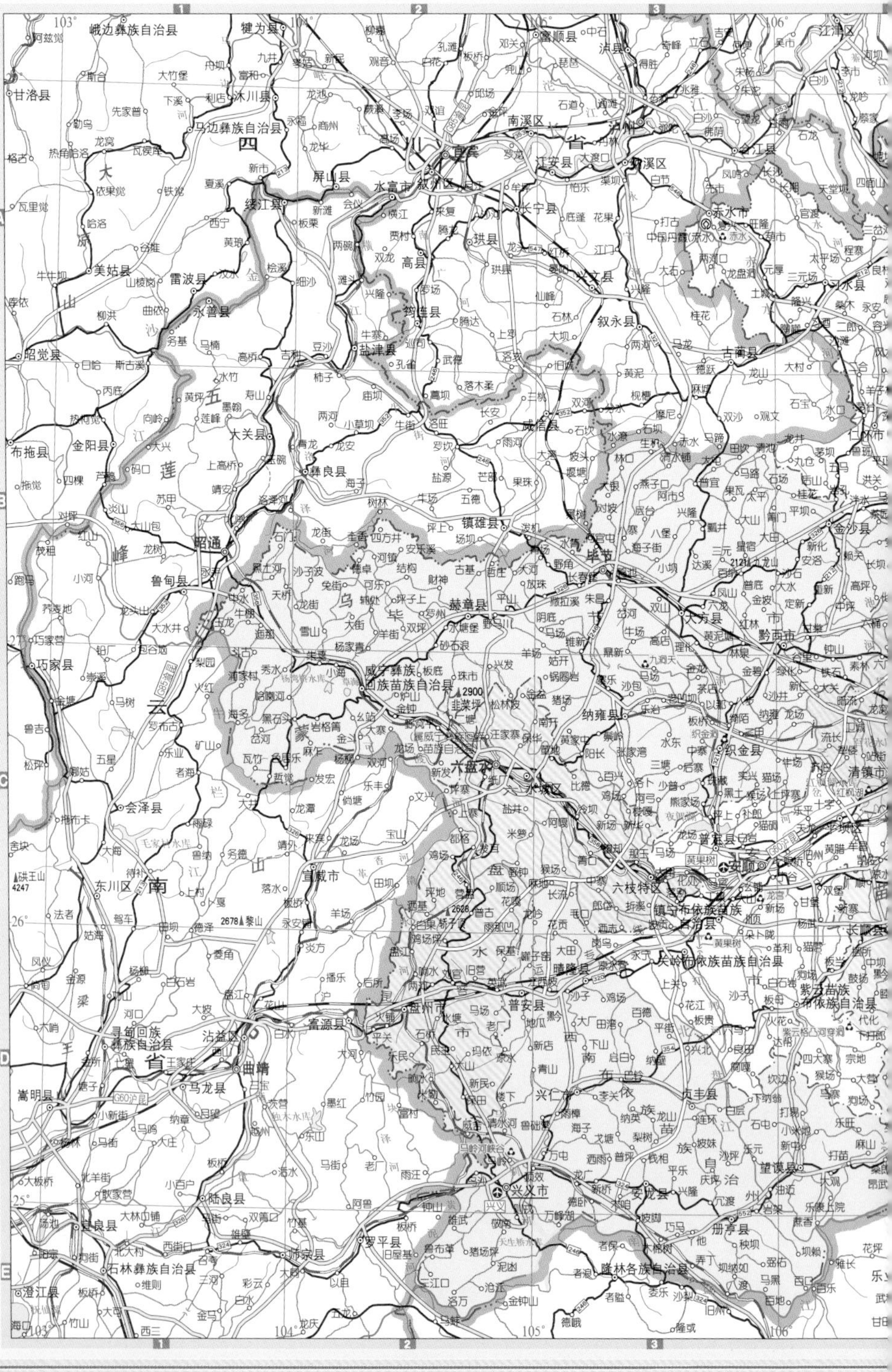
峨边彝族自治县
犍为县
富顺县
泸县
江津区
甘洛县
沐川县
马边彝族自治县
四
川
省
南溪区
泸州
宜宾
屏山县
水富市
叙州区
江安县
纳溪区
合江县
绥江县
长宁县
赤水市
美姑县
雷波县
高县
珙县
兴文县
筠连县
叙永县
永善县
昭觉县
盐津县
古蔺县
大关县
金阳县
布拖县
彝良县
威信县
镇雄县
仁怀市
昭通
毕节
金沙县
鲁甸县
赫章县
大方县
黔西市
巧家县
威宁彝族回族苗族自治县
纳雍县
织金县
六盘水
水城区
清镇市
会泽县
普定县
安顺
六枝特区
宣威市
镇宁布依族苗族自治县
东川区
关岭布依族苗族自治县
晴隆县
紫云苗族布依族自治县
盘州市
普安县
富源县
寻甸回族彝族自治县
沾益区
曲靖
马龙县
兴仁市
贞丰县
望谟县
嵩明县
陆良县
兴义市
安龙县
册亨县
宜良县
罗平县
师宗县
石林彝族自治县
隆林各族自治县
澄江县
云
南
省
黔西南布依族苗族自治州
乌蒙山
大凉山
五莲峰
万峰湖
2900
2628
2678 黎山
4247
103°
104°
105°
106°
27°
26°
25°
1
2
3
A
B
C
D
E

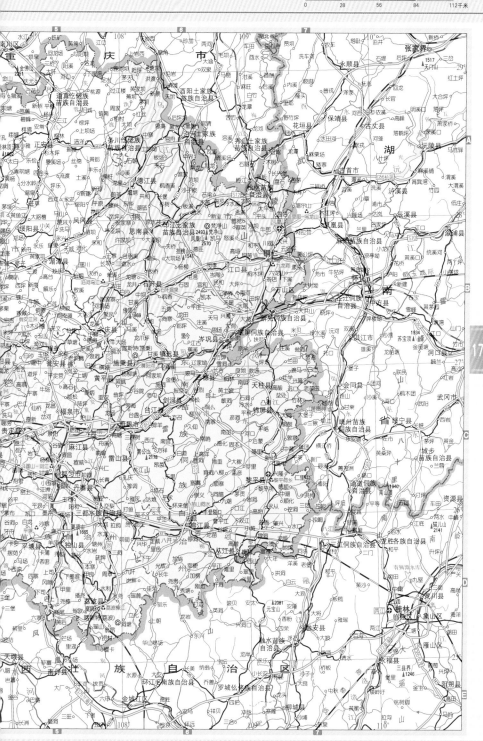

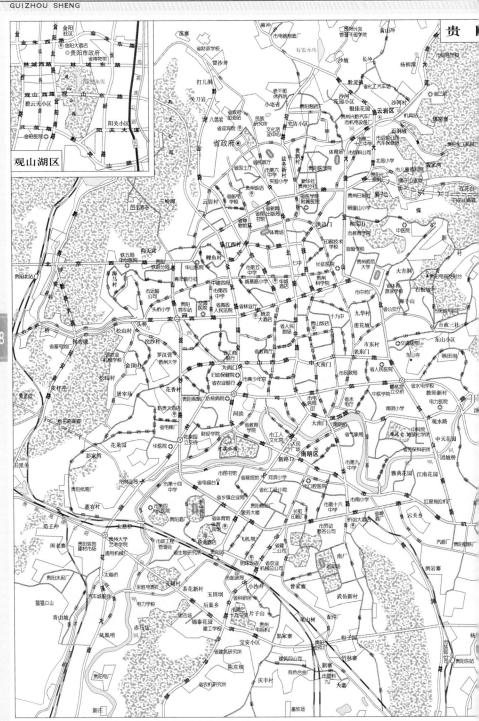

观山湖区

贵[

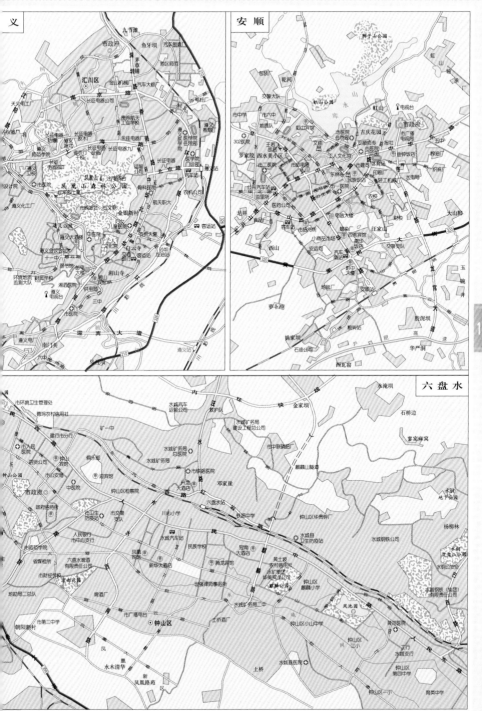

180

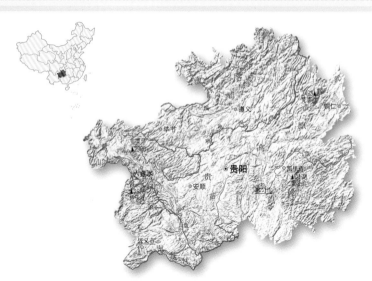

概况

贵州省简称黔。地处我国西南的云贵高原东部，北邻川、渝，西与云南接壤，南与广西相邻，东与湖南为界。全省面积约18万平方千米。人口3852万，有汉、苗、布依、侗、彝、水、回、仡佬、壮、瑶等民族。省辖6个地级市、3个自治州、10个县级市、50个县、11个自治县、1个特区、16个市辖区。省会贵阳市。

战国时为且兰、夜郎地。秦置黔中等郡及夜郎国。汉属荆、益两州。唐置黔中道。宋置矩州等。元设顺元、播州等宣抚司。明置贵州布政使司。清为贵州省。

地形

全境通称贵州高原，地势西部高，东部和南部低，自西而东而南逐步下降，平均海拔1000米以上。全省地貌为典型山区，地形切割强烈，山岭险峻，河谷纵横，小型盆地散布山间，万亩以上的盆地有19个，当地称坝子。主要山脉有乌蒙山、大娄山、苗岭等，海拔2900米的乌蒙山韭菜坪为本省最高峰，有10千米以上河流1000余条，主要有乌江、赤水河、清水江、蒙江、鸭池河、都柳江、南盘江、北盘江，乌江流域面积占全省面积的2/5。湖泊不多，西部的草海最大，面积46.6平方千米。

气候

属亚热带高原型湿润季风气候，温和湿润，有冬无严寒、夏无酷暑、阴雨天多、四季不甚分明的特点。年平均气温为10～20℃，1月平均气温1～10℃，7月平均气温17～28℃。年无霜期210～300天。年平均降水量900～1500毫米，夏季降水占一半。春季多阴晴，秋季多阴雨，冬季多阴霜，干湿季不明显。作为我国阴天最多的省份，贵阳、遵义一带年平均阴天日数在200天以上，谚称"天无三日晴"。由于各地降水年际变化较大，西部易春旱，东部易伏旱。

自然资源

矿产资源种类多，储量大，分布广。目前已探明的有60多种，其中储量名列全国前四位的有16种，居第一位的有汞、化肥用硅石、光学水晶，磷储量丰富；居第二位的有铝土矿、碘、稀土、建筑用方解石；居第三位的有锰、锑、水泥配料；居第四位的有煤、镉和熔炼水晶。

水资源具有年际变化小，分布广等优势，多发源于中、西部的河流顺地势向北、东、南分流，水系发达，水资源总量约1210多亿立方米，占全国水资源总储量的3.9%。

河流落差大，水力资源丰富，水能理论蕴藏量为1870多万千瓦，居全国第六位。无霜期较长，全年≥10℃积温5300～6500℃。

生物资源也很丰富，有不少珍稀种类。全省森林面积3300多万亩，有野生植物3860多种，其中有较大经济价值的约850种，特别是2600余种中草药植物，约占全国总数的一半，天麻、杜仲、黄连、黄芪和吴萸被称为贵州五大名药。有野生动物1000多种，其中珍稀动物30多种，黔金丝猴、黑叶猴、华南虎、梅花鹿、黑鹤和白鹤等6种被列为国家一类保护动物。

农业

农作物实行一年二熟耕作制。稻米、玉米是主要粮食作物，其次是小麦、薯类；经济作物有油菜、烟草、棉花、苎麻、甘蔗、甜菜等。

茶树分布广，以绿茶较多，主产于遵义、湄潭、安顺等地。本省是全国四大柞蚕生产省区之一，北部为主产区。

森林植种繁多，以杉松为主，是全国重要杉木产区之一，锦屏的杉木驰名。著名的林产品及药材为生漆、桐油、乌桕、栲皮、杜仲、五倍子、银耳，产量居全国前列。果品主要有黄梨、柑橘、苹果，南部红水河谷地有香蕉、菠萝等热带水果及木薯、剑麻、香茅、咖啡等。养畜为农村副业，以牛、猪为主，肠衣、猪鬃为重要出口物资。

工业 🏭

60年代以后发展较快，建立了煤炭、冶金、化工、机械制造、电力等重工业。轻工业以卷烟、纺织、造纸、皮革、丝绸为主。酿酒工业历史悠久，仁怀产的茅台酒名扬世界。传统手工业品以玉屏箫笛、岑巩的"思州石砚"、民族花边、金瓜盆桶、蜡染、大方漆器、平塘牙舟陶器等著名。

交通 🚄

形成以铁路为骨干，水路、公路、航空并举的综合运输网。

铁路：黔桂、川黔、贵昆、湘黔四条铁路呈"十"字交叉，与相连的南昆、内昆等线构成全省运输大动脉。贵广、沪昆高铁已建成通车。

公路：以贵阳为中心，通达省内各县。有沪昆、厦蓉、兰海等高速公路。

水运：在乌江、赤水河下游开辟了机动拖轮航道。

民航：以贵阳为中心，通往北京、郑州、成都、昆明、上海、广州等30多个城市。

主要旅游景点 🎈

本省既富名山胜水，又多文物古迹，是我国旅游较发达地区之一。国家重点风景名胜区有黄果树、潕阳河、红枫湖、织金洞、龙宫、荔波樟江、赤水、马岭河峡谷、都匀斗篷山—剑江、九洞天、九龙洞、黎平侗乡。喀斯特（荔波）、喀斯特（施秉）、中国丹霞（赤水）列为世界遗产。

黄果树瀑布：我国第一瀑布。位于镇宁布依族苗族自治县的打邦河上源白水河上，东北距安顺45千米。以上共有九级跌水，瀑布宽101米，落差77.8米，直捣犀牛潭，声震十里，玉珠飞溅。

红枫湖：位于贵阳西40千米处。为猫跳河上可防洪、发电、灌溉、养鱼的大型水库。湖区宽窄不一，湖中分布岛屿70多个，湖边以山青、水秀、洞奇、石怪著称，适宜垂钓、旅游、划船、爬山、狩猎。

织金洞：位于安顺北123千米，织金县内，是一座规模宏大的喀斯特溶洞。溶洞最高为150米，最宽为175米，面积约30万平方米。洞内石笋、岩峰蔚然成林，地下湖泊碧波荡漾，巨幅帷幕金光闪闪，像一座金碧辉煌的宝殿。

潕阳河：位于贵州省东部，是沅江上游一条长35千米的支流。可段分为诸葛峡、龙王峡和西峡，以风光秀丽、景色奇特著称。诸葛峡狭窄如瓮，南岸有奇特的间歇喷泉，景色幽秀；岈河两岸还有一线天、石笋、石塔、卧虎崖等胜景。

龙宫：位于安顺南27千米的龙潭布依族山寨脚下。为一座串珠状的暗湖溶洞，地下水由高50米的"龙门"泄下，瀑布声如雷鸣，下方形成深43米、面积达1万平方米的深水潭，景色妙趣横生。

黄果树瀑布

名优特产 🚲

特产首推茅台酒，因产于仁怀市茅台镇得名，酒味独特，被誉为"国酒"；董酒、刺梨酒、杜仲酒、天麻酒等均享有盛誉。贵州天麻、杜仲等中药驰名。威宁火腿、兴义大红袍橘子、安顺竹叶青茶、福肉酥酥、黄花菜、香菌均为名品。蜡染、扎染、刺绣、挑花为传统手工艺品，图案生动美丽，色彩绚丽悦目，具有浓郁的民族艺术风格。贵州蜡染（泥鳅白布）、贵州土陶（鸡纹双耳缸）、花苗台布、漆器蚌壳盒被评为地方优秀旅游产品。

主要城市 🏙

贵阳：位于本省中部，乌江支流南明河流贯市区。有煤炭、电力、冶金、机械、化工、电子、建材、卷烟、食品加工等工业，冶金以炼铝和特种钢为主。黔桂、川黔、湘黔、贵昆等铁路交会于此，是沟通西南、中南、华东的交通枢纽之一。

遵义：位于本省北部，是川黔铁路线上的重镇。有机械、冶金、电器、纺织等工业。1935年1月红军长征途中，著名的遵义会议在此召开。为国家历史文化名城。

都匀：位于本省南部，是黔南布依族苗族自治州首府，黔桂铁路纵贯市区。为黔南交通和物资集散中心。工业有机械、电子、纺织等。

安顺：位于本省西部、贵昆铁路线上。为黔滇交通要道和黔西物资集散地，有"黔之腹、滇之喉"之称。工业主要为机械和纺织等。

六盘水：位于本省西部，是"黔西煤田"建设中的煤炭生产基地之一。有钢铁、电力、建材、化工等工业。

九龙洞

西藏自治区

印

度

缅

西双版纳

呈贡区

滇
池

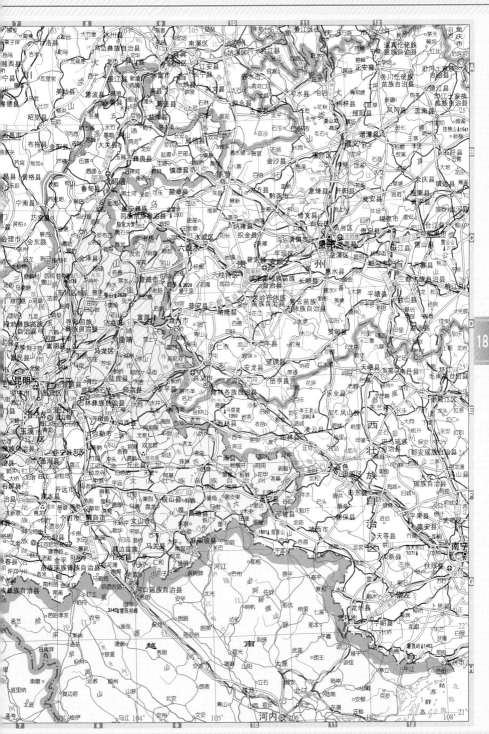

昆明

184

滇池

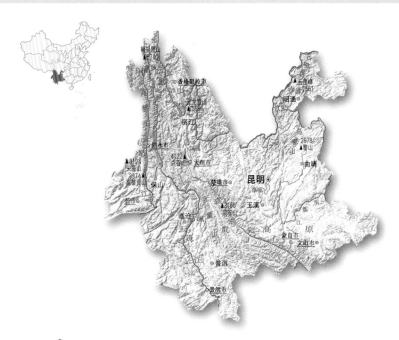

概　况

云南省简称滇或云。地处我国南部边疆,云贵高原西南部。西、南与缅甸、老挝、越南交界,东、北邻广西、贵州、四川、西藏等省区。全省面积约39万平方千米。人口4690万,有汉、彝、白、哈尼、壮、傣、苗、傈僳、回、拉祜、佤、纳西、瑶、藏、景颇、布朗、普米、怒、阿昌、德昂、蒙古、独龙、基诺等民族,是我国民族最多的省。省辖8个地级市、8个自治州、18个县级市、65个县、29个自治县、17个市辖区。省会昆明市。

云南省历史悠久,战国为滇、寿麿地。东汉设永昌等郡。隋置南宁州总管府。唐、五代先后为南诏国和大理国地。元置云南行省,以处于云岭之南得名。明置云南布政使司。清为云南省。

地　形

山地高原约占全省面积的94%,仅6%为星罗棋布的山间盆地。地势西北高,东南低。主要山脉有横断山、怒山、雪山、高黎贡山、云岭、乌蒙山、无量山、哀牢山、五莲峰等。怒山主峰梅里雪山海拔6740米,为本省最高峰。有大小河流600多条,其中主要的180多条,分属伊洛瓦底江、怒江、澜沧江、金沙江、元江(红河)和南盘江六大水系。湖泊约40多个,主要有滇池、洱海、抚仙湖、泸沽湖、异龙湖、程海。滇池面积最大,集水面达2850多平方千米。

气　候

属亚热带、热带高原型湿润季风气候,冬季干旱,夏季湿热多雨,年温差小,日温差大。因冬无严寒,夏无酷热,有"四季如春"的美名。大部分地区年平均气温在13～20℃,1月平均气温8～17℃,西北部山区可低至-4℃;7月平均气温11～29℃。年无霜期分别为316天、260天、173天。年平均降水量1100毫米左右,大致5～10月为雨季,6～8月降水约占全年总降水量的60%。干旱、尤其是春旱,为本省影响范围较广的自然灾害。

自然资源

号称"有色金属之乡",已发现各类矿产150多种,探明储量的有80多种,有50多个矿种的保有储量居全国前十位:铅、锌、锡、霞石居首位,磷储量丰富,锡、锢、铂、锗、岩盐、钾盐居第二位;铜、镍、芒硝、砷、蓝石棉居第三位。矿藏资源的特点是品种全,主要矿种相对集中,易于开采,伴生矿多,综合利用价值高。

水资源比较丰富,主要集中于滇西北的金沙江、澜沧江、怒江三大流域上。全省总水量4160多亿立方米,其中省境内地表水和地下水2200多亿立方米;从省外流入的水量1840多亿立方米,从国外流入的90多亿立方米。人均有水量近7000立方米。水能资源可达1亿多千瓦,可开发量为7100多万千瓦,年发电量可达3900多亿度。

有众多的地热能,有温泉700多处,地热温度高,水温50～80℃的已发现90多处,80～100℃以上的有近40处。

是全国生物资源种类最多的省份。热带、亚热带、温带、寒带等植物类型都有分布,在全国近3万种高等植物中占一半以上。其中药用植物资源1000余种,香料植物350多种,观赏植物约2100多种(不少是珍稀种类和特产植物)。有森林面积1.4亿多亩,森林覆盖率为24%,林木总蓄积量为13亿多立方米。动物种类为全国之冠,脊椎动物达1600多种,哺乳类250多种,鱼类360多种,爬行类140多种，两栖类90多种，鸟类780多种。其中属国家一类保护动物30多种，属国家二类保护动物40多种。

农业

因自然条件复杂多样，农作物耕作制复杂。主要粮食作物有水稻、玉米、小麦、豆类、马铃薯；经济作物以油菜、烟草、甘蔗、茶叶、花生、棉、麻种植面积较大，烤烟产量居全国第三位，种茶广泛。

西北部的畜牧业占重要地位。主要牲畜有黄牛、水牛、马、牦牛。丽江马有名。

森林树种繁多，云南松、滇油杉为主要材料。盛产橡胶、咖啡、油棕、金鸡纳、胡椒、剑麻、香茅、紫胶和多种水果，昆明宝珠梨、大理雪梨、蒙自石榴有名。

工业

建立了以烟、茶、糖为支柱的轻工业和以煤、电、钢铁、有色、化工、机械为主体的重工业。昆明的光电仪表、合成洗涤剂原料，东川和个旧的有色冶金工业很有名气。云南卷烟闻名。传统手工业产品有大理石制品、斑铜和锡制工艺品、傣锦、版纳地毯、腾冲藤器等。

交通

以昆明为中心，铁路、公路为骨干。

铁路：有成昆、昆河、贵昆、南昆、内昆等线。沪昆高铁建成通车。

公路：以昆明为中心，通达省内各市县及乡镇，主要有杭瑞、渝昆、沪昆、京昆、昆磨等高速，及通往主要景区丽江、石林、建水的高速公路。

水运：有思茅、景洪等水运口岸。从水富港有航线直达上海。

民航：以昆明为中心，可通国内60多个城市及省内西双版纳、普洱、芒市、保山、大理、丽江、昭通、香格里拉等地，国际航班可通曼谷、仰光、首尔、新加坡、河内、万象等城市。

主要旅游景点

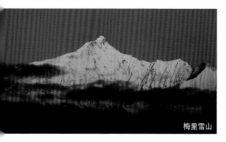
梅里雪山

本省名山胜水众多。国家重点风景名胜区有昆明滇池、石林、大理、西双版纳、三江并流、丽江玉龙雪山、腾冲地热火山、瑞丽工一大盈江、九乡、建水、普者黑、阿庐等。其中丽江古城、三江并流、喀斯特（石林）、澄江帽天山化石群、哈尼梯田列入世界遗产名录。

滇池：位于昆明市区西南24千米处，又名昆明湖，面积约320平方千米，是滇中高原的陷落湖。湖区一碧万顷，风光秀丽，烟波浩渺，雄伟壮观。被誉为"高原明珠"。

西双版纳：地处滇南，一般以景洪为中心的勐龙、勐海、勐养、勐仑等，以浓郁的热带风光和绚丽的民族风情为特色。这里的热带原始森林为重点自然保护区，有大象、孔雀、犀牛等著名贵动物。

玉龙雪山：在丽江西北10千米处。12峰终年积雪，如擎天玉柱。主峰扇子陡海拔5596米，状如银龙飞舞。西侧金沙江，谷深峡险，长江第一峡虎跳峡即在此处。

石林：俗称李子箐，位于石林彝族自治县内，面积40余万亩，包括大石林、小石林、外石林、芝云洞、奇风洞、黑松岩、藏湖等处。形成于古生代，是发育典型的岩溶地貌。有石灰岩形成的石峰、石柱、石芽、石钟乳、石笋、溶蚀洼地、地下河和地下溶洞等。这里群峰壁立，奇峰危石，千姿百态。

三江并流：地处滇西北。横断山脉峰谷相间，怒江、澜沧江、金沙江皆自北而南咆哮并行，景色极为壮观，适宜探险、漂流、旅游及科学考察。

大理三塔

名优特产

云药（云南白药、田七、天麻、虫草）、云茶（普洱茶、滇红、滇绿、沱茶等）和云腿（宣威火腿、云腿罐头等）享有盛誉。汽锅鸡、过桥米线、玫瑰大头菜、昆明板鸭、象牙芒果、呈贡宝珠梨、蜜桃、鸡枞也很有名。用斑铜、乌铜、锡和大理石制作的工艺美术品，造型生动，别具风格。斑铜孔雀小摆件、彝族撒尼人绣花包、个旧锡制酒具、傣族锦、苗族挑花蜡染褶裙、白族挑花头巾等，被评为地方优秀旅游产品。

主要城市

昆明：国家历史文化名城。位于本省中部，市区在滇池北岸，为成昆、贵昆、昆河等铁路及滇缅、昆洛等公路交点。有机械、冶金、电力、建材、化工、纺织、轻工、仪表、电子、造纸、食品加工等工业。

大理：国家历史文化名城，旅游胜地。位于本省西部，是滇西经济、文化中心和交通枢纽。为滇藏公路起点，滇缅公路经此。洱源乳扇、弥渡卷蹄、漾濞核桃、祥云辣子为著名特产。

丽江：国家历史文化名城。位于本省西北部。盛产木材、药材、良马。有泸沽湖、玉龙雪山、虎跳峡、长江第一湾等著名景点。

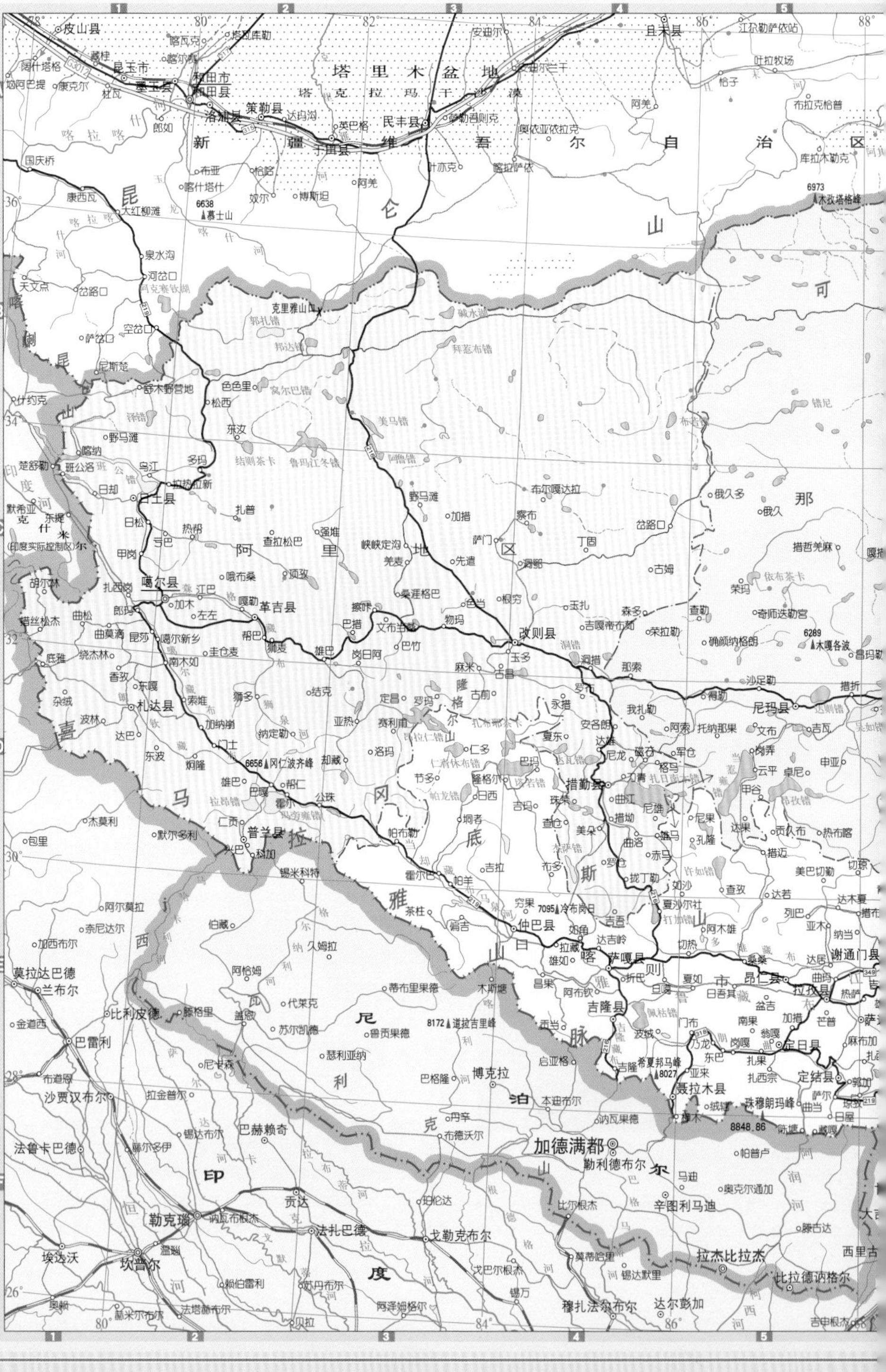

188

塔里木盆地

塔克拉玛干沙漠

新疆维吾尔自治区

昆仑山

喀喇昆仑山

阿里地区

那曲地区

冈底斯山脉

喜马拉雅山脉

印度

尼泊尔

加德满都

比例尺　1:7 300 000

0　　　73　　　146　　　219　　　292千米

189

日喀则

概况

西藏自治区简称藏。位于我国西南边疆，青藏高原西南部。南及西南与印度、尼泊尔、不丹等三国为邻，东与四川省以金沙江为界，东南与云南省及缅甸相邻，北部与青海、新疆2省区接壤。全区面积约123万平方千米。人口366万，有藏、汉、门巴、珞巴、回等民族。自治区辖6个地级市、1个地区、2个县级市、64个县、8个市辖区。首府拉萨市。

古为发羌、唐旄等地。唐、宋为吐蕃时。元为宣政院辖地，明为"乌思藏朵甘二都指挥司"等地。清分前藏、后藏、喀木、阿里四部，总称西藏。民国称西藏地方。1965年9月成立西藏自治区。

地形

地处世界上最高的高原，向有"世界屋脊"之称。按地形大致分为四个自然区：藏北高原、藏南谷地、藏东三江峡谷地和喜马拉雅山地，平均海拔4000米以上。主要山脉有喜马拉雅山、昆仑山、唐古拉山、冈底斯山、念青唐古拉山等。其中喜马拉雅山的珠穆朗玛峰海拔8848.86米，为世界最高峰。主要河流有雅鲁藏布江、金沙江、澜沧江、怒江等。其中雅鲁藏布江在境内长约1700千米，是西藏第一大河。自治区内有1500多个湖泊，总面积2.4万平方千米，是我国湖泊最多的省区。大的湖泊有纳木错、色林错、扎日南木错、班公错、羊卓雍错等。

气候

属高原气候区，其特点是气温较低，降水较少，空气稀薄，日照充足，昼夜温差大。大致可分为四个自然区：（一）藏北地区，气候干寒，平均气温在0℃以下，7月平均气温不超过10℃，夏季多雷雨和冰雹，冬春多大风，年降水量不足300毫米。（二）拉萨地区，气候温暖湿润。7月平均气温10～15℃，6～9月为雨季，河谷年降水量在400毫米左右。（三）藏东北地区，7月平均气温在10℃左右，云雨较多，年降水量达680毫米左右，冬春多雪。（四）藏南地区，受印度洋暖流影响，气候温暖湿润，7月平均气温15～20℃，年降水量在1000毫米以上，素有"西藏江南"之称。全区年日照时数达3100～3400小时，是光照时间最长的地区。

自然资源

矿藏资源已发现70多种，已探明储量的有煤、铬、食盐、自然硫、硼、云母以及铅、刚玉、镁矿、石膏、芒硝、重晶石、铁等。

水资源相对丰富，江河湖泊密布，水能蕴藏量约2亿千瓦，湖泊众多，大多为咸水湖，地热资源甚丰，建立了一些中小型水电站。

太阳能资源居世界第二位，藏东南地区全年≥10℃积温达5300～6500℃；地热资源居全国之首，主要分布在南部。已查明地热显示区600多处，其中30多处高温地热，发电潜力可达30万千瓦。羊八井建成我国第一座高温地热试验站，向拉萨送电，井口温度达150℃左右。南部地下水温度超过当地沸点的有40多处。有2处风能较佳区，班戈地区3米／秒以上的风速超过4000小时，6米／秒以上的风速超过1500小时。

西藏是我国森林和原始森林最大的林区之一，森林面积约1390万公顷，森林覆盖率达11%以上。野生动植物资源中，已知昆虫2300多种、鸟类480多种、哺乳动物100多种、两栖动物40多种、爬行类50多种、属珍稀鸟兽约30种；高等植物5800多种，具有经济价值已被利用的达1000余种，近几年新发现700余种（有20多种列为国家重点保护植物）。

农业

农作物实行一年一熟耕作制。粮食作物有青稞、豌豆、蚕豆、小麦、荞麦、水稻、冬麦等；经济作物主要有油菜、麻、甜菜等。

畜牧业在经济中占重要地位，是全国五大草原牧区之一。藏北主要牲畜有绵羊、山羊和牦牛、犏牛、黄牛。

雅鲁藏布江中下游、山南地区、东部峡谷区都有茂密的原始林，是我国重要天然林景之一。主要树种有云杉、冷杉、红松、白桦、油松。产贝母、虫草、雪莲、全蝎、硼砂等动物、植物、矿物药材。水果有桃、梨、杏、苹果等，有的地方产甘蔗、葡萄、柑橘等。

工业

西藏风能、太阳能、地热、矿产资源丰富，现已建立了包括能源、轻工、纺织、机械、森林工业、采矿、建材、化工业、制药业、印刷业、食品等门类的具有西藏地方特色的现代化工业体系。

交通

以公路、民航为主，青藏铁路、拉日铁路已建成通车。

铁路：青藏铁路途经安多、那曲、当雄、羊八井等地，终点拉萨市，全长1188千米，西藏境内531.5千米。是世界海拔最高的铁路，改善了西藏与内地的交流与联系。

公路：以川藏、青藏、新藏、滇藏等公路为主干，以拉萨、日喀则、山南、昌都、那曲为中心的现代公路网已经形成。

民航：有拉萨至成都、北京、西安、西宁、重庆、广州、昆明、上海、香格里拉、昌都及加德满都的航线。

主要旅游景点

本区既富名山胜水，又多名胜古迹，是国内外学者、游客登山科考、探险、朝佛、旅游的理想之地。雅砻河为国家重点风景名胜区，布达拉宫（大昭寺、罗布林卡）列入世界遗产名录。主要名胜还有八廓街、日喀则的扎什伦布寺、江孜白居寺、万佛塔以及哲蚌寺、甘丹寺、色拉寺等。

布达拉宫：位于拉萨市中心。相传为7世纪松赞干布迎娶文成公主而建。达赖五世受清朝册封后大加扩建。这座"佛教圣地"依山修筑，高110米，长360米，气势宏伟，装饰辉煌，多藏文物。1990~1994年国家耗巨资全面维修，使其更加辉煌夺目。

布达拉宫

大昭寺：位于拉萨市中心。始建于7世纪，后有扩建，为唐代及尼泊尔、印度风格。大殿所奉释迦牟尼镀金像，系文成公主由长安带来。侧殿供松赞干布与文成公主像。文物收藏丰富。

罗布林卡：藏语意为"宝贝园"。始建于18世纪达赖七世时，后为历代达赖的夏宫。格桑颇章为藏式宫殿，周围林木繁盛，为民族园林代表。现为当地民众游憩的公园。

扎什伦布寺：藏语意为"吉祥须弥"，位于日喀则市。依山傍水，殿宇辉煌。始建于明正统十二年（1447年），为班禅四世以后历代班禅的宗教、政治活动中心。

雅鲁藏布江：横贯本区南部，喜马拉雅山北侧。流域海拔4500米，是世界上海拔最高的河流，沿江两岸景色悦目，是本区第一大河。下游有世界第一大峡谷——雅鲁藏布大峡谷，全长504.6千米，最深处达6009米，平均深度为2268米。

纳木错

名优特产

首推名贵中药材当归、天麻、冬虫夏草、贝母、蛤蚧、全蝎、硼砂、藏红花等。藏红花原产国外，具有活血、通经、祛淤、止痛等功能。传统手工艺品繁多，有拉萨、日喀则、江孜地毯、拉萨、江孜卡垫、拉萨、乃东藏式毛呢、围裙、昌都藏毡、金银铜铁器皿、昌都、拉萨、江孜、日喀则藏装、拉萨陶器、山南木碗等。苹果质优、红元帅、黄元帅等品种含糖量达17%~18%；林芝冬桃个大、色美，称果中佳品。

酥油茶、青稞酒、糌粑（即炒面）为著名风味。烧肝为藏民小吃，香嫩味鲜，别有风味。卡色、不鲁、豌豆糌粑、燕麦糌粑等有名。

主要城市

拉萨：国家历史文化名城。位于本区中部，市区在拉萨河北岸。是青藏铁路和川藏、青藏公路终点。建立了电力、煤炭、机械、纺织、化工、轻工等工业。

日喀则：国家历史文化名城。位于本区南部，雅鲁藏布江与年楚河汇流处。是已有500多年历史的西藏第二大城市。主要工业有电力、机械、食品、皮革加工等。手工业所产氆氇、藏靴、马具等行销本区各地。

一江两河

指雅鲁藏布江中游及其支流年楚河、拉萨河流域地区，位于青藏高原南部，包括拉萨市、日喀则市和山南地区的一部分，土地面积6.65万平方千米，占西藏自治区土地总面积的5.41%，人口80万人，约占西藏自治区总人口的30%。

一江两河地区是藏族文化的发祥地，也是西藏自治区的政治、经济和文化中心，交通便利，人口稠密，土地、水利、能源、矿产和旅游资源丰富。1990年，中央决定把该地区的综合开发列入国家"八五"计划和十年规划的重点建设项目。

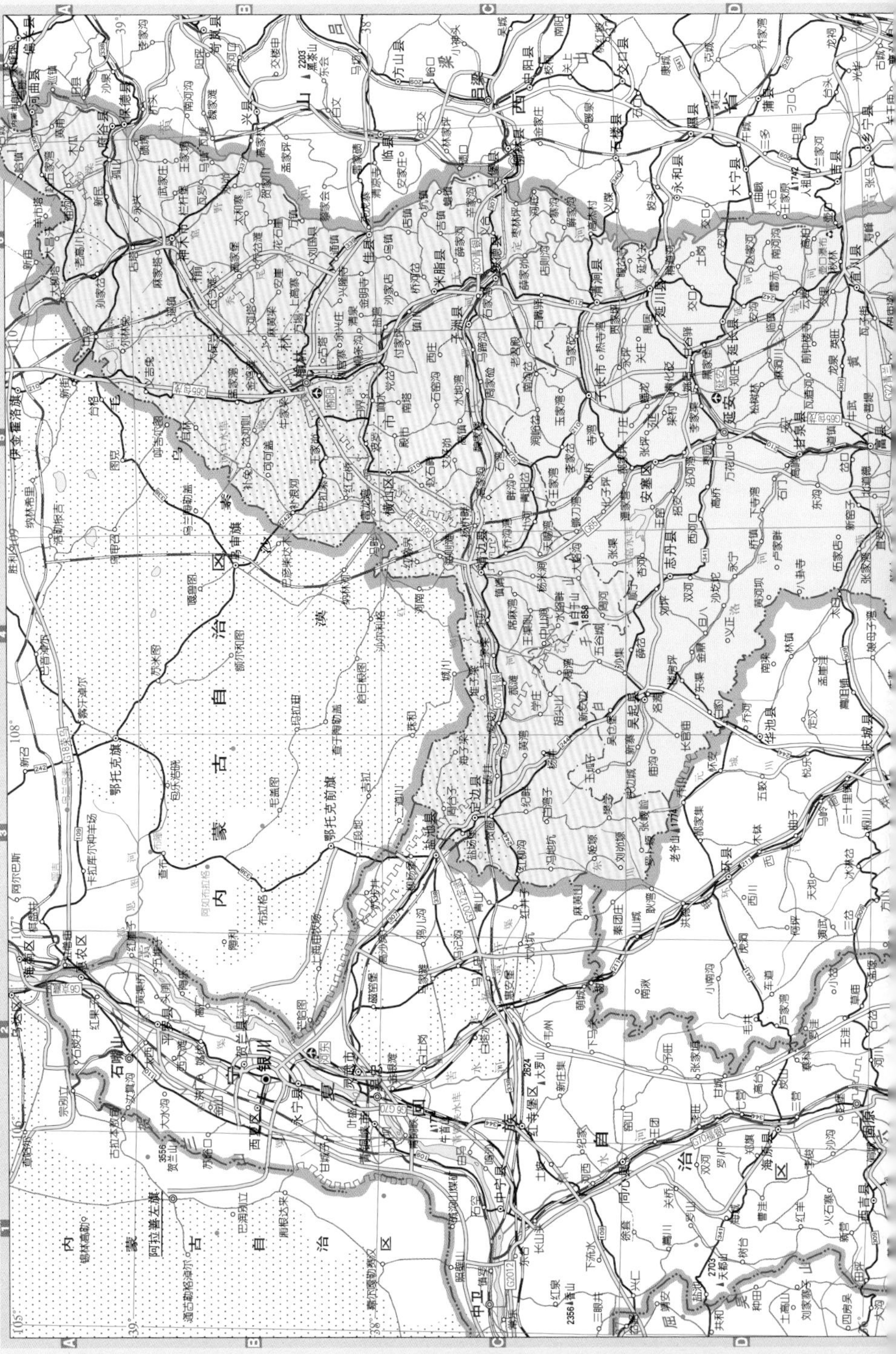

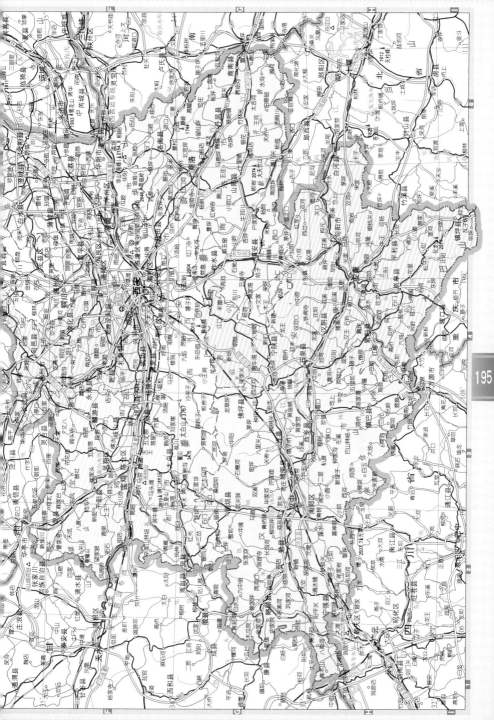

西安

概况

陕西省简称陕。地处我国黄河中游，北部跨黄土高原中部。北接内蒙古，西邻宁夏、甘肃，南接川、渝、鄂，东与山西、河南为邻。全省面积约21万平方千米。人口3954万，有汉、回、满、蒙古等民族。省辖10个地级市、7个县级市、69个县、31个市辖区。省会西安市。

本省是中华民族及其远古文明的发祥地之一。有13个封建王朝先后在此建都，历时1100多年。元代设陕西行省。明代置陕西布政使司。清代设陕西省。

地形

地势南高北低，中间低，自北而南分为陕北高原、关中平原、秦巴山地三个自然区。其中，陕北高原黄土分布广泛，具有典型的塬、梁、峁等地形，是我国水土流失严重的地区之一。主要山脉有秦岭、大巴山、华山，秦岭的太白山为本省最高峰，海拔3767米。关中平原（又称渭河平原）、汉中盆地、安康盆地均为农业发达地区，关中平原向有"八百里秦川"之称。东有黄河，北有无定河、延河，西有嘉陵江，南有汉江，中有渭、泾、洛三河以及丹江等河流。其中全长787千米的渭河为黄河的最大支流。

气候

地处亚热带湿润区到西北干旱区的过渡地带，自北向南分属温带半干旱季风气候、暖温带半干旱半湿润季风气候和亚热带湿润季风气候。陕北冬冷、夏热，冬春干燥，秋夏多雨；陕南雨量充沛，温暖湿润。全省年平均气温9～16℃，其中北部平均气温7～12℃，关中平均气温12～14℃，南部平均气温14～16℃；1月平均气温−11～3.5℃，7月平均气温21～28℃，山区偏低。年无霜期150～170天。年平均降水量680多毫米，南北差别比较大，陕北仅400毫米，陕南则为900～1000毫米以上。由于季风气候，7～9月为多雨期，冬春易旱，且有风沙、寒潮侵袭。

自然资源

矿产资源已发现80多种，其中探明储量的有60多种，储量在全国前三名的有10多种，前十名的有30多种，主要有煤、铁、锰、铜、铝、钼、铅、锌、金、磷、石油、石灰石、石膏、石墨、天然碱、耐火粘土。

水资源总量相对丰富，流域面积在100平方千米以上的河流583条，其中流域面积1000～5000平方千米的有55条；地面水径流量438亿多立方米；河流水能蕴藏量1437万千瓦，可装机2.5万千瓦以上的大中型水电站有28处。

生物资源种类多、生长量大。有森林面积470.8万公顷，林木蓄积量2.95亿立方米。仅秦巴山区就有经济价值较高的植物2150多种，还有许多栽培植物的原始类型和野生亲缘种，是我国最大的生物基因库之一。有兽类140多种，鸟类360多种，两栖爬行类60余种。珍稀动物有大熊猫、金丝猴、羚牛、黑鹳、苏门羚以及被列为"国际保护鸟"的朱鹮。

农业

以粮食生产为主，农、林、牧综合发展。农作物耕作制大致为陕北一年一熟，主产谷子、糜子、玉米；关中二年三熟，为著名小麦、棉花产区；陕南一年二熟，主产水稻及亚热带作物。经济作物有油菜、棉花、柑橘、棕榈、蚕丝、苎麻、茶叶、核桃、板栗、胡麻、烟叶、甜菜等。

养殖业以羊为主，头数约占全省畜种的80%，兼养牛、驴等，为全国最大的奶山羊基地；"秦川牛"、"关中驴"等优良畜种闻名全国。

工业

在只能生产少量煤、石油、白酒、火柴、棉纱、面粉的基础上，新建和扩建了煤炭、电力、石油、钢铁、机械、仪表、水泥、化肥、造纸、电子、塑料、化纤及棉、毛、丝的纺织、印染工业。机械、电子、煤炭、纺织工业在全国占重要地位。西安、宝鸡、咸阳、铜川为工业中心，延安、汉中等地也建立了中型企业。

交通

以铁路为骨干，航空、公路、水运并举的综合运输网初具规模。

铁路：有陇海、宁西、宝中、襄渝、宝成、阳安、西太、西包、西康线及郑西、大西、西宝高铁。

公路：以西安为中心，主要有包茂、福银、连霍、京昆、青银、沪陕等高速公路和连接各地的干线公路。

民航：有西安咸阳、汉中西关、榆林榆阳、延安、安康等机场，可通国内50多个城市，西安有通往日本及韩国等国的国际航线。

主要旅游景点

本省既富名山胜水，又多文物古迹，是中国旅游较发达地区之一。国家重点风景名胜区有华山、临潼骊山、宝鸡天台山、黄帝陵、合阳洽川。秦始皇陵及兵马俑列入世界遗产名录。法门寺、乾陵、陕西历史博物馆、大雁塔、西安碑林、华清池、半坡遗址、翠华山、革命圣地延安的宝塔山、杨家岭、枣园等为知名景点。

华山：我国"五岳"之西岳，海拔2155米，为五岳之最。因"远而望之若花状"得名。以奇拔峻秀冠天下，10千米的登山道步步奇险撼人心魄，素有"自古华山一条路"之称。

临潼骊山与华清池：骊山位于西安东30千米处。为秦岭支脉，海拔800余米，远望山形如褐色的骏马，故名。历代帝王多在此建筑行宫别墅，唐玄宗时大兴土木，修汤池，建宫殿，命名为"华清池"。自北面登上骊山三级陡崖，有老母殿、长生殿、周幽王"烽火戏诸侯"的烽火台等名胜古迹。

大雁塔：位于西安城南4千米的唐代最大佛教寺院——慈恩寺内。始建于652年，是唐代名僧玄奘为贮藏其自印度取回的佛经而亲自设计的。塔现存7层，高64米，通体呈方形角锥状，是我国古代楼阁式砖塔建筑典范。

碑林：位于市区三学街的陕西省博物馆内。碑林博物馆为世界上50个重要博物馆之一，始建于1087年（北宋），是我国最大的书法艺术宝库，入藏碑石近3000块，现设6个碑廊、7座碑室、8个碑亭。其中珍品有唐"开成石经"，颜真卿、柳公权、欧阳询、赵孟頫页、张旭等大书法家刻石和墨宝，唐"昭陵六骏"中的四骏。"碑林"二字本则徐平书。现除碑林外又增加了石雕、石棺、墓志等。

秦始皇陵兵马俑博物馆和铜车马馆：位于临潼东5千米处。与地20000平方米，内有武士俑8000余尊、战马雕塑约600匹、兵车125余辆，被誉为"20世纪最壮观的考古发现"、"世界第八奇迹"。

半坡遗址：位于西安东郊，浐河东岸半坡村北，为6000年前的原始社会母系氏族聚落遗址。1958年建成博物馆，内有根据考古发掘复原的房屋、围栏、储藏室、陶窑、墓葬与生产、生活器具等，为研究母系社会的珍贵资料。

名优特产

手工艺品有唐三彩、西安香包、刺绣、扎染、烙花筷、青花瓷碗等。西凤酒、白水杜康酒历史悠久。旅游产品有穿罗绣"半坡古娘"装饰绣片、仿陕西出土文物秦兵马俑、仿出土文物丝绸之路三彩望驼、陕西皮影。风味食品有西安辣椒干、长安板栗、水晶饼、鲜花饼、西安驴肉干、羊肉泡馍、榆林豆腐等。主要药材有陕西党参、天麻等。

兵马俑

主要城市

西安：我国七大古都之一。古称长安，是古代亚洲和东方的贸易都会，也是举世闻名的"丝绸之路"起点。自公元前11世纪起，先后有西周、西汉、隋、唐等十三个王朝在此建都，历时千余年，是中国建都最早、为时最长的国家历史文化名城，也是世界四大文明古都之一。现有钢铁、仪器仪表、电子、农机、化肥、水泥、汽车制造、钟表等工业，已成为以机械、纺织工业为主的工业城市，又是西北地区的交通要冲。

延安：位于陕北高原、延河中游的革命圣地，国家历史文化名城。1937～1947年间，中共中央在这里领导了敌后的抗日战争和全国的解放战争。工业有电力、机械、化肥、汽车修配、纺织等。

咸阳：位于渭河平原中部，陇海、咸铜铁路交会点，为国家历史文化名城。现为本省工业中心之一，以纺织为主，并有机械、化工、电力、建材、造纸等门类。本省西部和甘肃庆阳、平凉等地物资多在此集散。

宝鸡：地处陇海、宝成铁路交会点，是通往西北、西南的交通喉咙。向为关中平原西部及陕、甘、川三省边区的物资集散地。现为本省第二大工业城市，有轻工、电子、机械、纺织、建材、化工、造纸、食品等门类。

渭南：位于陕西省中部偏东南，渭河平原东部，南连秦岭，东临赤水河，西濒零河，陇海铁路线上。为陕西省重要粮棉产区。

汉中：位于陕西省西南，汉江之阳，汉中盆地之腹，故名。向为陕南物资集散中心，国家历史文化名城。特产天麻、杜仲、参叶等。

大唐芙蓉园

199

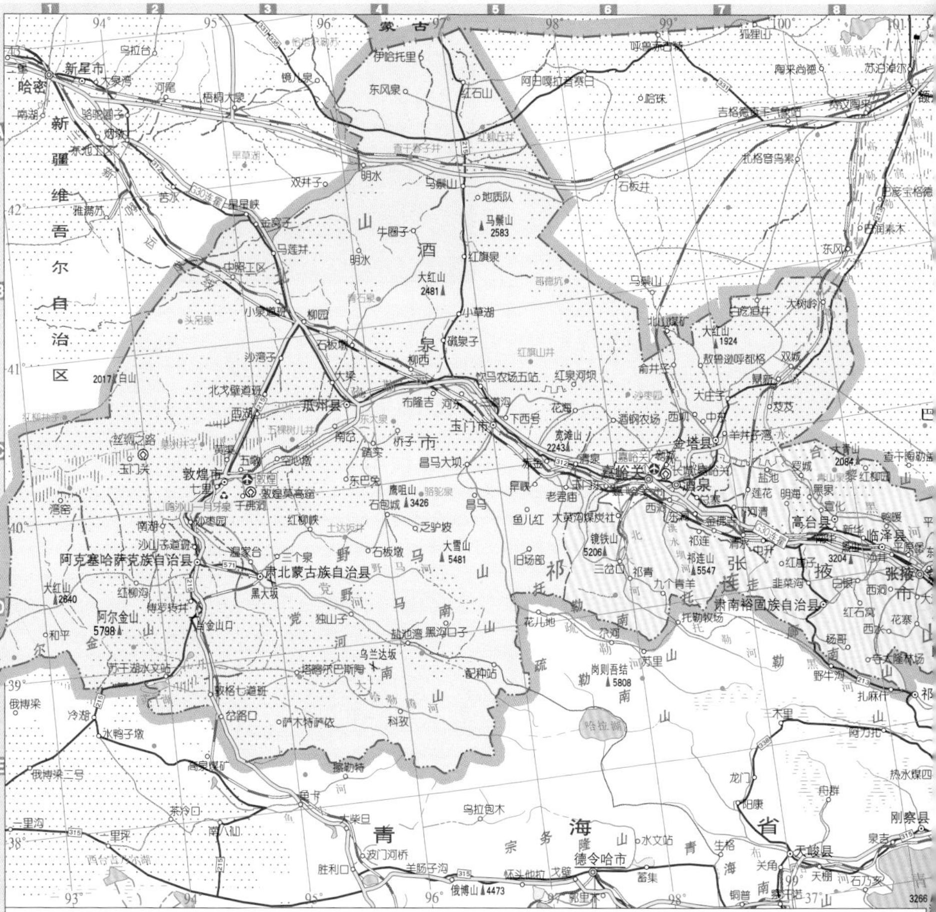

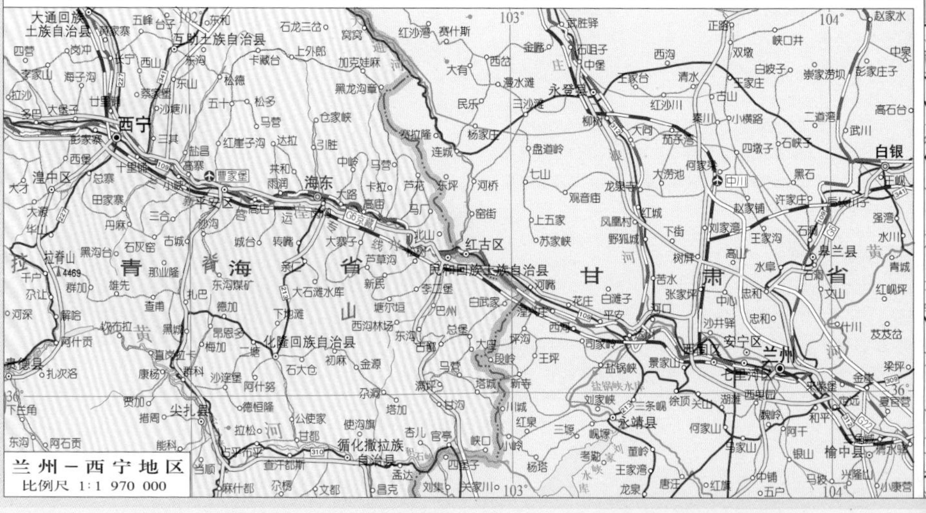

蒙古

新疆维吾尔自治区

哈密

酒泉

瓜州县

玉门市

敦煌市

阿克塞哈萨克族自治县

肃北蒙古族自治县

阿尔金山

祁连山

马鬃山

张掖市

临泽县

高台县

青海省

德令哈市

兰州—西宁地区

比例尺 1:1 970 000

大通回族土族自治县

互助土族自治县

西宁

海东

青海省

甘肃省

白银

兰州

永靖县

循化撒拉族自治县

化隆回族自治县

民和回族土族自治县

尖扎县

200

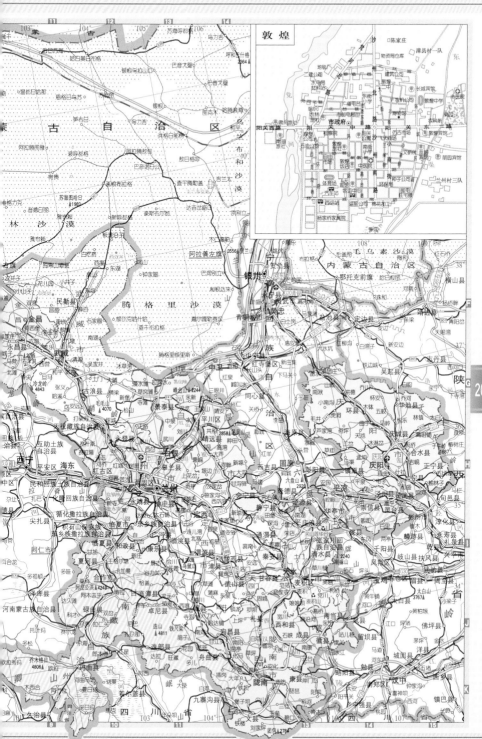

兰 州

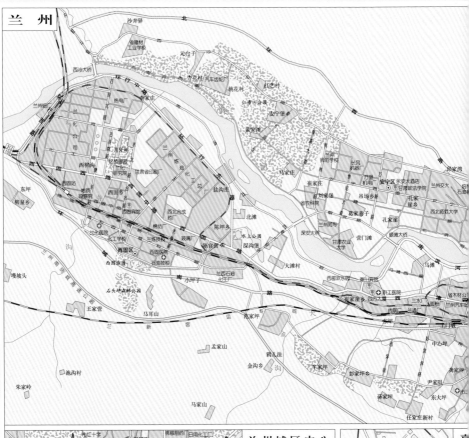

兰州城区中心

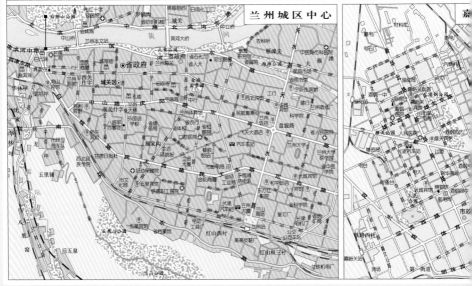

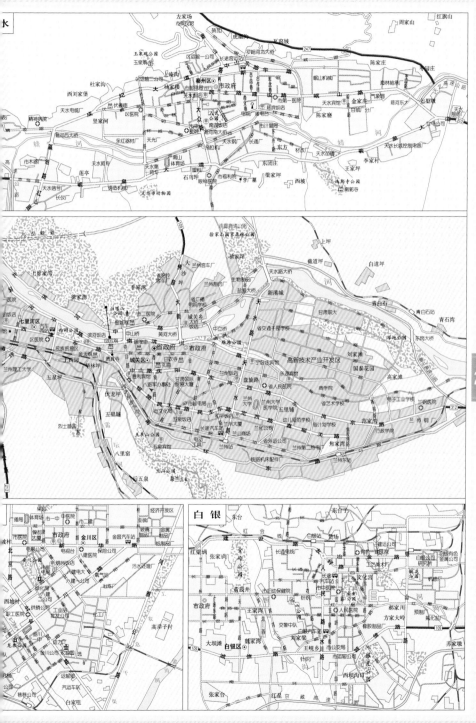

概况

甘肃省简称甘或陇。地处我国西北地区，黄河上游。东接宁夏、陕西，南邻四川，西和西南连青海、新疆，北与内蒙古自治区和蒙古国接壤。全省面积约43万平方千米。人口2490万，有汉、回、藏、东乡、裕固、保安、蒙古、哈萨克、土、撒拉、满等民族，是我国多民族省区之一。省辖12个地级市、2个自治州、5个县级市、57个县、7个自治县、17个市辖区。省会兰州市。

春秋战国时为羌等地。秦置陇西、北地2郡，西部属月氏。汉为凉州。唐设甘、肃、沙、兰、凉等州。元置甘肃行省，取甘州、肃州首字得名。明属陕西布政使司。清析置甘肃省。汉朝开拓了"丝绸之路"，成为中西经济文化交流的重要通道，隋唐时成为全国最富庶的地区之一。

地形

地形狭长，地势西北高而东南低，处于黄土高原、内蒙古高原与青藏高原交会地区。其东部为黄土高原，起伏较大，河流贯穿，水力资源丰富；西部以半荒漠和荒漠为主。因得祁连山雪水之利，农牧业发达。省内山岭重叠，沟壑纵横，山地和高原占全省总面积的70%以上，大部分地区海拔在1000～3000米，西北部有大片沙漠和戈壁分布。另外，还有丘陵、盆地、河谷平原等多种地貌类型。主要山脉有阿尔金山、祁连山、冷龙岭、乌鞘岭、合黎山、龙首山、野马山、北山。其中阿尔金山主峰海拔5798米，为本省最高峰。主要河流有黑河、疏勒河，黄河及其支流洮河、渭河、祖厉河，长江流域有嘉陵江上游的支流白龙江、西汉水。

气候

属温带大陆性气候，干旱缺雨，温差较大。四季的气候特点是：冬季雨雪少，寒冷时间长；春季升温快，冷暖变化大；夏季气温高，降水较集中；秋季降温快，初霜来临早。年平均气温4～14℃，1月平均气温-14～3℃，7月平均气温11～27℃。年无霜期160～280天。年平均降水量300～560毫米，7～9月为多雨期。由于干旱面积大，西部大风，东南部冰雹，对农作物生长不利。

自然资源

已发现各种矿点1900多处，已探明储量的矿种有60多种，有20多种居全国前五位，镍、铂、钯、锇、铱、钌、铑、硒、重晶石、铸型粘土等10种居全国第一位。

水资源总量相对贫乏，地表水年总径流量600多亿立方米，地下水资源总量240多亿立方米／年，人均水资源占有量远低于全国平均水平。水力资源较丰富，水能理论输出大于1万千瓦的河流有80多条，理论总蕴藏量1400多万千瓦。

热能资源较丰富，大部分地区特别是河西地区5地、市的日照百分率高达65%～75%，年平均日照时数达2900～3300小时，是我国利用太阳灶较多的地区。有12%的地区风速在4米／秒以上，河西地区年有效风能密度在50～200瓦／平方米，是我国风能资源丰富而较集中的地区。

生物资源种类多。有林地390多万公顷，主要防护林有沙枣、红柳等；野生动物有500多种，其中属于国家保护的珍稀动物90多种；野生植物有1200多种，分布广泛。

农业

以粮食生产为主，农、林、牧综合发展。由于自然条件差异很大，各地农业生产和耕作制显著不同。粮食作物有小麦、糜子、谷子、玉米、青稞、马铃薯。经济作物有棉花、油料、麻类、甜菜、烟叶。

森林树种繁多，云杉、油松、泡桐、杨树等用材林在全国占有重要地位。有核桃、漆树、油桐、柑橘、红枣等经济林木，以及"岷归"、"纹党"等多种药材。

主要牧种为牦牛、黄牛、犏牛、马、羊。甘南高原的河曲马、欧拉羊为全国有名的优良品种。羊毛、皮革、肠衣为重要畜产品。

工业

形成以能源、有色金属、石油化工、机械、电子、轻纺食品、建筑材料为主体的比较完整的工业体系，以国营大中型企业为代表的企业群体成为工业发展的骨干和经济发展的重要依托。镍、铝的生产能力居全国首位，水电发电量居第五位，铁合金的产量居第七位。产量居全国20位以前的还有原油、塑料、生铁、化学农药、化学纤维等。

交通

建成以铁路、公路、航空为主的交通运输网。

铁路： 有陇海、包兰、兰青、兰新和兰新客运专线等以兰州为区纽的铁路干线。

公路： 建成甘新、红当、甘川等干线公路。以兰州为中心形成了公路网，通达省内大多数乡镇。有京藏、青兰、连霍、福银、兰海、兰州至中川机场的高速公路。

水运： 内河航运不便。除刘家峡水库区可通行机动船外，白龙江碧口以下可通木船。

民航： 有兰州中川、嘉峪关、敦煌、庆阳等机场，可通国内30多个城市。

主要旅游景点

驰名中外的"丝绸之路"贯穿东西，留下许多著名历史人物的足迹和丰富多采的文物名胜，是我国旅游业较发达地区之一。国家重点风景名胜区为麦积山、崆峒山、鸣沙山—月牙泉。敦煌莫高窟、长城（嘉峪关）列入世界遗产名录。永靖炳灵寺石窟、瓜州榆林石窟、武山水帘洞石窟、庆阳北石窟寺、夏河拉卜楞寺、张掖大佛寺、武威海藏寺、文庙和雷祖庙、天水南郭寺和伏羲庙、兰州白塔寺等为知名旅游景点。

嘉峪关

敦煌莫高窟：位于敦煌东南25千米的鸣沙山东麓断崖上。创作年代自前秦建元二年（公元366年）至元代。现存石窟492座，彩塑2415尊，壁画45000余平方米，突出展现了中国佛教艺术发展史和丰富形象的社会历史。

炳灵寺石窟：位于兰州西南120千米，刘家峡水库上游的小积石山峭壁上。寺内有西秦至清代约1500多年间的窟龛183个、石雕像694身、泥塑像82尊，另有壁画900多平方米。

鸣沙山

名优特产

兰州水烟、白兰瓜、兰州百合、黑瓜子、蕨菜，以及当归、党参、黄芪等中药材，都是具有地方特色的名产。酒泉夜光杯、洮砚（我国四大名砚之一）、黄河卵石雕刻和雕刻葫芦等工艺品久负盛名。甘肃彩陶、仿武威墓出土的铜飞马、洮河绿石大砚被评为地方优秀旅游产品。兰州牛肉拉面、浆水面、高三酱肉、高担酿皮、酿百合、水晶饼、拔丝洋芋、拔丝白兰瓜为主要风味。

主要城市

兰州： 位于陇中黄河沿岸的兰州盆地，陇海、包兰、兰新、兰青4铁路交会点，建立了石油、石油化工、机械制造、有色金属、电力、钢铁、采煤、建材、食品、纺织、制革、医药、造纸等工业，是中原通往西北地区的交通要冲。以"瓜果城"闻名，著名的白兰瓜肉厚汁多，含糖量10%～15%。

天水： 国家历史文化名城。有机械、毛纺、电工器材、面粉、火柴等工业，雕漆、地毯著名。

玉门： 我国最老的石油基地。有石油、电力、机械、农机、氮肥等工业。

嘉峪关： 西北最大的钢铁基地。其他工业有电力、电石、炭黑、水泥、轻纺、食品等。境内嘉峪关为万里长城的西端起点。

白银： 位于甘肃省中部，包兰铁路线上。以铜为主的有色冶金生产基地，甘肃省煤炭基地。

敦煌： 国家历史文化名城。位于河西走廊西端、党河下游绿洲中，为古代"丝绸之路"的要站。多古迹，城东南三危山下的千佛洞（莫高窟）为我国三大石窟艺术宝库之一，工业有建材、电力、农机、轻工、食品、饮料等。

金昌： 位于河西走廊腹部，为我国第一个大型镍合金基地。有冶金、化工、建筑、机械、电力、食品加工等工业。

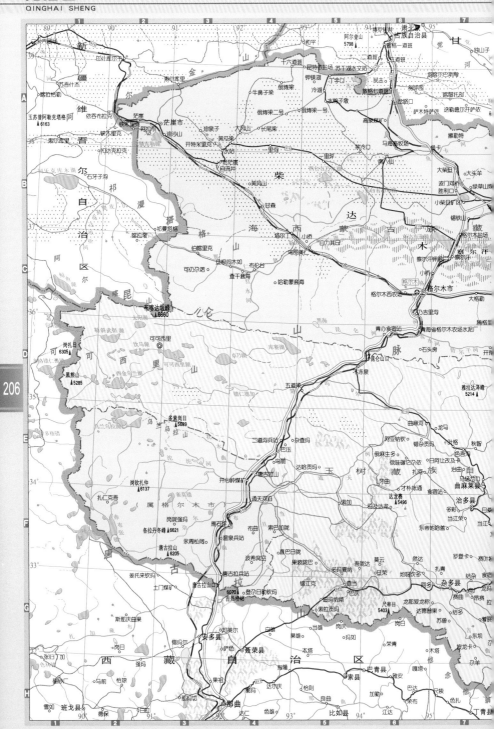

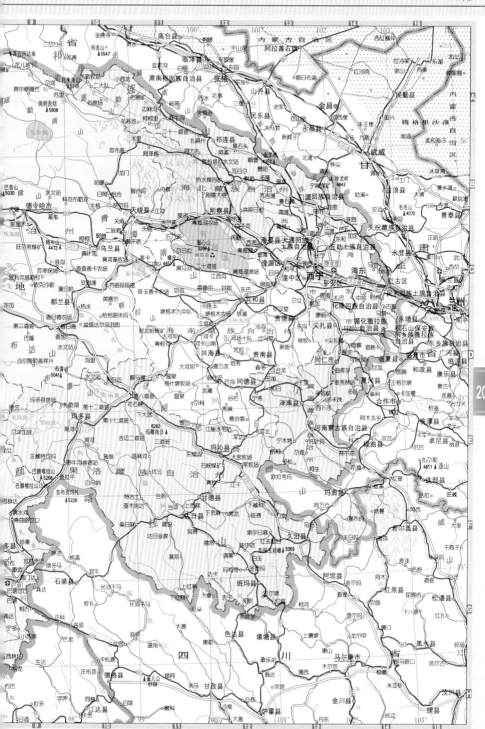

比例尺 1:4 900 000

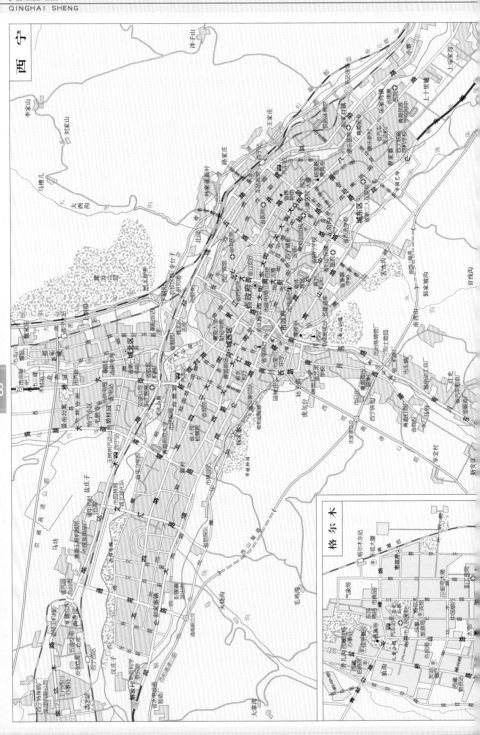

西宁

格尔木

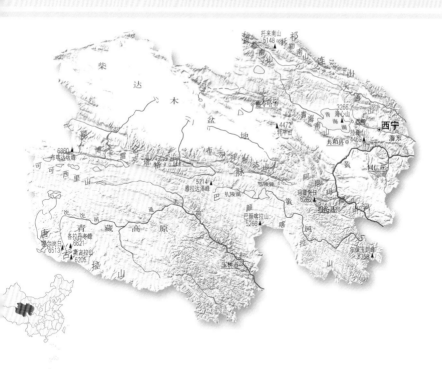

概况

　　青海省简称青。地处我国西北部，青藏高原东北部。东北邻甘肃，东南接四川，西南与西藏毗连，西北与新疆相邻。全省面积约72万平方千米。人口594万，有汉、藏、回、土、撒拉、蒙古、哈萨克等民族。省辖2个地级市、6个自治州、5个县级市、25个县、7个自治县、7个市辖区。省会西宁市。

　　古为西戎地。汉置西海郡，余为羌地。隋置西海、河源等4郡。唐、宋设州，余为吐蕃地。元为宣政院辖地。明属朵甘都司。清代为青海办事大臣辖区，1929年10月设青海省。

地形

　　本省是青藏高原一部分，地势高峻，与西藏同称为"世界屋脊"，全省平均海拔3000米以上，地势西高东低。主要山脉：南有唐古拉山，西北有阿尔金山；东部是祁连山；昆仑山横贯中部并分为可可西里山、巴颜喀拉山、阿尼玛卿山等，其支脉阿尔喀山主峰布喀达坂峰海拔6860米，为本省最高峰。有柴达木盆地、青海湖盆地、共和盆地、可可西里盆地、哈拉湖盆地等。其中，柴达木盆地面积25万平方千米，是我国第三大内陆盆地。河、湖众多，集水面积在500平方千米以上的河流有276条。水面面积大于1平方千米的湖泊有266个，其中淡水湖151个，咸水湖85个，盐湖30个。我国五大河长江、黄河、澜沧江均源于本省，较大的河流还有湟水、大通河、扎曲、黑河、通天河、疏勒河、柴达木河等。主要湖泊有青海湖、哈拉湖、扎陵湖、鄂陵湖、达布逊湖、察尔汗盐湖、可可西里

湖、茶卡盐湖、托素湖等。其中青海湖为我国最大的咸水湖，面积4583平方千米。

气候

　　属典型的大陆性高原气候，干燥、多风、寒冷、缺氧，冬寒夏凉，日照长。年平均气温-5~8℃，1月平均气温-18.2~-7℃，7月平均气温5~21℃。年无霜期30~90天，年日照时数为2300~3600小时。年平均降水量250~550毫米。由于高原气候，空气稀薄，大风日数较多，2~4月为沙暴天气。

自然资源

　　已发现各类矿产近100种，探明储量的有80多种，在全国占前10位的近40种，其中氯化锂、氯化钾、氯化镁、池盐、石灰岩、硅石、石棉、硒、硼、芒硝、溴、钾、自然硫、天然碱、碘、钴、铟在全国占第一位。

　　水系发达，湖泊众多，水资源总量636亿多立方米，河流平均年径流量620多亿立方米，浅层地下水径流量33亿多立方米，可开采量12亿多立方米。

　　水能资源丰富，理论输出在1万千瓦以上的干支流100多条，理论输出蕴藏量2160多万千瓦。已建水电站20多座，龙羊峡水电站最大。

　　热能资源比较丰富，年日照时数为2300~3600小时，日光辐射量在（160~175大卡）／平区，全年3米／秒以上风速达3000~4000小时，平均风能密度达80~140瓦／平方米，现有百余架风力发电机在使用中。

生物资源有森林约320万公顷，林木蓄积量为3060多万立方米；森林覆盖率约4.4%，药用植物500余种，较著名的有大黄、虫草、甘草、党参、枸杞、水母、雪莲、紫花、杜鹃；鸟类200多种，兽类50多种，鹿、野牦牛、野驴、野骆驼、藏羚、盘羊、雪豹等国家级保护动物。

农业

以牧业为主，农、林、牧、渔综合发展。农作物一年一熟，粮食作物有小麦、青稞、谷子、马铃薯等。小麦主产于河川低地，青稞主产于高原；经济作物主要有蚕豆、豌豆、油菜、甜菜等。

林木树种主要有云杉、青杨、小叶杨、旱榆、沙棘、花椒，引进了落叶松、刺槐等；经济林木有苹果、梨、葡萄等。鱼类有40多种，主要有湟鱼、裸鲤、极边扁咽齿鱼以及鲤鱼、鲫鱼等。

畜牧业历史悠久，主要牲畜有绵羊、牦牛、犏牛、山羊、马、驴、骆驼等，其中"河曲马"、"大通马"为我国优良品种。

工业

建立了冶金、煤炭、机械、化工、石油、电力、建材等重工业，以及纺织、皮革、食品、造纸、盐业等轻工业。基本形成初具规模、较为完整的工业体系。

交通

初步建成以公路为骨干，包括铁路、航空的交通网。

铁路：有兰青线、青藏线、兰新客运专线等干线铁路，支线通往大通、柴达尔、茶卡、格尔木。

公路：以西宁为中心，以京藏高速和青藏、青新、青川等通达省内外的辐射线为骨干，形成伸向广大农村、厂矿的交通网。

民航：有西宁曹家堡、格尔木等机场，开辟了西宁至北京、成都、重庆、敦煌、广州、昆明、拉萨、上海、深圳、乌鲁木齐、西安等10多条航线。

主要旅游景点

由于地处高原，少数民族多，旅游业独具一格。莽莽昆仑、风雪祁连以及黄河、湟水河谷等名山大川，冰川秀丽，峻岭连绵，是登山科考的理想之地。青海湖为国家级风景名胜区。主要名胜古迹还有塔尔寺、清真大寺等。

鸟岛

青海湖鸟岛：青海湖面积4583平方千米，湖面海拔3000多米，是我国最大最高的内陆咸水湖。鸟岛在湖的西北部，面积仅0.8平方千米。每年5月至冬季来临以前，从东南亚、印度、巴基斯坦和我国南方飞来的斑头雁、天鹅、鱼鸥、棕头鸥、鸬鹚、秋沙鸭等10多种、10多万只鸟栖息岛上，营巢孵雏，蔚为壮观，是我国特有的自然保护区。

塔尔寺：位于西宁西南25千米的湟中县鲁沙尔镇、莲花山山坳。是我国喇嘛教中黄教的6大寺院之一。该寺于1560年依山而建，占地12公顷，由大金瓦寺、大经堂、如意宝塔组成，组成了汉藏结合的完整建筑群。

清真大寺：位于西宁市东关。是我国西北最大的清真寺之一。该寺始建于明洪武年间，1914年重建，总面积11940平方米，具有我国古典宫殿建筑特点和独特的民族风格。

名优特产

特产旱獭皮、毛毯毽、黑紫羔皮、彩绘天鹅蛋、仿塔尔寺金钟瓷缸、藏刀等；药材有大黄、甘草、水母、雪莲、党参、紫花、杜鹃、枸杞等；青海湖盛产无鳞湟鱼。

主要城市

西宁：位于湟水谷地，兰青铁路线上。地处进出青海高原的要冲，是一座具有2000多年历史的古城。西汉时为西海郡地，东汉（25～220年）时为西都都尉地，唐称鄯州，五代中为青唐城，12世纪又称西宁州。有冶金、机械制造、毛纺、化工、造纸、电子、建材、医药等工业。仿塔尔寺金钟瓷缸、绒毛画较著名。

格尔木：位于柴达木盆地南缘，格尔木河畔。是内地联系新疆、西藏的门户。以盐化工业为主，有"盐湖城"之称，并有电力、机械、汽车修配、炼铁、砖瓦、皮革、制糖等工业。

德令哈：位于柴达木盆地东北边缘。是海西蒙古族藏族自治州首府。有多种小型加工业。

年保玉则风光

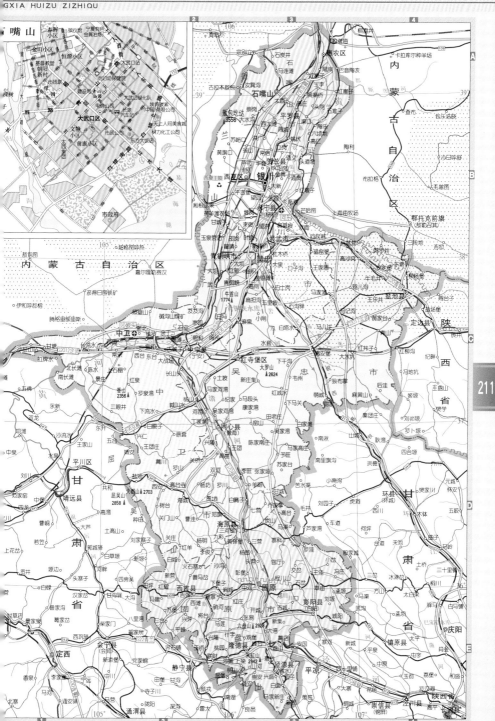

比例尺 1:2 500 000

211

概况

宁夏回族自治区简称宁。地处我国西北地区东部，黄河中游。与陕西、甘肃、内蒙古等省区为邻。全区面积约6.6万平方千米。人口725万，有回、汉、满等民族。自治区辖5个地级市、2个县级市、11个县、9个市辖区。首府银川市。

秦代属北地郡。汉属朔方刺史部。宋主要为西夏地。元置宁夏府路。明置陕西布政使司属宁夏卫、宁夏中卫等。清置甘肃省宁夏府等。1929年置宁夏省。1958年成立宁夏回族自治区。

地形

以山地、高原为主，地跨黄土高原和内蒙古高原，海拔1000米以上。地势南高北低，自自然地理分为西北部沙漠区、东部黄灌区、南部黄土丘陵区。主要山脉有六盘山、贺兰山、牛首山，其中贺兰山脉是银川平原的天然屏障，其山脊又是我国内外流域的分界，海拔3556米的主峰为本区最高点。山地丘陵占全区面积的54%，平原沙漠占46%。有银川平原、卫宁平原、清水河河谷平原、黄土丘陵，其中银川平原农业发达，为我国西北地区重要粮食基地，向有"塞外江南"和"塞上谷仓"的美称。主要河流有黄河、清水河、苦水河、泾河、茹河、葫芦河等。

气候

地处温带大陆性气候区，属半湿润、干旱气候。年平均气温5~10℃，1月平均气温-10~-7℃，7月平均气温17~24℃。年无霜期125~195天。年日照时数大部分地区在2250小时以上。年均降水量200~600毫米之间。

自然资源

已发现有用矿产资源近50种，其中已探明储量的近20种。煤储量大、品种全、质量优、开采条件好。非金属矿产丰富，主要有石膏、石灰岩、大理石、石英砂。金属矿产资源较少。

水资源总量相对较少，天然地表水资源量（黄河干流除外）为8.89亿立方米，黄河年均径流量为325亿立方米，地下水资源量为25亿多立方米，按人口、土地平均占有的水资源量明显低于全国。水能资源理论蕴藏量为200多万千瓦。

大部分地区日照充足，太阳辐射强，是我国光能资源的高值区。气温日差较大，全区活动积温都大于10℃。

生物资源种类少，有林地557.8万亩，园地12万亩，草地4522万亩。

农业

是我国西北重要农业区。银川平原引黄灌溉已有两千多年历史，有"天下黄河富宁夏"之说。

以粮食生产为主，主要粮食作物有春小麦、水稻、玉米、高粱等，经济作物有胡麻、甜菜、油菜、枸杞、瓜果等。

畜牧业独具特色，是我国裘皮羊重要产区，滩羊皮、中卫山羊皮享有盛誉。

工业

建立了煤炭、机械、冶金、电力、化工、轻工、石油、电子等工业。地毯、制毡、制革工业富有地方和民族特色。银川栽绒毯、贺兰石刻为传统手工艺品。

交通

以铁路、公路、航空为主要交通运输线。

铁路：包兰线在区内长361千米，由西南方向出境与兰新、兰青、陇海等铁路相连；宝中铁路与陇海线相接，连通陕、甘、宁三省区。铁路支线有平汝、甘武、银新及大古线。

公路：有京藏、青银、福银、青兰、定武高速联络线等高速公路和国道、省道构成本区公路主干网络。

民航：有银川至西安、太原、北京、兰州、包头等航线。

主要旅游景点

西夏王陵为国家重点风景名胜区。海宝塔、一百零八塔、须弥山石窟、中卫高庙等为知名景点，全区清真寺约1800余座。

西夏王陵：位于贺兰山东麓，银川市西30千米处。在50平方千米的地域内，有西夏历代帝王陵9座，陪葬墓200余座，规模宏伟，被称为中国的金字塔。

西夏王陵

海宝塔：位于银川市区，始建年代不详，据记载5世纪初重建。塔高54米，为楼阁式9层11级砖砌方塔，而侧面呈"亚"字形，造型挺拔，棱角分明，为全国所少见。旧为宁夏八景之一。

一百零八塔：位于黄河青铜峡口西岸山坡。108座白塔，依山势自上而下按1、3、3、5、5、7、9、11、13、15、17、19奇数排列为12行，形成等边三角形，为中国现存唯一的大型古塔群。塔形类尼泊尔式，塔基下曾出土西夏文题记，据此推断为西夏所建。

须弥山石窟：位于固原市须弥山东麓，创始于北魏，历代增建。原有百余石窟，分布于五个山崖上，现存20余座。从中可探寻中国佛教艺术的发展线索。

沙坡头

名优特产

贺兰砚、鼻烟壶、银川栽绒毯、贺兰石刻为地方优秀旅游产品。枸杞、甘草、贺兰石、滩羊皮、黄河鲤鱼、鸽子鱼、暖泉西瓜、芦花台苹果、玉皂李等特产。

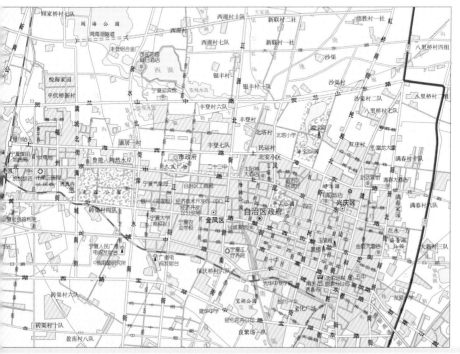

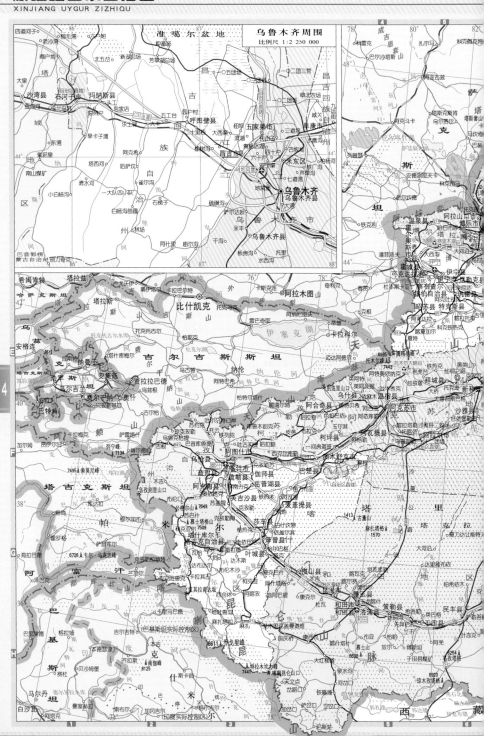

乌鲁木齐周围
比例尺 1:2 250 000

准噶尔盆地

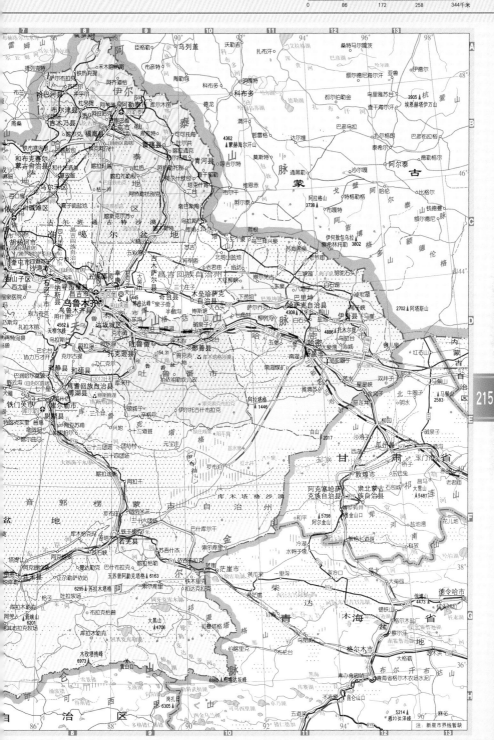

比例尺 1:8 600 000

0   86   172   258   344千米

215

注:新星市界线暂缺

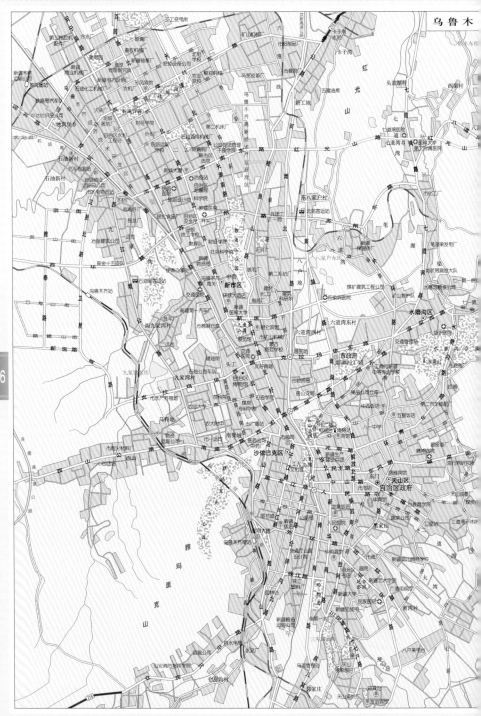

克拉玛依 伊宁

石河子 库尔勒

217

概况

新疆维吾尔自治区简称新。地处我国西北边陲。与蒙古、俄罗斯、哈萨克斯坦、吉尔吉斯斯坦、塔吉克斯坦、阿富汗、巴基斯坦、印度等国为邻，与甘肃、青海、西藏接壤。全区面积约166万平方千米，居全国各省区之首。人口2589万，有维吾尔、汉、哈萨克、回、柯尔克孜、蒙古、俄罗斯、锡伯、塔吉克、乌孜别克、塔塔尔、达斡尔、满等民族。自治区辖4个地级市、5个自治州、5个地区、29个县级市、60个县、7个自治县、13个市辖区。首府乌鲁木齐市。

古称西域。汉时属西域都护府。唐设北庭、安西2都护府。宋为西辽地。清光绪十年（1884年）置新疆省。1955年10月成立新疆维吾尔自治区。

地形

境内高山环绕，山盆相间。主要山脉：南和西南有帕米尔高原、喀喇昆仑山、昆仑山和阿尔金山，北及东北分别为阿尔泰山和北塔山，中部有天山横贯，高峰终年积雪，多冰川。喀喇昆仑山的乔戈里峰海拔8611米，为本区最高峰。以天山为界将全境分为南疆和北疆，北有准噶尔盆地，南有塔里木盆地。哈密和吐鲁番盆地一带又称东疆。此外，还有焉耆、拜城等盆地。面积约53万平方千米的塔里木盆地是我国最大的盆地，中央的塔克拉玛干沙漠是我国最大、世界第二大沙漠。河流有额尔齐斯河、塔里木河、伊犁河、乌伦古河、玛纳斯河、开都河、阿克苏河、叶尔羌河、和田河等，塔里木河为我国第一大内流河，全长2100多千米。著名湖泊有天池、博斯腾湖、罗布泊等，海拔-155米的艾丁湖，为我国海拔最低的湖泊。

气候

属典型的大陆性气候，气温变化剧烈，日照充足，降雨稀少。天山南北气温差异甚大。北疆年均气温为-4~9℃，1月平均气温-20℃，7月平均气温20℃；南疆年均气温为7~14℃，1月平均气温-10℃，7月平均气温25℃。年无霜期北疆为150天左右，南疆为200~220天。全区年降水量146毫米。年日照时数为2600~3000小时。

自然资源

矿产资源种类齐全，已发现120多种，主要有煤、石油、铁、锰、铬、铜、锌、铝、镍、金、银、铍、锂、云母、石棉、芒硝、盐、石灰石、砖用粘土、自然硫、钠硝石以及水晶、冰洲石、宝石、玛瑙、玉石等，新疆玉石自古驰名。

水资源欠丰富。虽有大小河流570条，但多靠山地降雨和高山冰川融化供给。年降水总量2429亿立方米，但年陆面蒸发总量达2200多亿立方米。地表水年径流量约880多亿立方米，地下水可开采约230多亿立方米。水能资源理论蕴藏量为3290万千瓦，其中可开发的有900多万千瓦。

热能资源较丰富，大部分地区年日照时数为2600~3000小时，是我国日照时间最长的地区之一，已利用太阳能电牧栏。昆仑山区有火山活动，温泉很多。

境内多风，九大风区均处于较佳和可利用风能区。全年3米/秒以上风速超过3000小时。风能蕴藏量达15910万千瓦。

生物资源中，野生植物有3000多种，其中有特殊经济和药用价值的达300多种，甘草、贝母、阿魏、雪莲、麻草、红花为名贵药用植物；野生动物100多种，紫貂、野鹿、麝鼠、旱獭、棕熊、雪豹、猞猁、野驴、野骆驼、雪鸡有名而珍贵。森林资源不多，林木蓄积约2亿多立方米，以云杉、落叶松为主要材林。

农业

以农牧业为主，大部分地区农作物一年一熟。小麦、玉米、水稻、高粱是主要粮食作物，小麦分布广泛，玉米大部分在南疆。经济作物有棉花、油菜、胡麻、芝麻、甜菜。养殖业以牛、羊、马为主，著名的有新疆细毛羊、阿勒泰大尾羊、三北羔皮羊、绒山羊以及伊犁、焉耆、巴里坤的良种马和新疆褐羊，是全国四大牧区之一。

本区盛产瓜果，是我国瓜果主产区之一。

工业

建立起门类比较齐全的工业体系，现拥有钢铁、石油、煤炭、电力、机械、电子、化工、建材等重工业，棉纺、毛纺、制糖、造纸、搪瓷、玻璃、皮革、卷烟等轻工业。民族手工艺品种类繁多，著名的有维吾尔族铜器、铜雕、民族乐器、和田地毯和丝绸。

交通

以公路为主，与铁路、航空密切配合的交通运输网初具规模。

铁路：以兰新线为主干，与包兰、陇海线相接，可直达首都和黄海之滨；南疆铁路从乌鲁木齐经库尔勒到喀什；北疆铁路由乌鲁木齐经阿拉山口与哈萨克斯坦铁路接轨，贯通我国联结欧亚的第二条亚欧大陆桥。兰新客运专线建成通车。

公路：有连霍、吐和等高速公路和多条国家级公路，已形成以乌鲁木齐为中心，高速公路、国家级公路、省级公路为主线的公路网络。

民航：有乌鲁木齐地窝堡、喀什、伊宁、阿勒泰、库尔勒、且末、阿克苏、和田等机场，可达国内40多个城市，国际航线可达莫斯科、阿拉木图、比什凯克、伊斯兰堡、新西伯利亚、沙迦、塔什干、叶卡捷琳堡（斯维尔德洛夫斯克）等城市。

主要旅游景点

具有奇特的自然景观，突出的文物古迹，以及绚丽多彩的民族风情。天山天池、库木塔格沙漠、博斯腾湖、赛里木湖等为国家重点风景名胜区。阿斯塔那古墓、千佛洞、高昌故城、交河故城、额敏塔、火焰山、少数民族风情陈列馆、红山和南山牧场、新疆历史博物馆、艾提尔清真寺、葡萄沟等知名景点。天山被列入世界遗产名录。

天山天池：位于阜康市，在海拔5445米的天山博格达峰山腰，第四纪冰碛湖。湖面海拔1980米，面积4.9平方千米，水碧如翠，群峰环抱，云杉、塔松遍山，雪峰绿水相映。夏宜避暑，冬为优良滑雪运动场。

天山天池

库木塔格沙漠：位于新疆鄯善老城南端，面积2500平方千米，是世上少有的与城市零距离的沙漠，集科研、探险、沙地运动、沙疗保健、大漠观光于一体。

博斯腾湖：位于天山东段南坡焉耆盆地东南侧最低洼处，是新疆最大的湖泊，也是我国最大的内陆淡水湖。东西长约55千米，南北宽约25千米，水域面积为1150平方千米，平均深度10米，最深处16米。补给水绝大部分来自高山融化的雪水。

阿尔金山

名优特产

盛产哈密瓜、葡萄、西瓜、库尔勒香梨、伊宁苹果、喀什巴旦杏以及哈密瓜干、无核白葡萄干。哈密瓜甜脆多汁，细腻甘美，素称"瓜中之王"，尤以鄯善县东湖所产品质最佳。马鹿茸，以枝大质嫩，被列为上品。甘草和贝母也有名。烤全羊是维吾尔族招待贵宾的名菜，烤羊肉串、油馓子、凉皮是特色浓郁的新疆风味。新疆地毯、维族小花帽、小刀、乐器（热瓦甫、手鼓、鹰笛等）、玉器为传统手工艺品。

主要城市

乌鲁木齐：位于天山北麓，乌鲁木齐河畔。是古"丝绸之路"新北道的必经之地。现有钢铁、皮革、煤炭、机械、水泥、石油化工、纺织、造纸等工业。手工艺品有地毯、小刀、维族小花帽等。

喀什：古代"丝绸之路"的要站，国家历史文化名城。建有多种工业，是南疆西部农畜产品集散地。

克拉玛依：位于准噶尔盆地西北部。是具有勘探、钻井、采油、输油、炼油、建筑、运输、电力、机械制造等门类的石油工业基地，是新中国成立后较早兴起的以石油为主的工业城市。

石河子：位于新疆北部，天山中段北麓，准噶尔盆地南端，玛那斯河西岸。为自治区直辖市（县级）是新疆粮、棉、糖及轻工产品的重要基地之一，有"戈壁滩上的明珠"之称。

219

比例尺 1:430 000

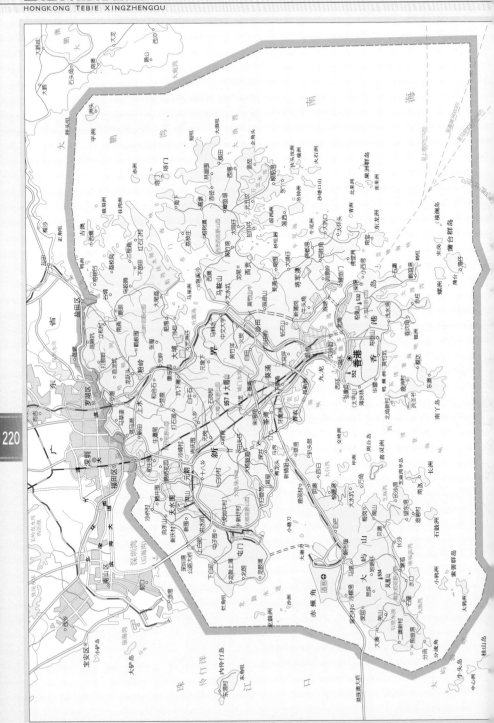

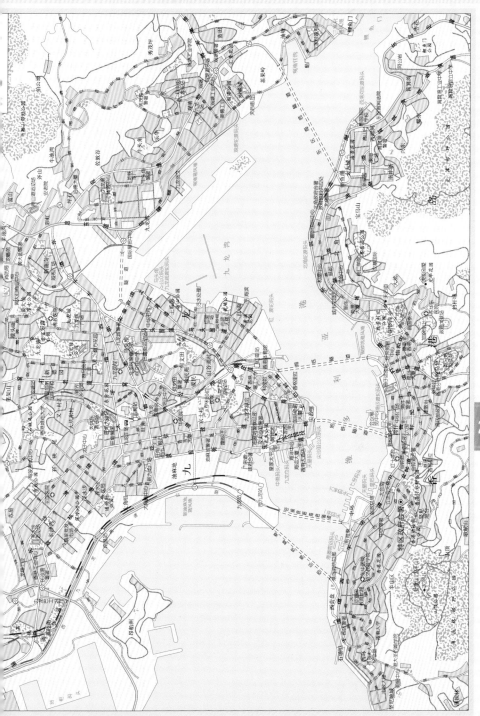

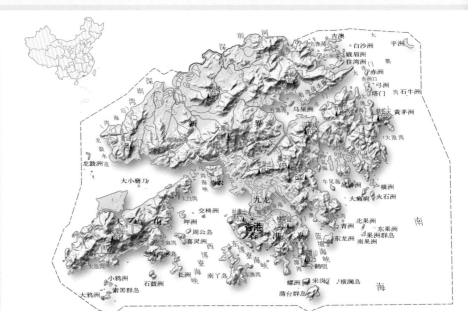

概况

香港特别行政区简称港。地处珠江口东侧。东南濒南海，北隔深圳河与广东省为邻，西与澳门相望。行政区域由香港岛、九龙、新界及其海域组成。陆地总面积约1106平方千米。人口718.8万，5%为外籍居民。特别行政区政府驻香港岛。

香港自古是中国领土，1840年鸦片战争以后被英国占领。根据1984年12月19日中英两国政府关于香港问题的联合声明，中华人民共和国政府已于1997年7月1日恢复对香港行使主权，正式设立了香港特别行政区，成为中央人民政府直辖的享有高度自治权的地方行政区域。

地形

本区属岭南丘陵的延伸部分，地质环境与广东省东南沿海地区相似，多石山、岩岛和港湾，平地少，有铁、钨、锡矿。新界的大帽山海拔957米，为境内最高峰。大屿山是境内最大的岛屿；次为香港岛，北隔海峡与九龙半岛相对，其间维多利亚港是世界三大天然良港之一。城门、锦田、元朗等河流短小，北部有船湾淡水湖，东部有万宜水库及大小水塘。

沿海有港岛、西贡、大屿山三大浪湾，维多利亚港建有14个避风塘。

气候

全区属亚热带海洋性季风气候，春温多雾，夏热多雨，秋日晴和，冬微干冷。年平均气温22.8℃，其中1月平均气温15.8℃，7月平均气温28.8℃。年平均降水量2214毫米。

自然资源

由于自然环境的原因，香港自然资源匮乏。土地资源有限，林地占总面积的20.5%，草地和灌木地约占49.8%，耕地仅占6.7%，食用淡水60%以上依靠广东供给。矿藏有少量的铁、铝、锌、钨、石墨等。渔业生产环境优越，有大眼鱼、黄花鱼、鱿鱼、红衫鱼等150种具有商业价值的海鱼。

农业

农业用地占7%左右，农地大部分在新界北部西北部，农业对香港很重要，农业的主要类型以园艺农业为主，种植蔬菜、花卉、水果、水稻。饲养猪、牛、家禽及淡水鱼，鱼塘利润较高，农副产品约半数需内地提供。

工业

轻工业已经形成了以纺织、制衣、电子、电器、钟表、塑料、玩具、造船等为主的出口加工工业体系，产品出口值居世界首位的有成衣、玩具、人造花、钟表、收音机等。

服务业发达，主要包括民航、航运、旅游等与贸易相关的服务，以及各类金融、银行服务。

交通

香港是亚太地区联结东南亚、欧美、大洋洲的重要海空交通枢纽，既是国际自由贸易港，又是世界第二大集装箱港。开辟有20余条远洋航线，与世界上100多个国家和地区的约460个港口进行航运往来。

香港是国际和亚洲地区主要的航空中心，香港国际机场是世界上最先进和最繁忙的机场之一，全球各大航空公司都有航班飞往香港。

陆路交通有广九、京九、武广高速铁路与内陆相连，香港岛内公共交通系统以铁路、小轮、公共汽车组成的运输网伸展至城市的各处。

文教、卫生

香港共有12所高等院校，其中教育资助委员会资助的大专院校有香港城市大学、香港浸会大学、岭南大学、香港中文大学、香港教育学院、香港理工大学、香港科技大学和香港大学。另外香港公开大学、香港树仁大学、珠海学院为财政自给的学院；香港演艺学院是由公费资助。

香港教育种类有：学前教育、小学教育、中学教育、专上教育、持续教育及职业训练教育。

主要旅游景点

游览地有扯旗山（太平山）、历史博物馆及海洋公园、动植物公园和郊野公园、迪士尼乐园等。

海洋公园：被誉为"亚洲最大的海洋公园"，位于香港南部香港仔海洋公园道，占地87万平方米，于1977年建成开放。公园分为黄竹坑公园和南郎山公园，中间有长1.4千米的索道相连。黄竹坑公园是一个精心设计打造的风景秀丽的公园。有超动感影院、金鱼大观园、蝴蝶屋、儿童王国、海狮园等。于1999年建造的大熊猫园内有中央政府赠送的大熊猫安安和佳佳。

海洋公园

名优特产

世界各地的美味佳肴在此汇集。西餐以法国大菜最受欢迎，日菜、韩菜、泰菜、意大利菜也很普遍。还有西班牙、地中海、阿根廷、古巴等菜。各式各样的小食随处可见。具地方特色的有叮叮糖、龙须糖、糖葱薄饼等。另外还有碗仔翅、油炸鬼、粥、粉面类。

香港·九龙

香港岛，是香港特别行政区政府驻地，是香港的政治、经济、文化中心。港岛北边是著名的维多利亚港，南边地势较低，是香港的旅游区及高级住宅区。深水湾、浅水湾、海洋公园都在此处，港岛北部比较繁华，主要包括上环、中环、湾仔、铜锣湾、金钟、北角等区域。此区域内有手工艺品商店、海味、中草药、淘寻古董的地方。中环有香港的商业、金融和行政中心、国际金融中心、汇丰银行总行、大酒店都集中此地，兰桂坊、苏豪美食、圣约翰大教堂、前总督府、立法大楼等文物古迹都在此地。

九龙原为九龙半岛界限街以南地区，现主要指大帽山、狮子山、飞鹅山以南，东至鲤鱼门、西至荃湾、是住宅区、商业区、工业区及码头、船坞、车站等重要交通设施所在地。有广九铁路连接内地，最繁华地区有尖沙咀、油麻地和旺角。有各类酒吧、珠宝和成衣店，还有尖沙咀钟楼、弥敦道星光大道等旅游景点。

浅水湾

香港九龙

比例尺 1:90 000

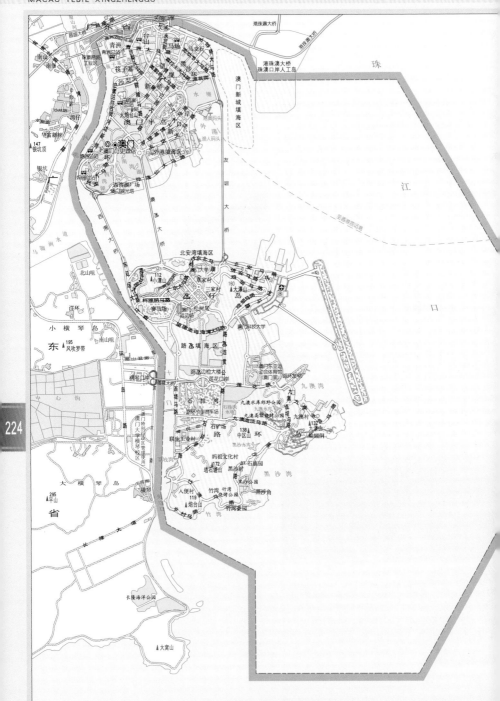

224

概况

澳门特别行政区简称澳。包括澳门半岛、氹仔岛和路环岛。地处南海之滨、珠江口西侧。北与广东省珠海市相邻，东隔伶仃洋与香港特别行政区相望。陆地面积30.4平方千米。人口59.2万，97%为中国籍，其余为葡萄牙等国籍。特别行政区政府驻澳门半岛。

澳门自古为中国领土，原是广东省香山县（今中山市）的一个渔村。近代，清政府在鸦片战争中战败，葡萄牙于1845年宣布澳门为"殖民地自由港"；1848年驱逐中国官吏，强行占领澳门半岛；后来又相继于1851年和1864年侵占了中国的氹仔岛和路环岛。根据1987年4月13日中葡两国政府关于澳门问题的联合声明，中华人民共和国政府已于1999年12月20日恢复对澳门行使主权，设立了澳门特别行政区，成为中央人民政府直辖的享有高度自治权的地方行政区域。

地形

境内陆地古为海上小岛。因珠江口西侧泥沙大量堆积及不断填海拓地，既形成与大陆相连的澳门半岛，又使大氹、小氹2岛合成氹仔岛，面积由19世纪的10.28平方千米扩大一倍多，海拔几十米的花岗岩丘陵、台地广布。形状如靴的澳门半岛，大部由填海造成，东望洋山等山丘海拔低于100米，多人工海岸，水浅港淤；其南偏东2.5千米的氹仔岛，为本区最小一部分；氹仔岛南侧2千米的路环岛，面积最大、地势最高，海拔172米的塔石塘山为本区最高点。多天然海湾且水较深。

气候

属亚热带海洋性季风气候。年平均气温22.3℃，其中1月平均气温14.5℃，7月平均气温28.6℃。4～9月为雨季，常出现强暴雨。年平均降水量2031毫米。春季多雾，夏有台风危害。

经济

澳门有"博彩天堂""东方蒙特卡洛"之称，博彩业带动旅游业，成为澳门经济支柱之一和外汇主要来源。

澳门天然资源匮乏，主要经济以博彩、旅游等消费行业为主。自20世纪60年代起，经济结构有所变化，形成了对外贸易、旅游、制造、建筑、金融等多元化经济体系。旅游博彩、金融、房地产建筑、出口加工成为四大支柱产业。

农业

以渔业、农业为主，往日农田区在望厦、龙田、龙环等地，氹仔和路环为长期农、渔兼备的状况。

澳门地处珠江水域，浅海渔业资源丰富，早期捕鱼业发达。但近几十年来近海渔业资源逐渐减少，渔民及捕鱼业都出现急剧下降的趋势。

工业

工业为近些年来发展较快的一个行业。澳门历史上曾以铸造铜炮而著称，火柴、鞭炮、神香是其三大传统工业，造船也曾名噪一时。近些年来，陆续建立了一批新兴工业。制衣业是澳门工业的第一大支柱，出口值居于首位。玩具业是澳门出口中占第二位的行业，主要为塑胶玩具、合金玩具和搪胶玩具三大类。澳门电子业才有20多年的历史，但很有发展潜力。彩瓷业近年来发展也较快，高当艺术彩瓷手工精美，质高款新。澳门特别行政区本地生产总值为3687.3亿澳门元。澳门为自由贸易港，外汇进出无管制。进出口贸易额953.6亿澳门元。其中进口额846.6亿澳门元，出口额106.9亿澳门元。

交通

澳门是沟通东西方世界的国际商贸大港，九澳湾可停泊约3000吨的轮船，客运码头有内港码头、新港澳码头、氹仔临时码头等。

澳门国际机场航班可达内地大、中城市和亚洲主要城市。

澳门半岛北端的关闸，是连接内地的主要陆路通道，与珠海拱北相连，莲花大桥与路环和氹仔岛及珠海市横琴岛是与内地互通的第二个口岸。澳门半岛与氹仔岛之间有友谊大桥、西湾大桥、澳氹大桥连接。

文教、卫生

澳门共有12所高等院校，分别是：澳门大学、澳门理工学院、旅游学院、联合国大学国际软件技术研究所、亚洲（澳门）国际公开大学、澳门保安部队高等学校、澳门科技大学、澳门镜湖护理学院、欧洲研究学会、高等校际学院、澳门管理学院、中西创新学院。

澳门教育种类有：幼儿教育、小学教育、中学教育、特殊教育、回归教育、职业技术教育、持续教育。

澳门政府医疗机构有：仁伯爵综合医院、医疗活动申诉评估中心、卫生中心、清洁卫生管理、不分类卫生服务等。

主要旅游景点

澳门历史城区列为世界文化遗产，包括8个广场空间，22处历史建筑。如妈阁庙、观音堂、大三巴牌坊、主教山、大炮台、东望洋灯塔等名胜古迹；氹仔岛有菩提园、住宅博物馆、赛马场；路环岛有黑沙湾、竹湾两驰名海滩和郊野公园。

澳门历史城区：历史城区距今已有400多年的历史，16世纪中叶明朝政府面对中外贸易的新形势，划出澳门半岛西南部一片地段，供葡萄牙为主的外国商人居住并进行贸易。澳门由此发展成为16世纪中国主要的对外港口，也是亚洲地区的国际港口，世界各地前来贸易的商人就在此形成了华洋杂处的局面。葡萄牙人把这个用城墙围起来的城市称为"天主圣名之城"，现在的历史城区就是以此为核心。几百年来，由葡萄牙、西班牙、荷兰、英国、法国、意大利、美国、日本，甚至非洲等地的不同国家人士，带着不同文化思想、职业技艺、风俗习惯，在城内合力营造出具有中西特色的文化。不同宗教文化以及生活习惯的交融与尊重，是澳门历史城区最具魅力的特色。2005年7月15日，澳门的22座建筑、8个广场及前地"澳门历史城区"被列入世界文化遗产名录。

大三巴牌坊：澳门的象征，是天主之母教堂（圣保禄教堂）正前壁的遗址，在炮台山下，高25.5米，宽23米，是典型的巴洛克建筑。

葡京娱乐场：以博彩闻名的娱乐场地，位于葡京路附近，博彩业是澳门的经济支柱之一。

市政厅：特别行政区政府驻地。对面是市政广场，是具有欧洲风格的广场，四周有教堂、饭店、咖啡馆。

妈阁庙：俗称天后庙，是澳门三大禅院中最古老的一座，是澳门妈祖文化的象征。

大三巴牌坊

名优特产

澳门荟萃了中西美食，有正宗葡国菜的葡国鸡、葡国腊肠、沙甸鱼、青菜汤、马介休等。

泰国菜、日本菜、韩国菜等。澳门小食有云吞水饺、杏仁饼、姜汁撞奶、各式粥品等。

澳门半岛

澳门半岛是澳门的政治、经济、文化中心。半岛东北－西南走向，东岸面向大海的是外港，有港澳码头；西岸面临内河是内港，有客、货水运；南岸有西湾、澳氹、友谊三座跨海大桥通向氹仔岛。

商业中心位于半岛南部，有约20家银行的总行及总办事处。还有教堂、中药铺、首饰店、时装店等。半岛西部是传统工业区和商住区。南部、中部、东部人口稠密，商业发达。西望洋山和妈阁山风光优美。山坡建有各种风格的别墅。是高级住宅区。也是特区政府机构所在地。

227

葡京娱乐场

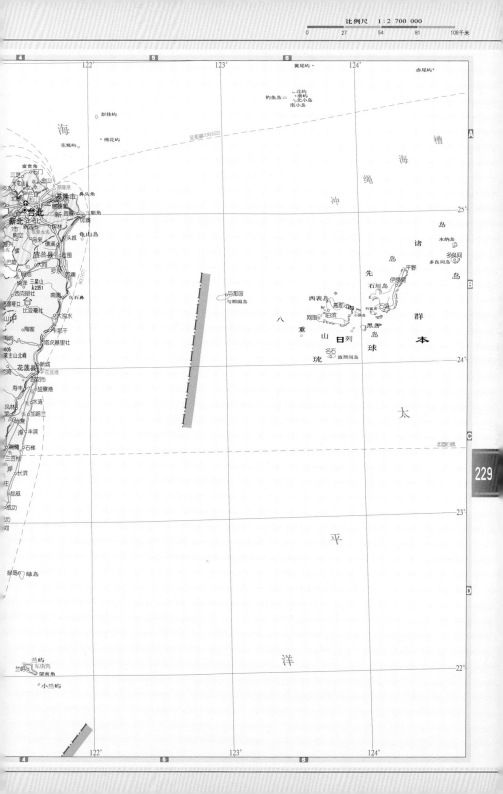

台　北

基隆

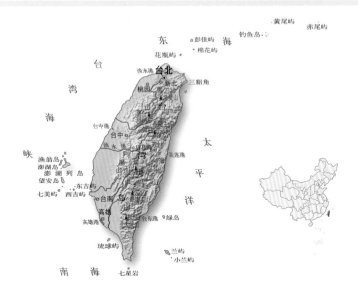

概况

　　台湾省简称台。地处我国东南海域。其北部临东海，南隔巴士海峡与菲律宾遥遥相望，东濒太平洋，西隔台湾海峡与福建省相望。全省由台湾岛、澎湖列岛、绿岛、彭佳屿、钓鱼岛、赤尾屿等80余个岛屿和海域组成，陆地面积约3.6万平方千米。人口约2360万，有汉、高山等民族。省会台北市。

　　台湾岛原为"华夏古陆"的一部分。古称夷洲。南宋属福建路，元置澎湖巡检司。明代始称台湾。1624年被荷兰殖民者侵占，1662年民族英雄郑成功收复台湾。清康熙二十二年（1683年）统一台湾，改设福建省台湾府；光绪十一年（1885年）设台湾省。1895年中日战争后，台湾及附属岛屿、澎湖列岛被迫割让日本；1945年抗日战争胜利后，台湾省及附属一切岛屿回归祖国怀抱。

地形

　　台湾岛是我国最大的岛屿，面积为3.58万平方千米。周围较大的附属岛有21个，主要分布在东南海面上，其中较大的有兰屿、绿岛（又称火烧岛）；东北部的岛屿面积不大，散布较广，以钓鱼岛最大。澎湖列岛共64个岛屿，北侧有澎湖、白沙、渔翁、吉贝屿等44个岛屿，南侧有望安、东吉、七美屿20个岛屿。台湾岛多山地丘陵，约占总面积的2/3，平原约占1/3。可分为台东山地、台西平原、台中丘陵三大地形区。主要有海岸（台东）、中央、玉山、阿里、雪山等山脉，其中玉山海拔3952米，为本省及我国东部最高峰。有台南平原、屏东平原、宜兰平原、花莲平原、纵谷平原、沿海平原和台东平原以及台北、台中盆地等。其中台南平原最大，面积4550平方千米。河流有浊水溪、高屏溪、淡水河、曾文溪等，以浊水溪最大。湖泊较少，中部的日月潭为省内最大的天然湖泊，以人工为主体的有珊瑚潭、曾文水库等。

气候

　　具有热带、亚热带气候特点，高温、多雨、多风。年平均气温22℃，2月平均气温15℃，7月平均气温28℃。年均降水量2400毫米以上。每年6～10月间，常受南太平洋的强台风侵袭。

自然资源

　　矿产资源以煤、石油、天然气和非金属矿藏较为丰富，主要有硫磺、石棉、石灰石、大理石、白云石、滑石、云母、水晶、瓷土、火粘土、矽砂、宝石等。金属矿藏储量少，种类也不多，主要有金、银、铜、铁、锰等。

　　水资源较为丰富，台湾岛有较大河流19条，次要河流32条，普通细流101条。由于受地形影响，一般都流程短、落差大，加之雨量大，多急流险滩，因而水力资源丰富，水力蕴藏量约370多万千瓦/小时。

　　热能资源丰富。终年无霜，年日照时数约1600～2800小时，年极端最低气温平均值≥5℃，积温达7500℃以上。3米/秒以上的风速全年约7000～8000小时，平均有效风能密度约（200～300）瓦/平方米。地热资源因地处太平洋火山地震带上，火山群与温泉并存，主要分布在北部的大屯火山群地区及清水、宜兰土场等地。大屯火山群地区的地热温度及压力俱佳，蒸汽、热水温度高达293℃，但因热水的腐蚀性很强，尚难利用。在宜兰地下发现温度在198～233℃的热水和蒸汽，1979年建立第一座地热发电厂，供电量为400千瓦/小时。

　　生物资源种类繁多，包括热带、温带、寒带诸多植物和动物。现有森林186.4万公顷，木材总蓄积量为3.26亿立方米，主要树种约400多种，竹的种类也有20多种，是我国森林宝库之一。珍贵动物主要有黑熊、杜鹃、云豹等。有鸟类300多种，其中以黑长尾雉、兰鹇最为珍贵，还有黄鹂、鸳鸯、喜鹊等。海洋资源非常丰富，鱼类约有500种，主要有鲐鱼、鲷鱼、鲨鱼、鲣鱼、鳊鱼、蛇鱼、旗鱼、鲳鱼、鳗鱼等以及虾、蟹、贝类、藻类、珊瑚等。

农业

由于气候温和、湿润，土地肥沃，是我国自然条件较好、农业生产比较发达的省份，素有"粮仓"之称。粮食作物主要有稻谷、玉米、小麦、红薯，主要经济作物为甘蔗、花生、麻类，是我国水稻、甘蔗主要产区之一。林木种类繁多，有樟树、红松、肖楠、马尾松、杏大杉、台湾杉树、铁杉等。经济林木有油桐、橡胶树、漆树、樟树、柠檬桉、肉桂、金鸡纳树、木瓜、石榴、龙眼、荔枝、芒果、核桃、椰子、菠萝、香蕉、茶等。沿海盛产鱼类、虾类、贝类、珊瑚，珊瑚产量占世界产量的80%。盐场面积达4000余公顷，年产可达60多万吨。家畜饲养业主要有猪、牛、鸡、鸭、鹅等。

工业

先从轻纺工业起步，70年代后重视重工业的发展，制造业是其最主要的项目。目前，制造业从竹器编制到钢铁冶炼有20大类，共80多个行业，主要有纺织、电子电器、食品加工、化学工业、石油化工、基本金属、运输工具制造、机械、非金属矿产品制造、造纸等，还有电力、矿业、建筑、印刷等工业。

工业分布比较集中，主要在西部平原，基本上以台北、台中、高雄为中心，形成了三个工业区：1.北部工业区。以台北市为中心，包括桃园县、新北市和基隆市，集中了全省工商企业总数的1/3以上，资产总值占全省的3/4以上，纺织、食品、电子机械等工业多在这一区。2.南部工业区。以高雄市为中心，包括台南市、屏东县，共有工商企业10万多家，占全省总数的1/4以上，大型钢铁、造船、石化等重化工业多在这一区。3.中部工业区。以台中市为中心，包括彰化、南投等县，工商企业约占全省总数的1/5。

交通

形成以公路与铁路、海上与空中相结合的交通运输网络，是我国交通运输业最发达的省份之一。其特点是密度高、路况好、公路高速化、铁路电气化、航道多、港口进出便利。铁路已形成环岛网，有纵贯铁路、台东铁路、北回铁路、南回铁路等，里程达1400多千米，已建成通车高速铁路345千米。公路里程约3万余千米，形成了高速公路、环岛公路、横贯公路、滨海公路为主干线的公路网。有桃园、高雄国际机场和其他民航机场16处。

主要旅游景点

境内山青水绿，风景秀丽，素有"美丽宝岛"之称，清代即有"八景十二胜"之说。主要景点有中国十大风景名胜之一的日月潭，以及阿里山风景区、玉山、澄清湖、故宫博物院、五指山、八卦山、狮头山等。

日月潭：位于南投县丛山中。是"台湾八景"中的绝胜，水面海拔760米，面积7.7平方千米，为全省最大的天然湖泊，也是全国闻名的高山湖泊和避暑胜地。湖中有珠仔岛，岛北为日潭，岛南为月潭，以形状近似日月而得名。

阿里山风景区：位于嘉义县城以东，一般海拔3000米以下。以森林、云海、日出三大奇观为胜。森林面积达300平方千米，包括热

带、温带、寒带诸多树种。一株红桧树龄达3000年，高53米，称为"神木"。大塔山断崖、塔山云海、祝山日出均著名。

澄清湖：位于凤山以北。为以人工水库为主体形成的综合游览区，由得月楼、丰源阁、九曲桥等组成环湖八景。

亿载金城：又称大炮台，位于台南市安平区。1875年，钦差大臣沈葆桢为抵御日本侵犯，聘请法国工程师设计、建造的一座城堡。城堡内配置有重炮，至今尚存一尊。

鹿港龙山寺：台湾三大古刹之一，1672年为泉州人陈邦光筹巨金建造。该寺规模宏大，设99个门，有"台湾之艺术殿堂"之誉。

故宫博物院：1965年仿北京故宫而建。馆藏25万件文物、10万卷古籍、14万册珍贵图书与档案。

名优特产

香蕉、菠萝、柑橘并称三大优质果品，樟脑、香料称雄世界，大甲席、大甲帽畅销全球。南投埔里镇为世界最大蝴蝶标本供应中心，蝴蝶工艺画令世人倾倒。高雄六合夜市贝类海鲜及"山河肉"品味甚佳。

主要城市

台北：台湾岛陆地交通的枢纽，纵贯全岛的铁路、公路以此为起点，可达基隆、高雄等城市。有电器、机械制造、纺织、造纸、制茶等工业，其中电器厂近千家。

基隆：本省重要海港和渔业基地，也是北部的重要工业城市。有造船、煤炭、化工、水产加工等工业，出口以稻米、糖、茶叶、水果、樟脑、煤为主。

高雄：本省第二大城市和最大的港口，也是重工业和化学工业中心。有电子、钢铁、机械制造、化学和食品加工等工业和全省最大的造船厂。

台南：盛产甘蔗、香蕉等，有制糖、化工、橡胶和水产加工等工业，是本省西南部的产糖中心。

新竹：台湾最古老的城市之一，工业、农业和商业都很发达。工业有制糖、纺织、化肥、电子等。

台中：工业有机械修配、制糖、罐头食品等，农业以稻谷、甘蔗、水果为主。

宜兰风光

中国四大高原

名称	面积（万平方千米）	海拔（米）	地理位置
青藏高原	约250	3000~5000	青、藏、川西部
内蒙古高原	约100	1000~1300	内蒙古大部和甘、宁、冀的一部分
云贵高原	约50	1000~2000	云南东部、贵州大部
黄土高原	约40	1000~1500	晋和陕、甘、宁的一部分

中国四大盆地

名称	面积（万平方千米）	海拔（米）	地理位置
塔里木盆地	约53	800~1300	新疆南部
准格尔盆地	约38	500~1000	新疆北部
柴达木盆地	约25	2600~3000	青海西北部
四川盆地	约20	300~700	川、渝

中国三大平原

名称	面积（万平方千米）	海拔（米）	地理位置
东北平原	约35	大部分200以下	黑、吉、辽、内蒙古各一部分
华北平原	约31	大部分50以下	冀、鲁、京、津、豫东、苏北、皖北
长江中下游平原	约20	50以下	鄂、湘、皖、赣、苏、浙部分、沪

中国五种地貌类型

地貌类型	海拔（米）	相对高度	地表形态
平原	一般在200以下	极小	地面平坦
高原	在1000以上	较大	有些高原地面平坦，有些则崎岖不平
山地	在500以上	大	顶部高耸，坡度陡峻，沟谷幽深
丘陵	在500以下	一般200米以下	坡度较缓，地势高低起伏较小
盆地	500左右	较大	周围山岭环绕，中部地平，呈盆状，内部可能有平地或丘陵

中国地势三级阶梯比较

地势阶梯	海拔（米）	主要地貌类型	主要地形区
第一级阶梯	平均4000以上	高原	青藏高原、柴达木盆地
第二级阶梯	1000~2000	高原、盆地	准格尔盆地、塔里木盆地、内蒙古高原、黄土高原、四川盆地、云贵高原
第三级阶梯	500以下	平原、丘陵	东北平原、华北平原、长江中下游平原、江南丘陵

中国主要山脉

名称	平均海拔（米）	主峰及其海拔（米）	主峰地理位置	名称	平均海拔（米）	主峰及其海拔（米）	主峰地理位置
喜马拉雅山脉	6000以上	珠穆朗玛峰8848.86	西藏	祁连山	4000以上	祁连山5547	甘肃
昆仑山脉	5000~6000	公格尔山7649	新疆	秦岭	1000~3000	太白山3767	陕西
天山山脉	3000~5000	托木尔峰7443	新疆	五台山	2500	北台叶斗峰3061.1	山西
阿尔泰山脉	1000~3500	友谊峰4374	新疆	贺兰山	2000以上	敖包圪垯3556	宁夏、内蒙古
喀喇昆仑山	6000	乔戈里峰8611	新疆	太行山	1000~2000	小五台山2882	河北
可可西里山	5000	岗扎日6305	青海	武夷山	1000~1500	黄岗山2160.8	福建、江西
唐古拉山	6000	各拉丹冬峰6621	青海	南岭	1000	猫儿山2141	广西
冈底斯山	6000	冷布岗日7095	西藏	大兴安岭	1100~1400	黄岗梁2029	内蒙古
念青唐古拉山	5000~6000	念青唐古拉峰7162	西藏	长白山	200~2000	白云峰2691	吉林
巴颜喀拉山	5000~6000	年保玉则峰5369	青海	玉山	3000~3500	玉山3952	台湾
大雪山	4000~5000	贡嘎山7508.9	四川				

中国主要河流

名称	长度（千米）	流域面积（万平方千米）	所流经省区
松花江	2308	55.68	内蒙古、吉林、黑龙江
辽河	1394	20.16	河北、内蒙古、吉林、辽宁
黄河	5464	75.24	青海、甘肃、四川、宁夏、内蒙古、陕西、山西、河南、山东
淮河	1000	27.0	河南、安徽、江苏
长江	6300	180.85	青海、西藏、四川、云南、重庆、湖北、湖南、江西、安徽、江苏、上海
汉江	1532	15.07	陕西、湖北
嘉陵江	1120	15.97	甘肃、四川、重庆
岷江	735	13.58	四川
珠江	2214	45.36	广西、广东
澜沧江	1826	16.75	青海、西藏、云南
怒江	2013	12.48	西藏、云南
雅鲁藏布江	2057	24.05	西藏
额尔齐斯河	546	5.09	新疆

中国主要湖泊

名称	面积（平方千米）	湖面高程（米）	最深（米）	水质	地理位置
青海湖	4583	3196.9	28.7	咸	青海
鄱阳湖	2933	21.7	25	淡	江西
洞庭湖	2432	33.0	24	淡	湖南
太湖	2425	3.14	3	淡	江苏、浙江
呼伦湖	2339	545.3	8.0	淡	内蒙古
洪泽湖	1599	12.4	4	淡	江苏
巢湖	820	10.0	5	淡	安徽
纳木错	1940	4718.0	35.0	咸	西藏
博斯腾湖	1019	1048.0	15.7	淡	新疆

中国之最

面积最大的省级行政区	新疆维吾尔自治区	最高的盆地	柴达木盆地（海拔2600～3000米）
面积最小的省级行政区	澳门特别行政区	最大的平原	东北平原
人口最多的省级行政区	河南省	最大的沙漠	塔克拉玛干沙漠
人口最少的省级行政区	澳门特别行政区	最高的山峰	珠穆朗玛峰
侨胞最多的省级行政区	广东省	最长的山脉	昆仑山脉
少数民族最多的省级行政区	云南省	最大的草原	内蒙古大草原
国界线最长的省级行政区	内蒙古自治区	最长的河流	长江（全长6300千米）
海岸线最长的省级行政区	广东省	最长的国际河流	黑龙江
地震最频繁的省级行政区	台湾省	最长的内流河	塔里木河
最大的群岛	舟山群岛	含沙量最大的河流	黄河
最大的岛屿	台湾岛	唯一注入北冰洋的河流	额尔齐斯河
最大的冲积岛	崇明岛	最古老的运河	灵渠
最大的内海	渤海	面积最大的咸水湖	青海湖
最大的海峡	台湾海峡	面积最大的淡水湖	鄱阳湖
最大的半岛	山东半岛	最深的湖泊	长白山天池
最大最高的高原	青藏高原	最大的瀑布	黄果树瀑布
最大的盆地	塔里木盆地	最大的峡谷	雅鲁藏布大峡谷

中国之最

最大的林区	大兴安岭林区	最大的经济特区	海南省
最大的渔场	舟山渔场	最大的商业中心	上海
最大的盐场	长芦盐场	最大的贸易中心	上海
海拔最高的城市	日喀则	最大的港口	上海港
最北的城市	漠河	最大的城市广场	天安门广场
最西的城市	喀什	夏季气温最高的地方	吐鲁番（7月平均气温33℃以上）
最南的城市	三沙	降雨最多的地方	台湾东北火烧寮（年均约6500毫米）
地势最低的地方	艾丁湖（-153.14米）	降雨最少的地方	吐鲁番盆地中的托克逊（年均仅5.9毫米）

中国最美的十大名山

名称	海拔（米）	地理位置
南迦巴瓦峰	7782	西藏
贡嘎山	7508.9	四川
珠穆朗玛峰	8848.86	西藏
梅里雪山	6740	云南
黄山	1864.8	安徽
稻城三神山	6032（萨内日）	四川
乔戈里峰	8611	新疆
冈仁波齐峰	6656	西藏
泰山	1532.7	山东
峨眉山	3079.3（金顶）	四川

中国最美的十大海岛

名称	面积（平方千米）	地理位置
西沙群岛	主岛永兴岛面积2.8	海南
涠洲岛		广西
南沙群岛	最大的太平岛面积0.43	海南
澎湖列岛		台湾
南麂岛	12	浙江
庙岛列岛	56	山东
普陀山岛		浙江
大嵛山岛	21.5	福建
林进屿、南碇岛		福建
海陵岛	107.8	广东

中国最美的十大峡谷

名称	长度（千米）	地理位置
雅鲁藏布大峡谷	504.9	西藏
金沙江虎跳峡	28	云南
长江三峡	峡谷段总长约90	重庆、湖北
怒江大峡谷	约300	西藏、云南
澜沧江大峡谷	约100	云南
太鲁阁大峡谷	约20	台湾
黄河晋陕大峡谷	725	内蒙古、陕西、山西
大渡河金口大峡谷	26	四川
太行山大峡谷	600	山西、河南
天山库车大峡谷	约5	新疆

中国最美的六大草原

名称	地理位置
呼伦贝尔草原	内蒙古
伊犁草原（那拉提草原、巩乃斯草原、昭苏草原、唐布拉草原）	新疆
锡林郭勒草原	内蒙古
川西高寒草原（毛垭大草原、措普草原）	四川
那曲高寒草原	西藏
祁连山草原（夏日塔拉草原）	甘肃

中国最美的六大冰川

名称	长度（千米）	地理位置
绒布冰川	26	西藏
托木尔冰川	41.5	新疆
海螺沟冰川	一号冰川长约14	四川
米堆冰川		西藏
特拉木坎力冰川	28	新疆
透明孟柯冰川	10.1	甘肃

中国最美的五大湖泊

名称	面积（平方千米）	地理位置
青海湖	4583	青海
喀纳斯湖	44.78	新疆
纳木错	1961.5	西藏
长白山天池	9.82	吉林
西湖	5.66	浙江

中国最美的七大丹霞地貌

名称	丹霞地貌面积（平方千米）	地理位置
丹霞山	180	广东
武夷山	70	福建
大金湖	166.9	福建
龙虎山	80	江西
资江-八角寨-崀山丹霞地貌	202.5	湖南、广西
张掖		甘肃
赤水	约1000	贵州

中国最美的五处沙漠景观

名称	面积（万平方千米）	地理位置
巴丹吉林沙漠	4.4	内蒙古
塔克拉玛干沙漠	33	新疆
古尔班通古特沙漠	4.8	新疆
鸣沙山		甘肃
沙坡头		宁夏

中国最美的三大雅丹地貌

名称	面积（平方千米）	地理位置
乌尔禾		新疆
白龙堆	1000	新疆
三垅沙	约100	新疆

中国名山、名窟、名塔、名亭、名园等

五岳	东岳泰山、西岳华山、北岳恒山、南岳衡山、中岳嵩山
八大古都	北京、西安、南京、洛阳、开封、杭州、安阳、郑州
三大宫殿建筑群	泰山岱庙、北京故宫、曲阜孔庙
四大佛教名山	山西五台山、四川峨眉山、安徽九华山、浙江普陀山
四大道教名山	湖北武当山、江西龙虎山、安徽齐云山、四川青城山
四大佛教艺术石窟	甘肃敦煌莫高窟、山西大同云冈石窟、河南洛阳龙门石窟、甘肃天水麦积山石窟
四大碑林	陕西西安碑林、山东曲阜孔庙碑林、四川西昌地震碑林、台湾高雄南门碑林
四大名塔	河南登封嵩岳寺塔、山西洪洞广胜寺飞虹塔、山西应县佛宫寺释迦塔、云南大理崇圣寺千寻塔
四大名亭	安徽滁州醉翁亭、北京宣武区陶然亭、湖南长沙爱晚亭、杭州西湖湖心亭
四大名桥	广东潮州广济桥、河北赵县赵州桥、福建泉州洛阳桥、北京卢沟桥
最古老的石拱桥	河北赵州桥
最古老的铁索桥	云南霁虹桥
三大航天中心	四川西昌、甘肃酒泉、山西太原
四大名园	北京颐和园、承德避暑山庄、苏州拙政园和留园
古代四大工程	长城、都江堰、灵渠、大运河
四大名楼	武汉黄鹤楼、南昌滕王阁、湖南岳阳楼、烟台蓬莱阁

编辑说明

　　《中国地图册》以省级政区为单元，详细表示了各省级行政区域内自然和人文地理的最新信息，是一本内容丰富、形式美观，能反映时代特点的实用的参考地图册，供各级公务人员、企事业单位员工和广大读者在学习中国地理知识，了解和研究国情省情时使用。

　　图册由序图、省级区域图和附录组成。序图主要反映我国政区、地形、地貌、水系、交通、气候、旅游资源的总体面貌。省级区域图为本图册的主体，由分省政区图、城市平面图和文字简介三部分组成。其中北京、天津、上海、重庆的政区图按区县设色，其他省级政区图按地级区域设色，详细表示了各省行政区划、交通、居民地、水系及旅游等要素。城市平面图主要反映了各省大中型城市的城区结构、街道分布、企事业单位、旅游景点以及主要的城市出入口。文字部分介绍各省级区域的地形、气候、自然资源、工农业、交通、文教卫生、旅游、特产及主要城市的概况。附录包括中国地理知识和县以上居民地名称索引，根据居民地在政区图的坐标（纵向用ABC……表示，横向用123……表示）进行索引。索引编排按县级地名汉字首字笔画数从小到大排列，同笔画字随机排列。

　　本图册采用的资料权威性、现势性强。县级以上行政区划资料截至2023年9月。

　　本图册采用全数字制图技术制作，力求在图幅设置、结构编排、内容选取、表示方法、印刷装帧等方面，做到科学性、知识性、系统性、艺术性、实用性的和谐统一，充分反映信息时代广大读者新的要求。

　　此次修订再版，我们承袭了本图册以往几个版本的精华，充分利用最新资料对图册进行了全面更新，丰富了序图的内容和表现形式，重新进行了版式和装帧设计，无论是内容还是形式都作了较大改进。

　　本图册的编纂和出版，凝聚了历版主创人员和全体编辑的心血和智慧。借此再版机会，我们向曾为本图册的编纂和出版作出贡献的所有领导、专家和同志表示衷心的感谢。

　　本图册内容广泛，尤其是文字说明涉及到许多科学领域，由于我们水平所限，错误和不足之处在所难免，敬请广大读者批评指正。

《中国地图册》编辑部